« CES MYSTÉRIEUX ACCORDS PARFAITS »

Avec le soutien du
Centre national du livre

Avec le soutien de la
Fondation Francis et Mica Salabert

JEAN-LOUIS LELEU
« CES MYSTÉRIEUX ACCORDS PARFAITS »

Trois études sur la musique d'Arnold Schönberg

CONTRECHAMPS ÉDITIONS

SOMMAIRE

AVANT-PROPOS

Non point l'écrit, mais la chose même.
Prise en son vif et dans son tout.

(SAINT-JOHN PERSE, *Vents*, III, 6)

Nul compositeur du xxᵉ siècle n'a été mieux servi qu'Arnold Schönberg sur le plan éditorial : 75 des 78 volumes prévus de la magnifique édition critique des *Œuvres complètes*[1], entreprise dans les années 1960 sur l'initiative de son disciple Josef Rufer, ont maintenant paru, et une édition critique complète en vingt-deux tomes des *Écrits*, réalisée sous l'égide de l'Internationale Schönberg-Gesellschaft en collaboration avec l'Arnold Schönberg Center de Vienne, est désormais, à son tour, en voie de publication : un premier volume – une nouvelle édition de *Der musikalische Gedanke*, ouvrage demeuré à l'état de fragment – est sorti chez Universal en 2018. Mais la musique de Schönberg reste, globalement, mal connue et mal aimée en dehors d'un cercle restreint de musiciens et de mélomanes, malgré l'engagement de quelques interprètes de premier plan[2]. La majeure partie des œuvres composées avant la Première Guerre sont certes programmées plus souvent aujourd'hui qu'elles ne le furent du vivant du compositeur, qui se désolait que les grands orchestres américains ne jouent de lui que la *Nuit transfigurée* et, tout au plus, ses orchestrations de pièces pour orgue de Bach. Mais un reproche de cérébralité continue de s'attacher aux partitions écrites à partir du milieu des années 1920 avec ce que leur auteur, récusant toute

---

1 *Sämtliche Werke*, en deux séries : l'une comprenant les œuvres achevées et celles qui, bien qu'inachevées, peuvent du moins être jouées, l'autre réunissant l'appareil critique, les dossiers de genèse et les partitions restées à l'état de fragment.

2 Pour s'en tenir aux chefs d'orchestre, il convient de mentionner ici, tout spécialement, Pierre Boulez et Michael Gielen. L'un des derniers concerts que Boulez ait dirigés à Paris – c'était à l'occasion de son 85ᵉ anniversaire, le 12 mars 2010 – commençait encore par une œuvre de Schönberg, rarement donnée : les *Quatre pièces pour chœur mixte* op. 27, que suivaient deux de ses propres compositions, *Cummings ist der Dichter* et *Dérive 2*. Gielen était, quant à lui, un neveu du pianiste Eduard Steuermann, qui dès les années 1910 avait défendu avec passion la musique de son maître et ami.

idée de système, insistait pour nommer sa «méthode de composition avec douze notes».

À l'inverse de la pratique courante consistant à diviser en
compartiments la production de Schönberg, l'objectif des trois
«études» présentées ici est de faire ressortir l'unité et la continuité de sa pensée et de sa poétique musicales, quelles que soient
les périodes auxquelles appartiennent les œuvres, mais également
les langages (les idiomes) qui y sont parlés. Il y a chez Schönberg
une façon de concevoir l'interaction des dimensions harmonique
et mélodique au sein du tissu contrapuntique, et une façon de
faire découler la cohérence interne de la composition (ce qu'il
désigne par le terme de *Zusammenhang*) de la mise en place d'un
dense réseau de relations motiviques – à quoi se conjugue l'équivalence posée entre harmonie et immédiateté de l'expression –,
qui sont dans une large mesure indépendantes du matériau et
des techniques d'écriture utilisées. Cela vaut notamment pour
cette «méthode de composition» fondée sur la confection préa-
lable d'une «série», dont la finalité est de structurer le matériau
amorphe de l'échelle dodécatonique (*twelve-tone scale*) en fixant
une fois pour toutes l'ordre dans lequel les douze notes vont se
succéder, en bloc ou par tronçons, à l'intérieur d'une œuvre ou
d'une pièce donnée : jusque dans la dernière période, cette façon
de procéder reste une voie parmi d'autres, et il est frappant de voir
que la technique sérielle qui y est mise au point sous une forme
particulièrement élaborée est susceptible de mutations diverses
quand le compositeur est amené à travailler, non plus avec l'échelle
des douze notes, mais avec un matériau plus restreint et hiérar-
chisé, hérité du passé.

Un examen approfondi des *Volkslieder* pour chœur mixte écrits
en 1928-1929 à partir de mélodies tirées du fonds populaire de
la Renaissance – deux d'entre eux, *Schein uns, du liebe Sonne* et
Es gingen zwei Gespielen gut, sont étudiés en détail dans le troisième volet de ce livre (chapitres I à IV) – fait ainsi apparaître que
Schönberg y met en œuvre des techniques de composition appa-
rentées, dans l'esprit, à la méthode sérielle, qu'il repense et refor-
mule en fonction du matériau diatonique, essentiellement modal,
auquel la nature du projet le conduit ici à s'en tenir. Ces *Chants
populaires* se révèlent, à une écoute attentive, non moins inventifs
et non moins représentatifs de l'écriture schönbergienne que les
œuvres, datant des mêmes années, dans lesquelles est poussée à

ses limites l'exploration des possibilités offertes par l'utilisation de la série – notamment la *Suite* op. 29 et les *Variations pour orchestre*.

Si la force expressive des pièces – d'ailleurs peu jouées et rarement prises en considération – ressort immédiatement à l'écoute, on est surpris des richesses qu'elles recèlent, et que l'on découvre en se familiarisant avec elles.

De telles compositions – qui n'ont pas d'équivalent dans l'œuvre de Webern et de Berg – illustrent la primauté absolue de l'«idée» musicale sur toute préoccupation d'ordre stylistique qui caractérise la démarche de Schönberg. Le titre donné au recueil de textes que fit paraître en 1950 la Philosophical Library, *Style and Idea*, met en avant l'opposition cardinale de ces deux notions, qu'un aphorisme non publié de 1923 déjà formulait ainsi : «Les styles règnent, les idées l'emportent (*Stile herrschen, Gedanken siegen*).³» Par style, s'entend ici, non seulement la façon personnelle dont un musicien exploite les ressources d'un idiome donné à tel ou tel moment de son évolution historique (comme le fait par exemple Reger avec l'idiome tonal post-wagnérien), mais aussi, et plus généralement, l'ensemble des choix langagiers par lesquels peut se définir, à un moment donné, tel courant musical – par exemple le courant néoclassique, dans lequel se sont agrégés les tenants d'une restauration, en quelque sorte post-moderne, de l'harmonie triadique. Dans l'optique de Schönberg, la singularité de l'Idée qui s'objective dans l'œuvre affranchit le créateur de toute dépendance par rapport à un tel langage de référence.

Que le matériau de la composition devienne ainsi en lui-même indifférent, l'atteste, plus nettement encore que les *Volkslieder*, la dernière des *Six Pièces pour chœur d'hommes* op. 35, *Verbundenheit*, où l'opposition tonal/atonal est en quelque sorte dépassée – *aufgehoben*, selon l'expression de Hegel – à l'intérieur, cette fois, d'une conception entièrement autonome. Schönberg, en effet, opère bien ici avec l'échelle des douze notes, tout en se restreignant, pour le vocabulaire, aux ressources d'une modalité diatonique élargie – la conciliation s'effectuant, en l'absence de toute série identifiable comme telle, par le recours à un principe fondamental de la technique sérielle : la seconde moitié de la pièce est en effet l'exacte image en miroir de la première, résultant de sa stricte inversion

---

3 Arnold Schönberg, »*Stile herrschen, Gedanken siegen*«. *Ausgewählte Schriften* (Anna Maria Morazzoni, éd.), Mainz, Schott, 2007, p. 32.

autour d'un axe de symétrie constant (voir le chapitre v du 3ᵉ volet). Si les accords qui retentissent se confondent avec ceux de l'idiome tonal, la logique à laquelle obéit le discours musical appartient à un univers gouverné par de tout autres lois.

Dans *La Main heureuse* déjà, l'une des partitions les plus significatives de la période expressionniste du compositeur, coexistent de façon frappante, au point culminant de la dernière scène, des éléments stylistiques extrêmement disparates – des successions d'accord parfaits y sont intégrées à une texture musicale foncièrement «atonale» –, sans que soit mise en question la cohérence de l'ensemble (voir le chapitre vii du 1ᵉʳ volet). Au moment même où s'accomplit l'émancipation de la dissonance (nous sommes au début des années 1910), une nouvelle dialectique entre dissonance et consonance s'instaure dans l'œuvre, qu'elle ne cessera ensuite d'innerver – dialectique dans laquelle la relation des deux éléments n'est plus réglée a priori, comme c'était le cas dans le système tonal, selon des modalités bien définies. La médiation s'accomplit sous sa forme la plus radicale, et en même temps la plus apaisée, dans la dernière des *Quatre Pièces pour chœur mixte* op. 27 (écrites en 1925), *Der Wunsch des Liebhabers*, où est réalisé à l'intérieur même de la série – et donc en amont de la composition proprement dite – le dépassement de l'opposition entre des modes d'organisation de l'espace musical situés aux antipodes l'un de l'autre : ceux que fondent, d'un côté, l'échelle dodécatonique, et à l'autre extrémité l'échelle pentatonique (2ᵉ volet, chapitres i à v). Cette imbrication paradoxale des deux médiums confère à la pièce – rarement jouée, elle aussi, et pourtant passionnante – une saveur et une séduction très particulières, que renforce le voisinage des trois autres chœurs du recueil, dont les séries respectives favorisent l'émergence de configurations d'intervalles, et par là de couleurs harmoniques tout à fait différentes (2ᵉ volet, chapitres vi-vii). D'une façon plus générale, l'opus 27, dans lequel Schönberg estimait avoir établi une fois pour toutes la validité de sa méthode de composition, constitue un terrain d'observation privilégié si l'on veut saisir ce que recouvre exactement la notion de «série», et quels services précis le compositeur attendait que lui rende cet outil.

Un autre fil directeur parcourt les trois parties de ce livre, qui se rapporte au *sous-texte* des œuvres : toutes les partitions étudiées ici comportent, en vérité, un texte, dont la teneur affecte, d'une façon ou d'une autre, celle de la musique – en particulier quand

Schönberg en est lui-même l'auteur, auquel cas il est toujours ouvertement porteur d'un message. Que ce texte soit chanté par un chœur (cela vaut également pour les scènes-cadres de *La Main heureuse*, où douze voix matérialisent musicalement les douze regards qui, sur la scène, fixent le protagoniste du drame) a des implications de deux ordres. Techniquement, d'abord, un chœur mixte (qui, dans l'opus 35, se réduit encore à un chœur d'hommes) n'offre, comparé à un quatuor à cordes, que des possibilités limitées, aussi bien sur le plan de l'ambitus propre à chaque voix – ainsi que du type d'écriture praticable à l'intérieur de cet ambitus (les grands intervalles n'y sont possibles que dans d'étroites limites) – que sur le plan du timbre ; en contrepartie, la dimension harmonique, et mieux encore l'interaction entre harmonie et conduite des voix au sein de la polyphonie, deviennent ici primordiales. En second lieu, le chœur – à la différence, cette fois, de la voix soliste – incarne une collectivité, et c'est là chez Schönberg une donnée essentielle : la relation tendue que l'individu, et tout spécialement l'artiste, entretient avec le groupe social auquel il voudrait s'adresser et dans lequel il peine à s'intégrer, et son image inversée : l'utopie d'une communauté soudée dont les membres se montreraient solidaires entre eux, sont des motifs récurrents dans ses écrits et dans sa correspondance, qui trouvent une forme d'expression musicale dans la dialectique de la consonance et de la dissonance. Cette porosité entre la sphère de l'art et le monde réel est manifeste jusque dans les dernières œuvres, notamment *Dreimal tausend Jahre*, où vient au premier plan la question du judaïsme et du rapport au monde juif, qu'éclairent plusieurs textes importants – en particulier, s'agissant de la critique de l'idéologie sioniste, le drame en trois actes *Der biblische Weg* (1927) et le manifeste de 1938 intitulé *A Four Point Program for Jewry* (voir les chapitres VI-VII du 3ᵉ volet).

Cet ouvrage, enfin, n'aurait pas vu le jour si ne s'était manifesté, dans un premier temps, le désir d'entendre dans leurs moindres détails, comme on le fait sans trop de peine pour le *Sacre du printemps*, pour *Jeux* ou pour le *Chant de la terre*, un ensemble de pièces de Schönberg que l'on perçoit d'emblée comme fascinantes, mais qu'il n'est possible de s'approprier qu'à force de regard : au prix d'une patiente immersion en elles et d'une extrême attention portée à la réalité sonore du texte musical. Ce qui est en jeu est du reste, tout autant que l'intérêt porté au détail, et de façon inséparable, l'appréhension de la composition dans son entier, à laquelle Schönberg a expressément identifié l'«idée»[4]. Mais vouloir rendre compte, dans un texte littéraire, de la teneur de l'objet sonore ainsi appréhendé se heurte à un obstacle majeur : des *illustrations* sont nécessaires, sous la forme d'exemples musicaux qui, s'ils remplissent la même fonction que les reproductions photographiques dans les ouvrages d'histoire de l'art, exigent cependant du lecteur une participation bien plus active – car il est techniquement moins facile, en l'absence d'un support multimédia, de donner à entendre que de donner à voir. Si l'on ne dispose pas d'un piano ou d'un logiciel qui rende possible une lecture audio du fichier informatique correspondant à l'exemple, les enregistrements existants, où il est aisé d'isoler des détails, ou du moins de brèves séquences sur lesquelles l'écoute se concentrera à loisir, peuvent être d'une aide précieuse, et le mieux est, dans ce cas, de se munir de plusieurs versions, dont la comparaison fera souvent mieux ressortir ce que l'on cherche à saisir. Mais dans une œuvre comme *La Main heureuse*, où l'écriture polyphonique atteint à une extrême complexité, la surabondance de la matière voudrait que le disque commercialisé comporte des plages permettant d'entendre séparément, en les isolant, les différentes strates du texte musical. Ce serait offrir à l'auditeur cet accès à l'œuvre que réserve d'ordinaire à un nombre minime de privilégiés la possibilité d'assister aux séances de travail du chef d'orchestre avec ses musiciens.

*

4 « Dans son acception la plus courante, le mot idée est employé comme synonyme de thème, mélodie ou motif. Pour ma part, je considère la totalité d'une pièce comme l'*idée* : l'idée que son créateur a voulu présenter. » (*New Music, Outmoded Music, Style and Idea*, dans : *Style and Idea*, New York, Philosophical Library, 1950, p. 42/*Style and Idea* [Leonard Stein, éd.], London, Faber and Faber, 1975, p. 122, et dans *Stile herrschen, Gedanken siegen*, p. 208).

Je remercie tout particulièrement l'Arnold Schönberg Center d'avoir rendu possible techniquement la reproduction d'esquisses conservées à Vienne par ses soins, ainsi que les Éditions Universal, qui ont autorisé la reproduction de ces esquisses et d'un certain nombre de pages de la partition imprimée de *La Main heureuse*. Je suis également très reconnaissant à Joseph Auner, à Therese Muxeneder et à Pascal Decroupet pour l'aide qu'ils m'ont apportée en mettant à ma disposition des textes ou des documents auxquels je n'avais pas directement accès.

Nice, mai 2019

AVERTISSEMENT

Les «collections cycliques» et leurs transpositions sont désignées dans cet ouvrage conformément à l'usage adopté par George Perle (voir en particulier *The Operas of Alban Berg*, vol. 2, *Lulu*, Berkeley-Los Angeles, University of California Press, 1985, p. 199) : par exemple, $C2_0$ est le cycle de la classe d'intervalles 2 comprenant le *pitch class* 0 (en d'autres termes : le cycle de tons entiers comprenant le *do♮*). Les trois collections octotoniques sont nommées, quant à elles, en fonction de la combinaison de cycles de tierces mineures qui leur est propre : $C3_{0,1}$ est la collection formée par la combinaison de $C3_0$ et de $C3_1$ (et donc comprenant les *pitch classes* 0 et 1), etc.– De la même façon, $C6_{0,1}$ est la combinaison des deux intervalles de classe 6 (tritons) comprenant les *pitch classes* 0 et 1 (*do♮ ré♭ fa♯ sol♮*).

Pour désigner les formes d'une série dodécaphonique donnée, j'adopte ici l'usage consistant, d'une part, à désigner les «formes premières» de la série (*prime forms*, selon la terminologie de Milton Babbitt) et leurs «inversions», respectivement, par les lettres P et I, d'autre part à faire suivre ces lettres du chiffre correspondant à la première note de la forme considérée (*do♮* = 0, *do♯* = 1, *ré♮* = 2, etc.), et cela, quelle que soit la forme de référence choisie par le compositeur. Ainsi, P_7 est la forme première commençant par *sol♮*, I_4 l'inversion commençant par *mi♭*; on nommera RI_4, en outre, le rétrograde de cette dernière. Voir à ce propos la préface de George Perle à la 6ᵉ édition de son ouvrage *Serial Composition and Atonality*, Berkeley-Los Angeles, University of California Press, 6/1991, p. vii-ix.

Enfin, les collections de hauteurs (ou de classes de hauteurs) identifiées dans un texte musical précis sont notées à l'intérieur de chevrons ou d'accolades selon qu'elles sont ordonnées ou non, c'est-à-dire selon qu'est pris ou non en considération l'ordre de déploiement de leurs éléments, que ce soit dans la dimension horizontale (dans le temps de l'énoncé) ou dans la dimension verticale (dans l'espace des hauteurs).

LA MAIN HEUREUSE,
OU : « VOILÀ COMMENT ON FAIT LES BIJOUX ! »

> On comprend, devant la richesse inimaginable de plans sonores,
> de contrepoints et de couleurs que contiennent ces 250 mesures,
> ce qui a pu pousser Schönberg à se mettre peu après en quête
> de nouveaux principes d'organisation pour dompter la profusion.[1]

1. LA LENTE GESTATION DE L'ŒUVRE

Dans sa *Philosophie der neuen Musik*, dont la partie ayant trait à
l'École de Vienne fut rédigée en 1940-1941, Adorno écrivait, à propos
du « drame avec musique » *La Main heureuse*, qu'il était peut-être,
musicalement, la réussite la plus significative de Schönberg, du
fait de l'équilibre que le compositeur y avait réalisé entre la liberté
de l'invention et l'exigence de construction[2]. En 1955, au moment
où s'affirment les musiciens de la jeune génération, c'est toute la
Neue Musik que le philosophe voit culminer dans ce chef-d'œuvre
resté, selon lui, inégalé[3]. Pourtant, alors que Schönberg avait écrit
Erwartung, son opus précédent, en à peine plus de quinze jours
(la première rédaction manuscrite de l'œuvre porte au début la
date du 27 août et à la fin celle du 12 septembre 1909), plus de trois
ans lui seront nécessaires pour mener à son terme la composition
de *La Main heureuse* : si le texte du livret, daté de fin juin 1910[4],

---

1 Theodor W. Adorno, « Die Musik zur „Glücklichen Hand" » (texte écrit
à l'occasion d'une nouvelle production de *La Main heureuse* à l'Opéra
de Cologne en mai 1955), dans : *Musikalische Schriften* V (*Gesammelte
Schriften*, vol. 18), Frankfurt am Main, Suhrkamp, 1984, p. 408.

2 « *Musikalisch ist das „Drama mit Musik" „Die Glückliche Hand" vielleicht
das Bedeutendste, was ihm gelang* » (Theodor W. Adorno, *Philosophie der
neuen Musik, Gesammelte Schriften*, vol. 12, Frankfurt am Main, Suhrkamp, 1978, p. 48 et p. 53 *sq.* ; trad. fr. : *Philosophie de la nouvelle musique*,
Paris, Gallimard, 1962, p. 54 et p. 60).

3 « *Meisterlicheres ist der Neuen Musik bis heute nicht gelungen* » (Th. W.
Adorno, « Die Musik zur „Glücklichen Hand" », p. 410).

4 Le texte de ce livret sera publié en juin 1911 dans un numéro spécial de
la « Revue autrichienne de musique et de théâtre » *Der Merker* consacré à
Schönberg. Voir, à ce propos, le volume 6,3 des *Œuvres complètes* (*Sämt-
liche Werke*) de Schönberg : *Die glückliche Hand*, op. 18 (*Kritischer Bericht,
Skizzen, Textgenese und Textvergleich, Entstehungs- und Werkgeschichte,
Dokumente*), *Bühnenwerke I* (Ullrich Scheideler, éd.), Série B, Mainz-
Wien, Schott-Universal Edition, 2005 [à partir d'ici *SW 6-3*], p. 95 et p. 193-
233 (où sont comparés les différents états du texte).

semble avoir été rédigé assez rapidement, le premier manuscrit de la partition musicale porte en haut de la 1re page la date du 9 septembre 1910 («*angefangen Freitag 9. September 1910*»), et à la dernière page celle du 19 novembre 1913[5]. Cette lenteur, inaccoutumée, a été relevée par Egon Wellesz déjà dans sa monographie de 1921, la première qui ait été consacrée à Schönberg : diverses circonstances extérieures, explique Wellesz, conduisirent le compositeur à interrompre, à l'automne 1910, la composition de la nouvelle œuvre, en particulier l'intense activité picturale qui l'occupa alors (une exposition de ses tableaux eut lieu à Vienne, dans le salon d'art Heller, en octobre 1910, où figuraient du reste quelques croquis destinés à la mise en scène de *La Main heureuse*), la rédaction du *Traité d'harmonie*, et la reprise de l'orchestration des *Gurre-Lieder*[6]. Selon Wellesz, c'est encore une circonstance extérieure qui, à l'inverse, donnera au compositeur l'impulsion nécessaire pour terminer l'œuvre :

5 Ce manuscrit autographe (*Erste Niederschrift*) est conservé à la Bibliothèque du Congrès à Washington. Sur les différentes sources musicales de *La Main heureuse*, voir *SW* 6-3, p. 1-90. On trouve également, dans le dossier très complet réalisé par Ullrich Scheideler (où figurent de nombreux documents : extraits de correspondances, comptes rendus des premières exécutions de l'œuvre, etc.), un point précis et détaillé concernant à la fois la genèse de l'op. 18 et les divers pourparlers qui eurent lieu au sujet d'une possible création de l'œuvre entre 1910 et 1913 (*ibid.*, p. 246-256). Scheideler s'y réfère longuement à la thèse de Joseph Auner, *Schoenberg's Compositional and Aesthetic Transformations 1910-1913 : The Genesis of* Die glückliche Hand (Dissertation University of Chicago), Chicago, 1991. La question de la genèse de *La Main heureuse* avait été abordée déjà par John Crawford dans l'article « *Die glückliche Hand* : Further Notes », *Journal of the Arnold Schoenberg Institute*, 4/1, 1980, p. 69-76. Notons qu'une autre composition de la même période, *Trois Pièces pour orchestre de chambre*, n'a pas été terminée : les deux premières, très brèves, sont datées l'une et l'autre du 8 février 1910, la troisième est restée à l'état de fragment.

6 Egon Wellesz, *Arnold Schönberg*, Leipzig-Wien-Zürich, E. P. Tal & Co. Verlag, 1921 (réédition, avec une postface de Carl Dahlhaus, Wilhelmshaven, Heinrichshofen, 1985), p. 37 *sq.*, et la traduction française du passage parue dans le numéro de juillet 1926 de *La Revue Musicale*, p. 16. Dans une longue lettre envoyée à Alban Berg le 31 octobre 1911, Schönberg met en cause, pour sa part, la précarité de sa situation financière : « pour gagner de l'argent, écrit-il, je dois faire des travaux indignes de moi, et qui ont pour conséquence qu'*en deux ans*, comme c'est le cas actuellement, je n'ai pas trouvé le temps de composer. » (*Briefwechsel Arnold Schönberg – Alban Berg*, Juliane Brand, Christopher Hailey et Andreas Meyer [éds.], Mainz, Schott, 2007, *Teilband I : 1906-1917*, p. 118 ; c'est le compositeur qui souligne).

Schönberg avait demandé au pianiste Eduard Steuermann de jouer *Erwartung* au Comte Seebach, intendant de l'Opéra de Dresde, et au chef d'orchestre [Ernst von] Schuch. Ce dernier manifesta un intérêt très vif pour la musique, et le Comte Seebach était passionné par les problèmes techniques de mise en scène. Schönberg profita de l'occasion pour montrer aussi à Schuch quelques pages de la *Main heureuse*. Celui-ci l'exhorta à terminer l'œuvre pour qu'on puisse la donner, en un même programme, avec *Erwartung*. Stimulé par cette proposition, Schönberg se remit à la composition de la *Main heureuse* afin de la mener à son terme. Dans le même temps, Steuermann réalisa les réductions pour piano des deux partitions. Mais la guerre empêcha qu'eût lieu la représentation projetée[7].

Les explications données par Wellesz demandent, il est vrai, à être précisées et complétées. Si la rédaction du *Traité d'harmonie* s'est bien prolongée jusqu'au milieu de l'été 1911, c'est durant l'été 1910 – avant qu'il n'entreprît la composition de *La Main heureuse* – que

7 *Id.* La rencontre entre Schönberg, Seebach, Schuch et Steuermann eut lieu le 4 novembre 1913 ; voir à ce sujet *SW* 6-3, p. 255 *sq.*, et p. 275 l'extrait de la lettre à Schuch du 28 novembre, où Schönberg annonce que la partition et la réduction pour piano de *La Main heureuse* sont terminées, et se dit prêt à se rendre à Dresde avec Steuermann toutes affaires cessantes s'il se confirme que le chef lui fait l'honneur de diriger les deux œuvres. Ce courrier est apparemment resté sans suite. Schuch mourra peu après, le 10 mai 1914, quelques semaines après avoir dirigé la première à Dresde de *Parsifal*. Un projet similaire de création le même soir d'*Erwartung* et de *La Main heureuse*, en vérité, avait été ébauché dès septembre avec l'Opéra de Leipzig, mais son directeur Otto Lohse fit savoir à Schönberg que, si intéressé qu'il fût par *La Main heureuse*, les moyens dont il disposait ne lui permettaient pas de faire face aux difficultés techniques que présentait la réalisation scénique du drame (*ibid.*, p. 255 et p. 270). Avant même que s'établisse le contact avec Dresde, un nouvel espoir se fit jour du côté de Mannheim, qui fut rapidement déçu – voir la lettre de Schönberg à Zemlinsky datée du 23 novembre 1913, dans : Horst Weber (éd.), *Zemlinskys Briefwechsel mit Schönberg, Webern, Berg und Schreker*, Darmstadt, Wissenschaftliche Buchgesellschaft, 1995, p. 108. Si le projet de l'Opéra de Dresde avait pu aboutir, c'eût été pour Schönberg un événement exceptionnel, car Schuch avait fait de son orchestre l'un des meilleurs du monde, défendant avec passion, à sa tête, les œuvres de Wagner, de Mahler et de Strauss (c'est lui qui dirigea les créations de *Salomé*, d'*Elektra* et du *Chevalier à la rose*). La création de *La Main heureuse*, on le sait, n'aura lieu finalement que dix ans plus tard, le 14 mars 1924, à la Wiener Volksoper (sous la direction de Fritz Stiedry), suivie de celle d'*Erwartung* à Prague le 6 juin de la même année.

Schönberg orchestra l'essentiel de la troisième partie des *Gurre-Lieder* (à partir du lied du paysan, où il avait interrompu son travail en 1903) ; seul le chœur final resta alors en suspens, et ne fut terminé que fin octobre-début novembre 1911[8]. Par ailleurs, deux œuvres importantes virent le jour avant que le compositeur revienne à son «drame avec musique» en 1912 : *Herzgewächse* (5-9 décembre 1911), et *Pierrot lunaire* (mars-juillet 1912), à quoi s'ajoutent les *Six petites pièces pour piano* op. 19, datées du 19 février (I, III, IV, V), du 17 juin (VI) et du 19 décembre 1911 (II).

Mais surtout, la correspondance de Schönberg montre que, par-delà les raisons d'ordre matériel que relève Wellesz, des difficultés plus profondes, liées à la teneur même du projet, ont également freiné la composition de *La Main heureuse*. Plusieurs lettres adressées par le compositeur à Alban Berg durant l'été et l'automne 1911 sont à cet égard révélatrices. Ainsi écrit-il le 25 août 1911, du château de Berg — au bord du lac bavarois de Starnberg —, où il s'était retiré après avoir quitté Vienne :

> Je travaille un peu maintenant à la *Main heureuse*, et suis très curieux de savoir «comment on fait les bijoux» (*wie man Schmuck schafft*). Je travaille cette fois-ci avec une singulière lenteur, comme cela ne m'était encore jamais arrivé. Bien que le projet (*Vorlage*) m'intéresse beaucoup. Pour quelle raison, je n'en ai encore aucune idée[9].

Le 4 décembre, alors qu'il est installé à Berlin depuis deux mois, Schönberg se dit très absorbé par la préparation d'une série de huit à dix conférences, sur le thème «Esthétique et théorie de la composition (*Kompositionslehre*)», qu'il a commencé de donner au

---

8 Voir à ce propos la lettre de Schönberg à Berg du 24 janvier 1913, *Brief-wechsel Schönberg – Berg*, I, p. 353.

9 *Ibid.*, p. 50. «*So schafft man Schmuck*» («Voilà comment on fait les bijoux») est la phrase que prononce le héros de *La Main heureuse* à l'adresse des ouvriers de la grotte dans la 3e scène. Bien que l'idée de «création» soit présente dans le verbe *schaffen*, je choisis de calquer ici la traduction sur l'expression biblique «Dieu fit le ciel et la terre», dont l'équivalent allemand est bien «*Gott schuf Himmel und Erde*» («le créateur» se dit «*der Schöpfer*»). Sur l'emploi de ce verbe ici par Schönberg, voir Wolfgang Sabler, «La main du dramaturge», dans : Joëlle Caullier (éd.), «*C'est ainsi que l'on crée...*». À propos de La Main heureuse d'Arnold Schoenberg, Villeneuve d'Ascq, Presses Universitaires du Septentrion, 2002, p. 121. Sur le terme «*Schmuck*» et sa traduction, voir *infra* la note 25.

Conservatoire Stern[10] – lesquelles, en l'obligeant à mener à bien
une exigeante réflexion théorique, ont pour effet, déplore-t-il, de
l'éloigner de toute activité créatrice :

> Il est vrai que je préfèrerais maintenant composer. Mais le fait de
> réfléchir à toutes ces questions théoriques m'ôte toute disponibi-
> lité pour cela. Il faudra bientôt que j'y renonce pour un certain
> temps. Autrement c'en pourrait être fini de la composition. C'est
> peut-être la raison pour laquelle je n'ai pas non plus en ce moment
> la moindre envie de peindre[11].

Une nouvelle lettre envoyée à Berg deux semaines plus tard frappe,
quant à elle, par sa tonalité sombre : le compositeur – qui vient
pourtant d'écrire d'un trait, dans l'intervalle, *Herzgewächse* – s'y
montre conscient de traverser une période de crise. Réagissant à
la proposition de son ami d'aider au financement d'une « soirée de
lieder » qu'il envisageait d'organiser à ses frais à Berlin, il écrit :

> Je ne sais pas encore si je donnerai cette soirée de lieder. Pour
> l'instant j'ai peu envie de le faire, car je suis déprimé comme rare-
> ment. Peut-être à cause des nouvelles détestables que je reçois de
> Vienne, au sujet de mes œuvres, etc. Peut-être aussi, simplement,

10 Schönberg évoque ce cycle de conférences, dont la première avait eu lieu
le 20 novembre, dans ses lettres à Busoni et à Kandinsky du 11 novembre
1911 – *cf.* Jutta Theurich (éd.), « Briefwechsel zwischen Arnold Schönberg und Ferruccio Busoni 1903-1919 (1927) », *Beiträge zur Musikwissenschaft*, 19/3, 1977, p. 189, et Jelena Hahl-Koch (éd.), *Arnold Schönberg,
Wassily Kandinsky : Briefe, Bilder und Dokumente einer aussergewöhnlichen
Begegnung*, Salzburg, Residenz Verlag, 1980, p. 32 (trad. fr. : Schoenberg-
Busoni, Schoenberg-Kandinsky, *Correspondances, Textes*, Genève, Contrechamps, 1995, p. 61 et p. 148). Dans la lettre à Busoni, Schönberg souligne
qu'en donnant ces conférences il a pour but, non de « parler métier » ou de
s'en tenir à un exposé scolaire, mais de se livrer à un examen approfondi
de la question (« *keine Fachsimpelei oder Schulzeug, sondern eine ernsthafte
Untersuchung* »), à l'adresse, non seulement des musiciens, mais de tous
les artistes et amateurs d'art. Sur le titre même du cycle et son propos
central, une autre lettre, adressée fin décembre à Zemlinsky, est des
plus explicite : « Je donne ici un cycle de 8 conférences sur "Esthétique et
théorie de la composition". Je veux montrer que la théorie de la composition est une esthétique déguisée (*versteckte Ästhetik*) et, en prouvant l'in-
suffisance ou l'inintérêt de l'esthétique, comme je l'ai annoncé : "jeter le
bébé avec l'eau du bain." » (lettre du 29 décembre 1911, dans : *Zemlinskys
Briefwechsel mit Schönberg, Webern, Berg und Schreker*, p. 70).
11 *Briefwechsel Schönberg – Berg*, I, p. 142 (lettre du 4 décembre 1911).

parce qu'en ce moment je ne compose plus du tout. Le fait est que mes œuvres ne me procurent plus le moindre plaisir. Plus rien ne me plaît. Tout me semble plein de fautes et d'imperfections[12].

Schönberg ne s'exprimera de nouveau de façon positive sur son travail que dans une note de son journal datée du 12 mars 1912 – le jour même où il a entrepris la composition de *Pierrot lunaire* :

J'ai eu ce matin, tout à coup, une grande envie de composer. Cela faisait très longtemps ! J'avais déjà songé à la possibilité de ne plus jamais me remettre à la composition[13].

Suit une série de réflexions où le compositeur s'interroge sur les raisons qui ont pu le conduire à cette extrémité : invoquant d'abord le doute qu'éveille en lui le zèle avec lequel ses disciples ne cessent de renchérir sur ce qu'il fait lui-même, menaçant sa propre originalité – lui faisant courir le risque, dit-il, « de devenir leur imitateur » –, il revient ensuite sur la forme de dessèchement et de détachement induite par la réflexion théorique dans laquelle il s'est engagé. Voici ce qu'il écrit à ce propos :

C'est peut-être la raison pour laquelle tout à coup, depuis deux ans, je ne me sens plus aussi jeune. Je suis devenu étonnamment calme (*ruhig*) ! Cela s'est marqué aussi dans ma façon de diriger. J'ai perdu mon agressivité. [...] Je me rappelle avoir écrit il y a dix ou douze ans un poème dans lequel je souhaitais vieillir, et accéder

---

12 *Ibid.*, p. 160 (lettre du 21 décembre 1911). Schönberg avait formé le projet de cette « soirée de lieder » – à laquelle devait participer la soprano coloratture Martha Winternitz –, après que l'exécution de son *Premier Quatuor* par le Quatuor Rosé, initialement prévue le 12 décembre, et sur laquelle il comptait pour se faire connaître à Berlin, eut été reportée au 5 mars 1912 – voir la lettre à Emil Hertzka (le directeur des Éditions Universal) en date du 16 décembre 1911, dont le fac-similé et la transcription sont en ligne sur le site de l'Arnold Schönberg Center (à partir d'ici ASC) : http://www. schoenberg.at/ (*Briefe*, ID-Nummer 225). Dans sa lettre à Zemlinsky du 29 décembre, Schönberg fera part des déceptions que lui réserve son séjour dans la capitale allemande – notamment l'abandon par Max Reinhardt du projet de monter conjointement *Erwartung* et *La Main heureuse* (déjà !) dans son théâtre, sous la direction du compositeur (*Zemlinskys Briefwechsel mit Schönberg, Webern, Berg und Schreker*, p. 69 *sq.*).

13 Arnold Schönberg, *Berliner Tagebuch* (Josef Rufer, éd.), Frankfurt am Main, Propyläen Verlag, 1974, p. 33 *sq.*

à l'humilité, au calme intérieur. Maintenant que tout à coup je vois de nouveau les possibilités inhérentes à l'inquiétude (*Unruhe*), j'en viens presque à les regretter[14].

Et il ajoute, se reprenant : « À moins que [ces possibilités] soient de nouveau là ? » Le lendemain, dans la foulée, il se montre très satisfait du premier « mélodrame » de *Pierrot lunaire* qu'il vient d'écrire (*Gebet an Pierrot*, qui deviendra le 9e du cycle), et de la forme nouvelle d'expression vers laquelle il dit tendre maintenant, qui s'apparente à une « transcription directe » des mouvements de l'âme[15].

C'est dans cet état d'esprit que durant l'été 1912, après avoir achevé *Pierrot lunaire* (dont le manuscrit porte à la fin la date du 24 juillet), Schönberg remet sur le métier son « drame avec musique », avec l'espoir de mener rapidement le travail à son terme. Le 6 juillet déjà, il annonce à Kandinsky : « Je vais maintenant composer enfin ma "Main heureuse", si j'ai la main heureuse.[16] » Le 4 août, il demande à Hertzka de lui envoyer les 25 feuillets de papier à musique dont il a besoin pour la mise au net de la partition, qui, dit-il, « sera terminée prochainement[17] ». Le 14 août encore, il écrit au flûtiste et critique Hermann Wilhelm Draber : « Cet été je me suis mis à la composition de mon drame avec musique la *Main heureuse*, et j'espère le mener à bien dans un temps très proche.[18] » Mais une fois encore des difficultés internes surgissent, comme l'atteste une nouvelle lettre adressée à Kandinsky le 19 août :

---

14 *Ibid.*, p. 34.

15 *Id.* (« *Die Klänge werden hier ein geradezu tierisch unmittelbarer Ausdruck sinnlicher und seelischer Bewegungen. Fast als ob alles direkt übertragen wäre.* »). Cette formulation fait penser, paradoxalement, à l'image du sismogramme par laquelle Adorno se plaît à caractériser l'expressionnisme – voir par exemple *Philosophie der neuen Musik*, p. 47 [trad. fr., p. 53], ou encore Th. W. Adorno, *Mahler. Eine musikalische Physiognomik*, dans : *Gesammelte Schriften*, vol. 13, Frankfurt am Main, Suhrkamp, 1971, p. 173 (trad. fr. : *Mahler. Une physionomie musicale*, Paris, Éditions de Minuit, 1976, p. 43). Rappelons que si cette image apparaît justement dans le *Traité d'harmonie* de Schönberg, c'est dans un contexte très différent : elle y est en effet appliquée à l'« oreille des impressionnistes », comparée par Schönberg à un sismographe ultra-sensible (*Harmonielehre*, Wien, Universal Edition, 7/1966, p. 481).

16 *Schönberg – Kandinsky : Briefe, Bilder und Dokumente*, p. 67 ; trad. fr. (voir ci-dessus la note 10), p. 169.

17 *SW 6-3*, p. 267.

18 *Ibid.*, p. 268.

Je travaille en ce moment à la "Main heureuse", sans faire de réels progrès. J'ai commencé ce travail il y a bientôt trois ans, et ce n'est toujours pas terminé. C'est une chose qui m'arrive très rarement. Bien que je sois content de ce que j'ai écrit jusqu'ici, il faut peut-être qu'à nouveau je mette cela de côté[19].

Dès la fin août, Schönberg est accaparé par d'autres obligations – à commencer par la préparation de la série de concerts où doit être donné *Pierrot lunaire* (dont la création aura lieu le 16 octobre) – qui le détournent durablement de tout travail de composition[20]. Bien que le 11 décembre il fasse part à Hertzka de ce qu'il est en train de rédiger la mise au net de l'œuvre, laquelle, dit-il, « sera terminée dans environ 4 à 5 semaines[21] », il faudra attendre la fin de l'été 1913 pour que le compositeur revienne à la partition de la *Main heureuse*, et, non sans mal, y mette alors, au bout de deux mois, un point final. Après avoir écrit au directeur de l'Opéra de Leipzig Otto Lohse le 9 septembre que l'œuvre était « achevée à quelques mesures près[22] », il n'annoncera que le 18 novembre au ténor Fritz Soot (qui l'avait mis en contact avec Seebach à Dresde) : « *La Main heureuse* est enfin terminée[23] » – ce qui conduit à penser que la

19 *Schönberg –Kandinsky : Briefe, Bilder und Dokumente*, p. 69 ; trad. fr., p. 170 *sq.*
20 Voir la lettre à Berg du 3 octobre 1912, où Schönberg fait lui-même la liste de toutes les tâches qui l'attendent : « Les répétitions de *Pierrot lunaire* me prennent beaucoup de temps. Par ailleurs je relis les épreuves de la partition de la *Symphonie de chambre*, et il faut que je revoie le texte de ma conférence sur Mahler, que je donne le 13 à Berlin [...]. Entre temps j'ai orchestré pour Mme Culp quatre lieder de Schubert, pour partie très longs. [...] J'en ai bientôt fini maintenant avec les répétitions de *Pierrot lunaire* (20 jusqu'ici !). Les dernières sont les 5, 7 et 8, et le 9 la générale publique [...]. Ensuite il y aura au maximum encore 1 ou 2 répétitions pour la deuxième formation. Puis le 16 l'exécution, qui, j'espère, sera excellente. Vient ensuite la tournée. Je dirigerai moi-même à Hambourg le 19 octobre, à Dresde le 24, à Stettin le 25, à Breslau le 31, à Vienne le 2 novembre et à Leipzig le 23. [...] À part cela je vais aussi beaucoup voyager. Les 28 et 30 novembre je dirige *Pelléas* à Amsterdam et à La Haye, le 21 décembre à Saint-Petersbourg. » Et plus loin : « Impossible de travailler – c'est-à-dire de composer – en ce moment. Je doute d'en trouver le temps durant l'hiver. » (*Briefwechsel Schönberg – Berg*, I, p. 287 *sq.*). Les lieder de Schubert orchestrés pour la mezzo Julia Culp (dont la partition est perdue) étaient *Ständchen, Die Post* et les *Suleika-Lieder* I et II.
21 *SW* 6-3, p. 268.
22 *Ibid.*, p. 270. Sur le projet de création à Leipzig, voir *supra* la note 7.
23 *Ibid.*, p. 275. La date de cette lettre coïncide bien, à un jour près, avec celle qui est notée à la fin du manuscrit.

perspective de la création à l'Opéra de Dresde fut bien ici, comme le rapporte Wellesz, déterminante. Notons que dans l'intervalle Schönberg aura également composé le premier des *Quatre Lieder* op. 22, *Seraphita*, dont le manuscrit est daté du 6 octobre 1913, et la mise au net de la partition du 9 novembre.

En 1931, dans sa réponse à l'une des questions que le psychologue Julius Bahle avait adressées à un certain nombre de musiciens au sujet du processus créatif, Schönberg revint sur la question de la peine que lui avait coûté parfois le travail de composition, prenant comme exemple justement la fin de *La Main heureuse* (c'est-à-dire, sans doute, les pages composées à l'automne 1913, dont il sera question en détail plus loin) :

> Il est arrivé que, pour des raisons inconnues, la composition d'une pièce me donne beaucoup de mal, mais la plupart du temps j'ai écrit très facilement. J'avais parfois le sentiment, alors que la tâche était d'une extrême difficulté, de ne faire que recopier une chose déjà existante ; dans certains cas, il m'était impossible de savoir pourquoi telle pièce, qui n'en a nullement été plus mauvaise pour autant (par exemple la fin de la *Main heureuse*), me donnait tant de mal et avançait si lentement[24].

2. L'idéal de la création incarné par l'Homme

Si la lente et difficile gestation de *La Main heureuse* retient tout particulièrement l'attention, c'est d'abord parce qu'elle est en contradiction avec l'image du créateur que Schönberg façonne précisément dans l'œuvre. La question de la création artistique est, en effet, au centre du livret. Le décor de la 3ᵉ scène montre, au sein d'un paysage rocheux stylisé, une grotte – à mi-chemin, précise la didascalie, entre l'atelier de mécanique et l'atelier d'orfèvrerie –, où travaillent plusieurs ouvriers. Au centre du local se dresse une enclume, dont s'approche, après avoir observé la scène, le protagoniste du drame – « L'Homme ». Voici comment est décrite l'action qui suit :

---

24 « Beantwortung wissenschaftlicher Fragen » (1931), dans : Arnold Schönberg, *»Stile herrschen, Gedanken siegen«. Ausgewählte Schriften* (Anna Maria Morazzoni, éd.), Mainz, Schott, 2007, p. 420 *sq.* (texte paru initialement sous le titre « Selbstanalyse » dans l'ouvrage de Willi Reich *Arnold Schönberg oder Der konservative Revolutionär*, München, dtv-Verlag, 1974, p. 248 *sq.*).

Une idée semble naître en lui ; il respire lourdement. Puis il s'éclaire, devient plus enjoué, et dit avec calme et simplicité (*schlicht*) : « On peut faire cela plus simplement ! » Il marche jusqu'à l'enclume, [...] prend un morceau d'or qui se trouve sur le sol, le pose sur l'enclume et, de sa main droite, saisit le lourd marteau. Avant qu'il l'ait levé pour frapper, les ouvriers s'élancent et font mine de se jeter sur lui. À ce moment, comme s'il ne remarquait pas la menace, il contemple sa main gauche levée, dont une lumière bleu clair vient éclairer, d'en haut, le bout des doigts. Il la regarde d'abord avec une profonde émotion, puis rayonnant, plein de force.

Les gestes des ouvriers ne doivent pas en arriver à ce point où ils pourraient réellement se jeter sur lui, mais il faut que leur intention de le faire soit clairement perceptible. Avant qu'ils en viennent là, il a saisi le marteau de ses deux mains, et, avec un léger élan, frappé d'un coup puissant. Comme le marteau retombe, l'étonnement fige les visages des ouvriers : l'enclume est fendue en son milieu, l'or s'est enfoncé dans la fente ainsi créée. L'Homme se penche et le lève avec la main gauche. Le lève haut, lentement. C'est un diadème, richement serti de pierres précieuses.

C'est alors que, « simplement et sans émotion », celui qui incarne le génie créateur prononce ces mots : « Voilà comment on fait les bijoux[25] ! ».

Quelles que soient les faiblesses du texte – qu'Adorno a souligné dans sa *Philosophie der neuen Musik* –, on ne peut nier la portée de l'allégorie du geste créateur qui est ici mise en scène. Schönberg y figure un idéal qu'il a maintes fois formulé, au même moment, dans ses écrits et dans sa correspondance. Deux motifs s'y entrecroisent. Celui, d'abord, de la concomitance entre l'idée et son objectivation concrète – cette simultanéité du conçu et du réalisé valant, non pour tel ou tel détail pris individuellement, mais pour le tout de la composition (que représente ici le diadème). Un passage de *Probleme der Kunstunterrichts*, texte rédigé à la fin de l'année 1910, énonce ainsi cette propriété de l'œuvre d'art :

---

25 Cette formulation est elle-même empreinte de « simplicité » (*schlicht*), ce que marque le choix du mot *Schmuck*, qui désigne « les bijoux » en général (toute parure, tout ornement). Traduire ce mot par « bijou » (au singulier) ou « joyau » reviendrait à ennoblir l'expression : Schönberg aurait pu écrire « So schafft man ein Juwel », ou « So schafft man Juwelen ».

Car il en est ainsi dans la véritable œuvre d'art: tout donne l'impression d'avoir été là en premier, parce que tout est né en même temps. Le sentiment est déjà la forme, l'idée déjà le mot[26].

Dans sa conférence sur Mahler de 1912, Schönberg renvoie au modèle de l'organisme vivant pour caractériser ce tout dont l'artiste a la vision ou l'intuition (*Einfall*):

Car l'œuvre d'art, à l'image de tout être vivant, nait comme un tout. Exactement comme un enfant dont ne vient pas d'abord au monde un bras ou une jambe. Ce n'est pas un thème qui vient à l'esprit de l'artiste, mais l'œuvre entière. Et n'est pas inventif celui qui écrit un bon thème, mais celui qui a d'un seul coup l'idée d'une symphonie tout entière[27].

D'un tel pouvoir créateur, ajoute Schönberg, témoigne de façon exemplaire, chez Mahler, la manière dont s'est concrétisée dans les deux mouvements de sa *Huitième Symphonie* «une seule et unique idée d'une ampleur inouïe, une seule et unique idée conçue, embrassée du regard et maîtrisée d'un seul coup»[28].

---

26 « *Denn so ist es im wirklichen Kunstwerk: Alles sieht aus, als ob es das Erste gewesen wäre, weil alles gleichzeitig geboren wurde. Das Gefühl ist schon die Form, der Gedanke schon das Wort.*» (*Probleme der Kunstunterrichts*, dans: *Stil und Gedanke* [Ivan Vojtěch, éd.], Frankfurt am Main, Fischer, 1976, p. 168, et *Stile herrschen, Gedanken siegen*, p. 60).

27 *Vortrag über Gustav Mahler* (1912), dans: *Stile herrschen, Gedanken siegen*, p. 79.

28 *Ibid.*, p. 88 *sq.* De même dans l'hommage, un peu antérieur, paru dans la revue *Der Merker*: «"C'est comme si cela m'avait été dicté", dit un jour Mahler pour caractériser la rapidité et l'état de demi-inconscience dans lequel il écrivit en deux mois sa *Huitième Symphonie*.» («Gustav Mahler», *Der Merker*, 3/5, 1912, p. 182). Dans *Heart and Brain*, texte d'une conférence tenue à Chicago le 7 mai 1946, Schönberg évoquera, dans le même esprit, le laps de temps très court dans lequel il a composé nombre de ses pièces, par exemple – outre *Erwartung* – les 2e et 4e mouvements de son *Deuxième Quatuor*, plusieurs lieder du *Livre des jardins suspendus*, etc. (*Style and Idea*, New York, Philosophical Library, 1950, p. 155/*Style and Idea* [Leonard Stein, éd.], London, Faber and Faber, 1975, p. 55). Plus explicites encore sont ces lignes d'une lettre adressée à Josef Rufer en décembre 1949, où il fait part de ses remarques concernant la *Philosophie der neuen Musik* d'Adorno: «Naturellement il sait tout sur la musique à douze notes, mais n'a aucune idée du processus créateur. Lui qui, me dit-on, a besoin d'une éternité pour composer un lied n'a évidemment aucune idée de la rapidité avec laquelle un véritable compositeur copie (*abschreibt*) ce qu'il

À quoi se conjugue – c'est là le second motif – la revendication d'une expression directe, pure de toute interférence avec l'intention consciente, le calcul. Dans le texte écrit en 1911 à l'occasion du centenaire de la naissance de Liszt, Schönberg oppose ainsi l'«intuition immédiate» (*unmittelbare Anschauung*) à l'intellect (*Verstand*), dont la médiation éloigne l'artiste du véritable objectif de la création artistique, reprochant à Liszt d'avoir fait prévaloir, dans son travail de compositeur, le rôle du second sur la première[29]. À propos des écarts qu'il relève dans la *Sixième Symphonie* de Mahler par rapport à ce qu'aurait été une construction conventionnelle des thèmes, Schönberg note:

> Ce n'est pas là la prouesse d'un «technicien» – un maître ne la réussirait pas s'il voulait l'accomplir. Ce sont des intuitions (*Einfälle*) qui échappent au contrôle de la conscience. Des intuitions qui ne viennent qu'au seul génie, qui les reçoit inconsciemment et produit des solutions sans remarquer qu'il était placé devant un problème[30].

La même idée parcourt la correspondance. Dans plusieurs lettres souvent citées, adressées à Busoni et à Kandinsky, Schönberg a insisté avec force sur l'urgence qu'il y avait, pour l'artiste, à laisser s'exprimer directement ce qu'il appelle l'«inconscient», en dehors de tout contrôle exercé par une instance réflexive. Ainsi écrit-il à Busoni en août 1909, dans l'une des lettres relatives à la réécriture par celui-ci de la deuxième des *Trois Pièces pour piano* op. 11:

> Ma seule intention est: n'avoir aucune intention! Ni formelle, ni architectonique, ni artistique dans quelque sens que ce soit (comme de saisir l'atmosphère d'un poème), ni esthétique – absolument aucune; si ce n'est, tout au plus, celle d'éviter tout ce qui pourrait entraver le flux de mes sensations inconscientes – de n'y

entend dans son imagination. Il ne sait pas que j'ai composé aussi bien le troisième que le quatrième quatuor en six semaines, et *Von heute auf morgen* en dix semaines. Et ce ne sont là que quelques exemples, car j'ai toujours composé rapidement.» (*Stile herrschen, Gedanken siegen*, p. 543).

29 *Franz Liszts Werk und Wesen*, dans: *Stil und Gedanke*, p. 170 *sq.*, et *Stile herrschen, Gedanken siegen*, p. 64 *sq.*

30 *Vortrag über Gustav Mahler*, p. 83.

rien laisser s'introduire qui serait le produit de l'intelligence ou de la conscience[31].

Techniquement, la primauté absolue de l'expression se marque par l'élimination de tous les procédés syntaxiques et formels qui garantissaient, traditionnellement, la «logique» du discours musical :

> Ce à quoi j'aspire : une libération complète de toutes les formes. De tous les symboles de l'unité (*Zusammenhang*) et de la logique. Et donc : en finir avec le «travail motivique». En finir avec l'harmonie comme ciment ou comme élément architectonique. L'harmonie est *expression* et rien d'autre.

Et, mettant l'accent sur la nécessaire concision qui découle du refus de toute rhétorique et de tout «pathos», le compositeur y insiste : «non pas construire, mais *"exprimer"*!!»[32].

Des propos similaires se retrouvent dans les échanges avec Kandinsky :

> Toute mise en forme qui vise des effets traditionnels est d'une façon ou d'une autre tributaire de la conscience. Or, l'art relève de l'*inconscient*! Le but est de s'exprimer *soi*! De s'exprimer *directement*! Non d'exprimer son goût, ou son éducation ou son intellect, son savoir, son métier. Non pas toutes ces qualités *acquises*. Mais celles qui sont *innées, instinctives*[33].

Lorsqu'il découvre *Der gelbe Klang*, la «composition scénique» dont le texte venait d'être publié dans le *Blaue Reiter*, Schönberg loue le peintre d'y avoir fait preuve, à cet égard, d'une grande radicalité :

---

31 Lettre du 24 août 1909, « Briefwechsel zwischen Schönberg und Busoni 1903-1919 », p. 177 (trad. fr., p. 43 *sq.*).

32 Lettre du 13 ou du 18 août 1909, *ibid.*, p. 171 ; trad. fr., p. 35 (c'est Schönberg qui souligne).

33 Lettre du 24 janvier 1911, dans *Schönberg – Kandinsky : Briefe, Bilder und Dokumente*, p. 21 : « *Jede Formung, die traditionelle Wirkungen anstrebt, ist nicht ganz frei von Bewußtseins-Akten. Und die Kunst gehört aber dem* Unbewußten *! Man soll sich* ausdrücken *! Sich* unmittelbar *ausdrücken ! Nicht aber seinen Geschmack, oder seine Erziehung oder seinen Verstand, sein Wissen, sein Können. Nicht alle diese* nichtangeborenen *Eigenschaften. Sondern die* angeborenen, die *triebhaften.* » ; trad. fr., p. 137 (c'est le compositeur qui souligne).

[...] *Der gelbe Klang* me plaît énormément. C'est exactement ce que j'ai cherché à faire dans ma *Main heureuse*. Simplement, vous allez encore plus loin que moi dans la renonciation à toute pensée consciente, à toute action conventionnelle[34].

En même temps, il lui reproche une forme d'inconséquence, consistant à parler justement ici de «construction», terme qu'il récuse au nom de l'idéal que l'œuvre lui semble justement incarner avec force:

> Pour moi, celui qui construit doit peser, tester. S'assurer que l'ensemble tient debout, est cohérent, etc. Or, *Der gelbe Klang* n'est pas une construction, mais simplement: la traduction d'une vision intérieure (*Wiedergabe innerlich geschauten*). Il y a entre les deux la différence suivante:
> Dans la vision intérieure, le tout a certes des éléments constitutifs, mais qui sont liés entre eux, déjà intégrés.
> Dans ce qui est construit, les éléments constitutifs cherchent à imiter un tout.
> Or, rien ne garantit que les éléments constitutifs les plus importants ne fassent pas défaut. Et que l'élément manquant ne soit pas pas celui qui lie le tout: l'âme[35].

Un texte manuscrit resté inédit, rédigé sans doute au début des années 1930, et intitulé «Musique construite» (*Konstruierte Musik*), fait de nouveau cette distinction, en assumant toutefois la part de construction inhérente à toute musique, en tant qu'elle est le fruit d'une «composition». Après avoir décrit la manière dont s'effectue chez lui le processus d'écriture – «je ne trouve pas une mélodie, un motif, une mesure, mais seulement *une œuvre entière*; ses parties: les phrases, leurs parties: les thèmes, leurs parties: les motifs et les mesures, sont des détails auxquels on arrive au terme d'une réalisation progressive (*bei fortschreitender Ausführung*)» –, Schönberg formule ainsi l'opposition des deux sortes de «construction»:

---

34 Lettre du 19 août 1912, *ibid.*, p. 69 (trad. fr., p. 171). En mentionnant «sa *Main heureuse*», Schönberg ne peut ici renvoyer qu'au texte du drame, tel qu'il avait été publié dans *Der Merker*; au moment où a été écrite cette lettre, la partition musicale, on l'a vu, était loin d'être terminée.

35 *Id.*; *cf.* la réponse de Kandinsky en date du 22 août (p. 71 *sq.* [p. 174]).

Lors de la rédaction (*Darstellung*), l'idée (*Einfall*), la vision, le tout, se décompose en détails qui, une fois solidement mis au point, forment de nouveau un tout (*deren solide Konstruierte Ausführung sie wieder zum Ganzen vereint*).

Il en va autrement de cette autre musique construite que j'ai mentionnée [...]. Au lieu de partir de la vision d'un tout, elle construit en allant du bas vers le haut selon un plan ou un schéma préconçu, sans que préside à ce travail une véritable vision concrète du tout, – travaillant anxieusement, sans liberté, son matériau de départ.

Ainsi, alors qu'en partant d'une vision j'élabore et mets au point les détails en fonction du but qu'ils vont avoir à remplir – but sans lequel ces détails n'auraient pas d'existence –, la musique à proprement parler «construite» travaille un matériau donné pour arriver par une démarche systématique, synthétiquement, à un tout qui n'a pas existé préalablement. Dans le premier cas, ce sont les détails qui n'ont pas existé préalablement, dans le second cas c'est le tout[36].

Les divers éléments de cette «poétique musicale» ont été amplement commentés ici et là[37]. On n'a guère relevé, cependant, l'incidence que dut avoir sur la composition de *La Main heureuse* la réflexion théorique développée par Schönberg en 1911 à la faveur du cycle de conférences dont il a été question plus haut. La longue lettre qu'il écrivit à Berg à ce sujet est particulièrement éclairante en ce qu'il y présente la situation sous deux angles opposés : d'un côté, il en souligne les aspects négatifs, faisant valoir que la réflexion théorique lui procure bien moins de satisfaction que la composition, et

---

36 *Konstruierte Musik*, ASC, *Schriften*, T37.16 ; trad. anglaise dans *Style and Idea* 1975, p. 107. Dans son «interview avec lui-même», écrit dans les premiers jours d'octobre 1928, Schönberg ironise sur le «secret de Polichinelle» qu'est devenu le fait qu'il est «*ein Konstrukteur*» – *cf. Interview mit mir selbst*, dans *Stil und Gedanke*, p. 243.

37 Voir en particulier Joseph Auner, «Schoenberg's Aesthetic Transformations and the Evolution of Form in *Die glückliche Hand*», *Journal of the Arnold Schoenberg Institute*, 12/2, 1989, p. 105-109, et «"Heart and Brain in Music". The Genesis of Schoenberg's *Die glückliche Hand*», dans : Juliane Brand et Christopher Hailey (éds.), *Constructive Dissonance : Arnold Schoenberg and the Transformations of Twentieth-Century Culture*, Berkeley-Los Angeles, University of California Press, 1997, p. 112-118 (trad. fr. : «"Le cœur et l'esprit dans la musique" : la genèse de *La Main heureuse* de Schoenberg», dans «*C'est ainsi que l'on crée...*», *op. cit.*, p. 65-70), ainsi que *The Genesis of* Die glückliche Hand, en particulier p. 26-35.

en arrive même à le paralyser[38] ; mais d'un autre côté, il se réjouit de l'occasion qui lui est offerte de faire le point sur ces questions d'ordre théorique, en consignant par écrit le produit d'une vieille réflexion :

> Être ainsi contraint d'exposer sous une forme cohérente (*in geschlossener Form*) toutes les choses sur lesquelles j'ai déjà réfléchi depuis si longtemps est pour moi tout à fait bénéfique (*günstig*). Autrement je n'aurais jamais fait qu'y réfléchir sans jamais l'écrire. Mais je pense qu'une fois terminé le cycle [de conférences] je commencerai un livre[39].

Si complexe qu'en ait été l'origine, les vicissitudes qu'a connues la composition de *La Main heureuse*, la lenteur et le décousu de sa genèse, disent l'écart qui s'est creusé ici entre l'idéal et la réalité. Revenant sur ce thème, avec le recul de l'expérience, dans l'introduction de sa conférence sur la *Composition with Twelve Tones*, lue à l'Université de Californie en 1941, Schönberg mettra en avant, à l'inverse, l'abîme qui sépare le pouvoir du « pauvre » créateur humain de celui du véritable créateur, ce créateur *idéal* qu'est Dieu :

> Un créateur a la vision de quelque chose qui n'existait pas avant cette vision.
>
> Et un créateur a le pouvoir de donner vie à cette vision, de la réaliser.
>
> En fait, la notion de création et de créateur devrait être calquée sur le Modèle Divin ; inspiration et perfection, intention et accomplissement coïncident spontanément et en un même instant.

---

38 « Que je sois avant tout musicien, et que ces théories me donnent bien moins de satisfaction que la composition, je le vois au fait que mon travail est actuellement au point mort – si du moins l'on entend par là le travail d'écriture à la table, bien qu'intérieurement je sois très occupé. C'est dommage pour tout ce temps libre. Qui sait quand je vais pouvoir m'y remettre. » (*Briefwechsel Schönberg – Berg*, I, p. 142 [lettre du 5 décembre 1911]).

39 *Id*. Dans sa lettre à Kandinsky du 11 novembre, Schönberg envisageait la possibilité de retravailler l'une des conférences pour en donner le texte au *Blaue Reiter* (*Schönberg – Kandinsky: Briefe, Bilder und Dokumente*, p. 33 ; trad. fr., p. 148). Une lettre adressée à Hertzka le 10 août 1911 montre, par ailleurs, qu'il avait l'intention, une fois terminée la *Main heureuse*, d'entreprendre la rédaction d'un « *Kontrapunkt-Buch* », qui est resté à l'état d'ébauche (*cf. SW* 6-3, p. 265, ainsi que Rudolf Stephan, « Schönbergs Entwurf über das „Das Komponieren mit selbständigen Stimmen" », *Archiv für Musikwissenschaft*, 29/4, 1972, p. 239-256).

Il n'y a pas dans la Création Divine de détails qu'il faille mettre au point plus tard ; « la lumière fut » instantanément et dans sa perfection ultime.

Hélas, les créateurs humains, s'il leur est donné d'avoir une vision, ont à parcourir le long chemin qui sépare la vision de l'accomplissement ; une route difficile où, chassés du Paradis, même les génies doivent récolter leurs fruits à la sueur de leur front.

Hélas, une chose est d'avoir une vision dans un moment d'inspiration créatrice, une autre chose est de matérialiser cette vision, en reliant scrupuleusement entre eux les détails jusqu'à ce qu'ils se fondent en une sorte d'organisme[40].

3.1 LE MANUSCRIT 2450 ET L'ACCORD α

La genèse de *La Main heureuse* est documentée par un grand nombre d'esquisses et de travaux préparatoires, dont l'existence même atteste que Schönberg a travaillé autrement, pour cette œuvre, qu'il ne l'avait fait pour les précédentes – le *Livre des jardins suspendus*, les *Cinq Pièces pour orchestre* et *Erwartung* –, écrites rapidement, sans qu'un riche avant-texte eût été nécessaire[41]. Les documents, conservés à l'Arnold Schönberg Center de Vienne, se partagent en deux groupes : cinq pages de brèves notations musicales incluses dans un tapuscrit du livret portant le titre de *Compositions Vorlage* (à partir d'ici *CV*) et onze feuillets – simples ou doubles – indépendants (Ms. 2432 à 2450)[42]. Bien qu'aucune des

---

40 *Composition with twelve tones*, dans : *Style and Idea* 1950, p. 102 *sq.* [*Style and Idea* 1975, p. 215 / *Stile herrschen, Gedanken siegen*, p. 161 *sq.*]

41 Voir sur ce point J. Auner, *The Genesis of* Die glückliche Hand, p. 36-47 et p. 222-278, ainsi que « In Schoenberg's Workshop : Aggregates and Referential Collections in *Die glückliche Hand* », *Music Theory Spectrum*, 18/1, 1996, p. 81-84, et « "Heart and Brain in Music"... », p. 115 (trad. fr., p. 68 *sq.*). Les quelques esquisses dont on dispose pour les *Pièces* op. 16 et pour *Erwartung* sont transcrites et commentées, respectivement, dans les volumes 4,12 et 6,2 des *Œuvres complètes* de Schönberg, Série B, Mainz-Wien, Schott-Universal Edition, 1984 et 2005, p. 31-39 et p. 156-160.

42 Voir la description détaillée de ce dossier de genèse dans *SW 6-3*, p. 2-4 et p. 134-184. La *Compositions Vorlage* a été décrite pour la première fois par Harald Krebs dans son article « New Light on the Source Materials of Schoenberg's *Die Glückliche Hand* », *Journal of the Arnold Schönberg Institut*, 11/2, 1968, p. 133-140. Les fac-similés de tous les documents du dossier sont en ligne sur le site de l'ASC.

esquisses ne soit datée, il est possible d'identifier, plus ou moins précisément, les phases de la rédaction auxquelles elles appartiennent. Le témoin le plus significatif de la phase initiale (septembre 1910) est sans nul doute un brouillon du début de l'œuvre (Ms. 2450) : six mesures, notées au haut d'un feuillet double du même papier à 24 portées que le compositeur venait d'utiliser pour le manuscrit d'*Erwartung*[43] [illustration 1].

Tout laisse penser que Schönberg comptait poursuivre, et mener à bien avec la même facilité, à partir de là, la composition de *La Main heureuse*[44]. Cette première ébauche partage avec les œuvres précédentes plusieurs traits remarquables – à commencer par le foisonnement du tissu polyphonique, qui se marque, dans les deux premières mesures (précédant le lever du rideau), par la superposition de strates fortement individualisées, se distribuant du registre grave au registre suraigu, et dont chacune est caractérisée par un timbre et un type d'écriture spécifiques (ligne mélodique, accords et suites d'accords, ostinato rythmique), et possède sa respiration propre[45]. Les instruments y sont traités par pupitres, ce qui ressort d'autant plus nettement que Schönberg envisageait de recourir à un orchestre très fourni : huit flûtes[46], six clarinettes, six hautbois, six bassons, six cors, etc. La richesse de texture qui en résulte

---

43 *SW* 6-3, p. 134 ; voir aussi J. Auner, *The Genesis of* Die glückliche Hand, p. 51-55 et p. 222 *sq.* Toutes les autres esquisses sont notées sur du papier à 16 portées maximum.

44 Une lettre du directeur de la Wiener Volksoper Rainer Simons envoyée à Schönberg le 15 août 1910 montre que celui-ci envisageait alors de composer *La Main heureuse* en l'espace de 8 à 14 jours (*SW* 6-3, p. 254 *sq.* et p. 262). Sur cette base, Simons jugeait tout à fait possible de prévoir la première de l'œuvre en mars 1911. C'est là le premier d'une série de projets de création, nés avant la guerre, qui tous ont avorté (voir *supra* la note 7).

45 Dans un texte publié en 1963, Adorno a proposé de caractériser la technique de composition de *La Main heureuse* comme une « polyphonie de plans » (*Flächenpolyphonie*), une « superposition de strates plutôt que de lignes » (*Überlagerung von Schichten anstatt von Linien*) – *cf.* « Über einige Arbeiten Arnold Schönbergs », dans : *Impromptus*, Frankfurt am Main, Suhrkamp, 1968, p. 181 (*Gesammelte Schriften*, vol. 17, Frankfurt am Main, Suhrkamp, 1982, p. 342).

46 Un doute subsiste sur l'indication concernant les flûtes – *cf. SW* 6-3, p. 134 ; mais il est certain que ce pupitre était, comme celui des autres bois, considérablement renforcé, de façon à produire un effet comparable à celui que Mahler visait, par exemple, dans le 1er mouvement de sa *Quatrième Symphonie* (au chiffre 10), en faisant jouer la voix principale par quatre flûtes à l'unisson. Il est difficile, par ailleurs, de savoir comment Schönberg comptait inscrire métriquement dans le 4/4, à la mes. 1,

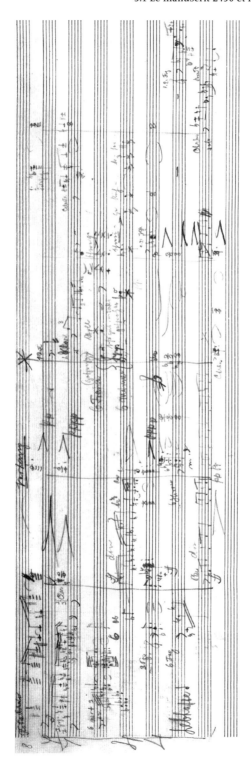

ILLUSTRATION 1
La Main heureuse, version initiale du début (ASC, Ms. 2450)
© Copyright 1917 by Universal Edition A.G., Wien

diffère beaucoup, dans l'esprit, de l'opulence volontiers cultivée par Richard Strauss, dans laquelle les parties individuelles se fondent dans une image sonore homogène : ici, au contraire, l'image globale est, comme chez Mahler, conquise sur l'éclatement, chaque strate se déployant avec une relative autonomie.

Dès la 1re mesure, deux éléments se détachent : l'un, aux flûtes, est purement mélodique, tandis que dans l'autre, confié aux cors, interfèrent étroitement les aspects mélodique et harmonique : un accord de trois sons, tenu, y est précédé – comme souvent chez Schönberg – d'une anacrouse, prenant la forme de ce que Messiaen appellera un « groupe-fusée »[47] (ici un triolet de triples croches), puis « brodé » par un dessin de deux quadruples croches ; dans les deux cas, la note supérieure de l'accord tenu est atteinte par un intervalle de quinte juste, ‹la♮$_4$ mi♮$_5$› [exemple 1]. Le contour de cette suite d'accords n'est pas sans ressemblance avec celui que revêt lors de son retour, au chiffre 6 de la partition, le thème aux allures de choral, joué lui aussi par les cors, de la 4e des *Cinq Pièces pour orchestre* op. 16, *Péripétie* [exemple 2], où l'anacrouse se réduit toutefois à une simple ligne mélodique[48].

Dans l'esquisse de *La Main heureuse*, l'harmonie a d'emblée, de façon prononcée, cette valeur expressive sur laquelle, on l'a vu, Schönberg met l'accent : tous les blocs ont une structure, et par là une couleur différentes, et ni leur morphologie ni leur enchaînement n'obéissent à une grammaire préétablie. Mais toute logique, tout souci d'organisation et de cohérence, ne sont pas pour autant liquidés, comme l'atteste la prégnance, dans le complexe sonore, du cycle de tierces mineures C3^1[49], sous la forme de l'accord de 7e diminuée {mi♮ sol♮ si♭ ré♭} : sur les douze notes du geste initial (anacrouse et accord tenu), huit appartiennent à cette collection ; de plus, le déploiement mélodique, à la crête des accords, de la triade

les figures de doubles croches des violons – raison pour laquelle j'ai laissé cette strate de côté dans ma transcription partielle du document.

47 Voir la préface des *Vingt regards sur l'Enfant-Jésus* (Paris, Durand, 1947) ; Messiaen parle également de « groupes-broderies » (*cf. Technique de mon langage musical*, Paris, Alphonse Leduc, 1944, tome I, p. 49).

48 Si Schönberg prescrit dans *Péripétie* un tempo « très rapide », le thème des cors y est beaucoup plus étiré dans le temps (deux noires au lieu de deux quadruples croches pour la broderie, etc.). Dans la version de 1909, l'effectif des *Pièces* op. 16 comporte également six cors ; Schönberg réduira ce nombre à quatre lors de la révision de 1949.

49 Sur la désignation des cycles d'intervalles, voir l'Avertissement (*supra*, p. 17).

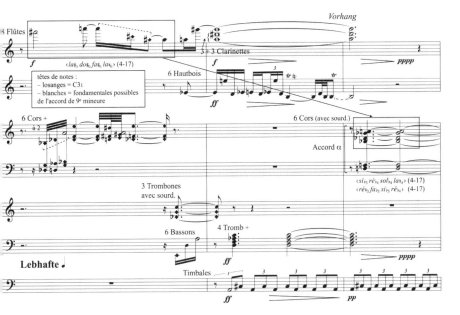

EXEMPLE 1

La Main heureuse, version initiale du début, analyse
(transcription partielle du Ms. 2450)

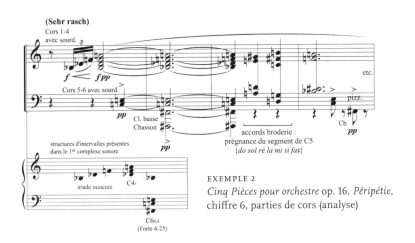

EXEMPLE 2

Cinq Pièces pour orchestre op. 16, *Péripétie*,
chiffre 6, parties de cors (analyse)

majeure ‹ré♭₄ (= do♯) la♮₄ mi♮₅›, tend à intégrer cette 7ᵉ diminuée
dans l'harmonie de 9ᵉ mineure {la♮ do♯ mi♮ sol♮ si♭}, sur laquelle
se greffent, telles des notes étrangères, les trois hauteurs restantes,
appartenant à C3₂: ‹ré♮₃ la♭₃ fa♮₄›. Si, dans *Péripétie*, la couleur des
deux accords broderie – dans lesquels ressort un segment de sept

notes du cycle des quintes (de *do♮* à *fa♯*) – contraste avec celle de l'accord principal, caractérisé, lui, par la superposition de deux structures de tons entiers, c'est, dans la broderie très furtive du début de *La Main heureuse*, par un simple emprunt à l'un des deux autres cycles de tierces mineures (C3₀) – à la faveur du mouvement chromatique ‹*mi♮₅ ré♯₅ (la♮₄) mi♮₅*› – qu'est réalisée l'opposition.

Un réseau serré de relations, en outre, se met ici en place, auquel participe la mélodie des flûtes. Celle-ci déploie horizontalement le tétracorde (0347) – la collection 4-17 de l'inventaire d'Allen Forte –, sous la forme d'une combinaison des accords parfaits majeur et mineur de *fa♯*, disposés symétriquement : ‹*fa♯₆ la♯₆ | do♯₆ la♮₅*›, où la ligne mélodique ‹*la♮₆ do♯₆ la♯₅*› n'est autre que le rétrograde de la voix supérieure de l'anacrouse jouée par les cors (écrite ‹*si♭₃ ré♭₄ la♮₄*›). *Fa♯* étant l'une des fondamentales possibles de l'accord de 9ᵉ mineure déjà mentionné, une relation de tierce mineure – la même qu'a rendue familière l'emploi chez Debussy, Stravinsky, Ravel, etc. de l'échelle octotonique[50] – s'instaure, de ce fait, entre les notes par rapport auxquelles tendent à s'organiser, d'un côté la partie des flûtes, de l'autre celle des cors. La même structure d'intervalles caractéristique, transposée deux octaves plus bas et verticalisée, forme ensuite la partie supérieure de l'accord de six notes qui retentit aux cors à la 3ᵉ mesure[51] – au moment où le rideau se lève (nommons-le α). Cet

---

[50] On notera que l'ostinato des timbales est également établi sur *la*. Sur la structure et les propriétés de l'échelle octotonique, voir *infra*, p. 91.

[51] Dans son analyse de l'esquisse, Auner ne mentionne pas ce réseau de relations : il ne mentionne, dans la partie de cors de la 1ʳᵉ mesure, que les dessins mélodiques ‹*ré♭₃ ré♮₃ sol♮₃*› (cors 5 et 6), et ‹*mi♮₅ ré♯₅ la♮₄*› (cors 1 et 2), en tant qu'occurrences du tricorde (016) qui, note-t-il, « sature » tout ce début : *cf.* l'accord des trombones (‹*ré♭₄ sol♮₄ do♮₅*›) et celui des flûtes et des clarinettes (‹*la♮₅ ré♯₆ sol♮₆*›). La question se pose ici de savoir quelle est la pertinence d'un tel relevé pour l'écoute, si du moins l'on assigne à cette dernière une autre tâche que d'identifier tel ou tel élément prélevé dans le flux de la musique, indépendamment de la structure hiérarchisée dans laquelle il s'inscrit (sans parler de l'impossibilité même d'un tel prélèvement dans le cas des notes jouées par les 5ᵉ et 6ᵉ cors à l'intérieur de la figure de triples croches initiale). Cette même observation vaut a fortiori pour ce qu'Auner relève comme étant l'« élément le plus frappant » de l'esquisse tout entière, à savoir la « préparation soigneuse » dont ferait l'objet l'entrée du chœur, dont les trois premières notes : ‹*la♮₄ la♭₃ do♮₃*› s'annoncent à la fois, fait-il observer, dans le ‹*la♮₅ sol♮₆*› des flûtes à la mes. 1, le ‹*la♮₂ la♭₃ do♮₄*› de la timbale et des 1ᵉʳ et 2ᵉ trombones à la mes. 2, ou encore le ‹*la♭₁ do♮₂ la♮₂*› des contrebasses et de la timbale à la mes. 4 – sans que soit pris en considération le fait que le chœur, ici, ne chante pas, mais parle (« *gesprochen* », précise Schönberg, qui souligne le mot dans sa note

accord tout entier, lui-même symétrique, est significatif de l'interaction entre chromatisme et diatonisme qui est, et restera jusque dans les dernières œuvres, un ressort essentiel de la pensée musicale de Schönberg, et sans laquelle ne peut être saisie la spécificité de son rapport à l'atonalité. Y sont imbriquées, en effet, deux réalisations identiques de la collection 4-17 – donnant l'un des « *all-combinatorial hexachords* » inventoriés par Babbitt (Forte 6-20) –, d'où résulte l'empilement de quatre triades, dont les fondamentales respectives sont, cette fois, en rapport de tierce majeure (*sol♭* et *si♭*) : ‹*ré♮₃ fa♮₃ si♭₃*› et ‹*fa♮₃ si♭₃ ré♭₄*› / ‹*si♭₃ ré♭₄ sol♭₄*› et ‹*ré♭₄ sol♭₄ la♮₄* [= *si♭♭*]› – bloc dans lequel s'inscrivent les deux structures de tierces majeures (= sixtes mineures) ‹*ré♮₃ si♭₃ sol♭₄*› (C42) et ‹*fa♮₃ ré♭₄ la♮₄*› (C41).

Un rapprochement avec deux œuvres ultérieures, où est employée la « méthode de composition avec douze notes », permet de se faire une idée de la continuité de la démarche de Schönberg, en même temps qu'il révèle le rôle dévolu dès le départ à la construction dans la conception de *La Main heureuse*[52]. La série

---

explicative au bas de la page), les hauteurs notées étant purement indicatives (*cf. The Genesis of* Die glückliche Hand, p. 238).

52 Schönberg, en vérité, procède déjà de façon similaire dans des œuvres antérieures, y compris durant la période où, selon la schématisation proposée par Auner, il poursuit l'idéal d'une « esthétique intuitive ». La collection 4-17 joue un rôle important, par exemple, dans l'introduction du 11ᵉ lied du *Livre des jardins suspendus*, composé entre mars 1908 et mars 1909. Josef N. Straus a choisi ce lied pour illustrer la manière dont Schönberg se sert de *pitch-class sets* caractéristiques afin de tisser dans la composition un dense réseau de relations (*Introduction to Post-Tonal Theory*, New York, W.W.W. Norton & Company, 4ᵉ édition remaniée, 2016, p. 77-80). Il fait remarquer, à juste titre, que les intervalles en fonction desquels est par deux fois transposée la collection 4-17, la tierce mineure puis la tierce majeure, sont ceux-là mêmes qui régissent le début de la ligne mélodique : ‹*si♭ ré♭ fa♮*›.

de la *Suite* op. 29, composée entre 1924 et 1926, et celle de l'*Ode à Napoléon* – qui date, elle, de 1942 – sont en effet construites l'une et l'autre à partir de cet hexacorde 6-20, que Schönberg exprime fréquemment, là aussi, sous la forme des accords parfaits, majeurs et mineurs, qui y sont contenus[53]. Ainsi, les deux hexacordes complémentaires des deux formes, également complémentaires, d'où tire sa substance le geste inaugural de la *Suite* op. 29 (P3 et I8)[54] sont-ils traduits sur le plan sonore, le premier, dans les cordes, par la superposition, d'abord (P3), de la triade majeure de *mi*♭ (violoncelle) et de la triade mineure de *si*♮ (violon) – l'alto inscrivant, à l'intérieur de la structure (qui est, comme dans l'esquisse de *La Main heureuse*, symétrique), la triade majeure de *sol*♮ – (les fondamentales des trois accords décrivent donc ici le cycle C43), puis (I8) de la triade mineure de *fa*♮ (violoncelle) et de la triade majeure de *la*♮ (violon) – l'alto jouant, au centre, la triade majeure de *fa*♮; le second, lui, est présenté mélodiquement par le piano de telle façon que les deux triades se distribuent en fonction du registre : médium grave pour l'une, médium aigu pour l'autre [exemples 3 et 4].

Si la série de la *Suite* op. 29, au sein de chaque hexacorde, fait la part belle à l'intervalle de tierce majeure – y compris dans sa façon de déployer à ses extrémités, sous la même forme, le tétracorde 4-17 (*y* est à la fois l'inversion, le rétrograde et la simple transposition de *x*) –, l'ordre même des notes, dans la série de l'*Ode à Napoléon*, explicite et souligne la présence des triades contenues dans la collection 6-20. Le tableau des formes sérielles mis au point

Il vaut la peine de noter, toutefois, que si la présentation concrète du tétracorde obéit les deux premières fois au modèle de la triade majeure/ mineure, avec *si*♭ puis *do*♯ comme fondamentales (ce que souligne, dans la 1re mesure, le mouvement de doubles croches de la main gauche, où les notes mises en avant rythmiquement sont *fa*♮ et *si*♭), il n'en va pas de même la troisième fois, où ce n'est pas *fa*♮ qui remplit la fonction de «tonique» (comme pourrait le laisser attendre la transposition à la tierce majeure), mais une nouvelle fois *do*♯ (écrit *ré*♭), *la*♮ étant entendu comme appoggiature de la quinte *sol*♯ (= *la*♭), et *do*♮ comme échappée.

53 Dans son article de 1996 sur l'utilisation dans *La Main heureuse* de «*referential collections*», Auner signale bien la présence ici de «*the all-combinatorial hexachord 6-20, later used by Schoenberg in the Suite, op. 29 and the Ode à Napoleon, op. 41*» – présenté, en l'occurrence, «*as an inversionally symmetrical sonority around the central B*♭ *– D*♭ *dyad*» («In Schoenberg's Workshop...», p. 86) –, sans toutefois pousser plus loin l'examen.

54 Sur la désignation des formes sérielles, voir l'Avertissement (*supra*, p. 17). P3 est ici la forme première partant de *mi*♭, I8 l'inversion partant de *la*♭.

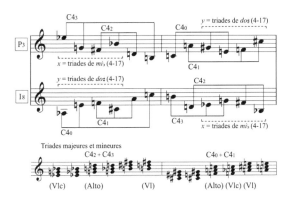

EXEMPLE 3

Suite op. 29, propriétés de la série

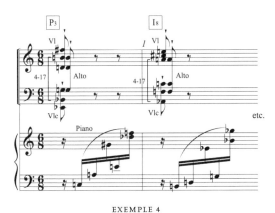

EXEMPLE 4

Suite op. 29, début du 1er mouvement (analyse)

par Schönberg[55] montre que le premier des trois ordres de succession possibles (**a**, **b** et **c**) qu'il y établit pour le 1er hexacorde – ordre qui joue un rôle déterminant dans la pièce[56] – n'est autre que le déploiement horizontal de l'accord joué par les cors dans l'esquisse de *La Main heureuse* (transposé à la quinte supérieure) [exemple 5].

55 ASC, Ms. 766. Voir la transcription du document dans le volume 24, 2 (Série B), des *Œuvres complètes: Melodramen und Lieder mit Instrumenten* (Reinhold Brinkmann, éd.), Mainz-Wien, Schott-Universal Edition, 1997 [à partir d'ici *SW 24-2*], p. 74.

56 Voir à ce propos Dirk Buhrmann, *Arnold Schönbergs » Ode to Napoleon Bonaparte « op. 41* (1942), Hildesheim-Zürich-New York, Georg Olms Verlag, 2002, p. 154.

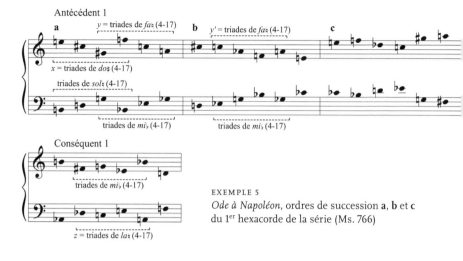

EXEMPLE 5
Ode à Napoléon, ordres de succession **a**, **b** et **c**
du 1er hexacorde de la série (Ms. 766)

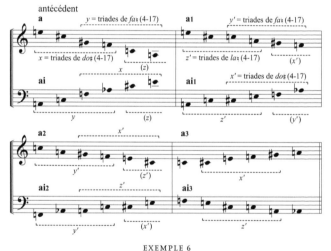

EXEMPLE 6
Ode à Napoléon, ordres de succession **a**, **a₁**, **a₂** et **a₃**
du 1er hexacorde de la série (Ms. 822)

La similitude est encore plus frappante dans un tableau très certainement antérieur[57] où sont notées, non pas trois, mais quatre formes différentes, toutes symétriques, de l'« antécédent » (**a**, **a₁**, **a₂**, **a₃**) ; l'ordre de succession de la première (**a**) est identique à celui de la forme **a** du tableau final, mais la façon dont est décrit l'hexacorde, de l'aigu au grave, montre que le compositeur a ici à l'esprit,

57 ASC, Ms. 822 (*SW 24-2*, p. 94).

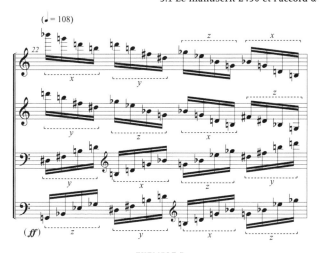

EXEMPLE 7
Ode à Napoléon, mes. 22 (analyse)

non une simple succession ordonnée de classes de hauteurs, mais la projection d'un bloc sonore dont la *disposition* même est définie de manière précise : ‹*mi*♮$_5$ *do*♯$_5$ *sol*♯$_4$ *fa*♮$_4$ *do*♮$_4$ *la*♭$_3$›, et cela vaut également pour l'inversion (**ai**), qui, de surcroît, n'est pas, comme c'est le cas d'ordinaire, celle de la forme sérielle complémentaire (partant de *si*♮), mais se confond avec le rétrograde de **a** [exemple 6].

Dans ce tableau, la description suivante de l'hexacorde, **a**$_1$/ **ai**$_1$, fait tenir les tétracordes 4-17 à l'intérieur d'une quinte (*x'* = triades majeure/mineure de *do*♯, *y'* = triades majeure/mineure de *fa*♮, etc.) ; après quoi **a**$_2$ se présente comme une simple transposition à la tierce inférieure de **a**$_1$, mais peut être vu, tout aussi bien, comme le résultat d'une permutation circulaire (on part de la 3e note de **a**$_1$ pour arriver à la 2e), le retour des deux premières notes à la fin de l'hexacorde permettant seul de dérouler les trois collections possibles. Ces deux façons de décrire le tétracorde se retrouvent telles quelles, à de nombreux endroits, dans la composition elle-même : à la mes. 22, par exemple, les cordes déroulent horizontalement et verticalement, en les isolant clairement, les segments *x*, *y* et *z* des formes **a**/**ai** (**a** partant de *si*♭, on obtient ici les triades majeure/mineure de *sol*♮, *si*♮ et *mi*♭)[58] [exemple 7] ; à la mes. 34, c'est **a**$_2$ qui, mis en boucle de manière semblable, fournit

---

58   Le dernier tétracorde du 2nd violon devrait être *y*, mais a été remplacé par *z*, la note la plus grave de l'instrument étant le *sol*$_3$.

EXEMPLE 8

Ode à Napoléon, détail de la mes. 34 (analyse)

la matière de la *Haupstimme* que joue le 2nd violon, prolongé par le piano [exemple 8].

La dernière œuvre – restée inachevée – de Schönberg, *Psaume moderne* (l'opus 50c), utilisera elle aussi une série dont les hexacordes se ramènent à la collection 6-20. Le compositeur en a lui-même décrit longuement les propriétés remarquables[59], parlant à son sujet de « série miracle » (*Wunder-Reihe*, ou *Miracle Set*), pour la raison que le rétrograde du second hexacorde est ici l'exacte transposition du premier un ton plus bas [exemple 9]. Le tétracorde 4-17 est, cette fois, inscrit au centre de l'hexacorde ainsi dupliqué : dans la forme de départ, P4, il y apparaît sous la forme des triades majeures/mineures de *la*♭ et de *sol*♭ ; dans l'inversion (choisie, une nouvelle fois, en fonction du principe de l'*hexacordial combinatoriality*), les triades sont établies, symétriquement, sur les deux notes voisines de C20 : *si*♭ et *do*♮. Schönberg insiste par ailleurs, à propos de cette *Wunder-Reihe*, sur le fait qu'en transposant le couple initial (P4/I9) sur tous les degrés de l'échelle par tons entiers (pour P4, les degrés de C20), on obtient toujours les quatre mêmes collections de six notes[60] (ce qui, en vérité, vaut déjà pour la *Suite* op. 29). L'utilisation des six couples de formes ainsi engendrés a également pour conséquence le retour, au centre des différents hexacordes, des mêmes tétracordes 4-17, décrivant le même cycle de tons entiers.

---

59 Voir le fac-similé de la page manuscrite où Schönberg a noté ce texte (ASC, MS 56_wunderreihe1) dans le volume 19 (Série B), des *Œuvres complètes* : *Chorwerke II* (Christian-Martin Schmidt, éd.), Mainz-Wien, Schott-Universal Edition, 1977, p. VIII. Il existe du même document une version dactylographiée portant la mention manuscrite « *Copyright by Arnold Schoenberg, 1950* » (ASC, MS56_wunderreihe3a), qui est reproduite dans l'ouvrage de Josef Rufer *Das Werk Arnold Schönbergs*, Kassel, Bären-reiter, 1959, p. 121.

60 *Ibid.*, p. 121 *sq.*

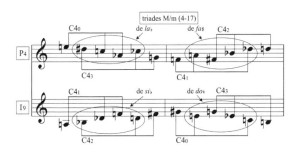

EXEMPLE 9
Psaume moderne op. 50c, propriétés de la série

Ce parallèle entre le début initialement projeté de *La Main heu-reuse* et des œuvres appartenant à des phases plus tardives – et même à la phase ultime – de ce que Schönberg a lui-même appelé son « évolution » permet d'apprécier une qualité de sa production rarement mise en avant (l'usage est plutôt de la compartimenter en fonction de critères à la fois techniques et stylistiques), à savoir la permanence d'un mode de pensée harmonique qui, par-delà le recours à des techniques d'écriture maintes fois redéfinies et actua-lisées, garantit l'unité profonde de l'œuvre.

3.2 Du manuscrit *CV 7ᴿ* à la réalisation des mes. 115-120

La version des premières mesures de l'œuvre notée dans le Ms. 2450 sera finalement abandonnée : seules n'en subsistent dans le texte final que les interventions du chœur, qui proviennent en fait, comme l'a montré Auner, d'une première rédaction du début de la 4ᵉ scène où elles se trouvaient citées, et que Schönberg a finalement utilisée pour le début de la 1ʳᵉ scène[61]. Une trace de

---

61 Voir *infra*, p. 78 *sq*. Il est du reste possible que Schönberg soit réintervenu sur le texte du Ms. 2450 lors de la dernière phase de composition. Le type de notation qui y est utilisé pour le *Sprechgesang* (la croix barrant la hampe, au lieu de se substituer à la tête de note) est celui que le compositeur n'aurait adopté, selon Auner, qu'en 1913 – voir *The Genesis of* Die glückliche Hand, p. 126-132, et la note 91 (ce point est, il est vrai, discuté par Scheideler, qui fait remarquer que Schönberg use encore des deux modes de notation dans la particelle de *L'Échelle de Jacob* [*SW* 6-3, p. 253]). La note même qui, au bas du document, donne le mode d'emploi de cette notation est par ailleurs très proche, dans sa formulation, de celle de la partition éditée.

ILLUSTRATION 2

La Main heureuse, esquisse préparatoire (ASC, *Compositions Vorlage*, p. 7ʳ, détail)
© Copyright 1917 by Universal Edition A.G., Wien

l'accord de six notes joué par les cors se conserve néanmoins à un moment particulièrement important du drame, celui où, dans l'atelier, l'Homme frappe l'enclume de son marteau et en extrait le diadème (mes. 115 *sq.*).

L'accord lui-même réapparaît déjà, de façon littérale, dans l'une des esquisses préparatoires insérées dans la *Compositions Vorlage* – appartenant, comme le Ms. 2450, à la phase initiale de la composition de l'œuvre –, à savoir celle qui figure au recto de la p. 7 du document (*CV 7ʳ*) [illustration 2] – en face, précisément, du passage du livret allant des indications relatives à l'éclairage de la grotte (début de la 3ᵉ scène) à la phrase qui décrit la réaction des ouvriers lorsque l'Homme saisit le marteau (*CV 6ᵛ*)[62]. Il est ici enchâssé dans un agrégat de *douze* notes, ou, pour être plus précis, un agrégat comprenant les douze notes du total chromatique (à partir d'ici β) [exemple 10a].

Pour saisir l'enjeu lié à la construction d'une telle entité harmonique, il faut se reporter au chapitre du *Traité d'harmonie* relatif aux « accords de quartes », où est abordée la question de

---

62 *Cf. SW* 6-3, p. 92, ainsi que le fac-similé des deux pages (6ᵛ et 7ʳ), p. X-XI, et la transcription de l'esquisse, p. 143.

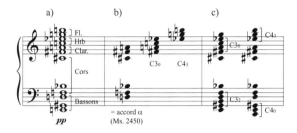

EXEMPLE 10
La Main heureuse, Accord β (a), engendrement (b) et réécriture (c)

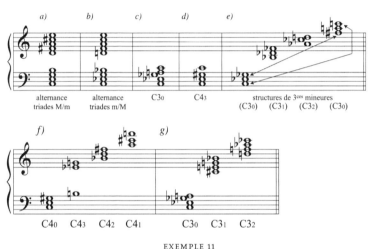

EXEMPLE 11
Harmonielehre, exemple 339 (avec annotations)

l'engendrement des accords de douze notes à partir de l'intervalle de tierce[63]. L'exemple donné par Schönberg [exemple 11] montre qu'il n'est possible d'arriver à ce résultat qu'en déployant, soit les quatre cycles de tierces majeures à distance de tierce mineure, soit, inversement, les trois cycles de tierces mineures à distance de tierce majeure (cas de figure *f* et *g*). Mais dans un premier temps, le compositeur tente de superposer, à cette fin, de pures triades – en faisant alterner, soit triades majeures et mineures (*a*), soit triades mineures et majeures (*b*), ce qui, note-t-il, ne permet d'arriver, respectivement, qu'à huit et neuf notes différentes.

L'accord de l'esquisse de la *Compositions Vorlage* (β) constitue, de ce point de vue, un mixte, formé de triades (où alternent ici

---

63 Voir A. Schönberg, *Harmonielehre,* p. 489 (et l'exemple 339).

intervalles de tierce et de quarte), d'un cycle de tierces mineures (C30) et d'un cycle de tierces majeures (C43) [exemple 10b]. Notons qu'en tant qu'extension de l'accord α (Ms. 2450) β serait également symétrique, n'était le déplacement du *si*♮ ou du *do*♮, que Schönberg peut avoir effectué pour obtenir un meilleur rendu harmonique, la superposition dans l'aigu de la « 7ᵉ diminuée » ‹*fa*♯$_4$ *la*♮$_4$ *do*♮$_5$ *mi*♭$_5$› et de l'accord de quinte augmentée ‹*mi*♭$_5$ *sol*♮$_5$ *si*♮$_5$› l'emportant, à cet égard, sur une disposition trop compacte, et manquant de transparence du fait du registre, dans le grave [exemple 10c].

Dans la réalisation finale du passage (mes. 115-121) – que Schönberg pourrait avoir mise au point durant l'été 1911[64] –, des éléments essentiels de l'accord β (*CV* 7ʳ) se retrouvent, tels quels, dans celui que tiennent longuement dans le registre médium clarinettes, hautbois et bassons[65] (à partir d'ici δ) [exemple 12, strate **a**] : de l'accord de six notes originel, seule manque la note supérieure (*la*♮), qui est certes présente, mais dans un autre contexte : celui du bloc de quatre notes que jouent dans l'extrême-aigu – c'est-à-dire dans un registre bien distinct – les flûtes (dont le piccolo) doublées par le célesta, et qui forme la strate supérieure du complexe sonore : ‹*sol*♮$_6$ *la*♮$_6$ *do*♮$_7$ *fa*♯$_7$›. La structure de tierces majeures (C43) qui se trouvait au sommet de l'agrégat de douze notes est, quant à elle, baissée d'une octave : ‹*ré*♯$_4$ *sol*♮$_4$ *si*♮$_4$›, mais elle reste, ce faisant, placée dans la partie supérieure de l'accord, où elle vient s'emboîter dans la triade ‹*si*♭$_3$ (= *la*♯) *do*♯$_4$ *fa*♯$_4$› [exemple 13].

À cela s'ajoute que, si la 7ᵉ diminuée ‹*fa*♯$_4$ *la*♮$_4$ *do*♮$_5$ *mi*♭$_5$› disparaît, une autre structure de tierces mineures s'inscrit à présent dans l'accord avec l'adjonction du *mi*♮$_4$: ‹*si*♭$_4$ *do*♯$_4$ *mi*♮$_4$ *sol*♮$_4$› (C31), si bien qu'à l'intérieur de la 7ᵉ mineure ‹*do*♯$_4$ *si*♮$_4$› (exprimée sous la forme de deux quartes superposées : ‹*do*♯$_4$ *fa*♯$_4$ *si*♮$_4$›) se forme un bloc compact de six notes, qui offre un exemple extrême de cet « enchevêtrement » de « rapports hiérarchiques » dans lequel Lévi-Strauss a pu voir, non sans raison, une caractéristique de ce qu'il nomme (à tort) le « système atonal »[66] ; y sont imbriquées, en dehors des

---

64 Voir J. Auner, *The Genesis of* Die glückliche Hand, p. 120 *sq.*, et *SW 6-3*, p. 250.

65 Auner mentionne rapidement la présence de ce qu'il appelle l'« hexacorde de référence » dans l'accord tenu aux mes. 115-121 – *cf. The Genesis of* Die glückliche Hand, p. 240 (note 30) et « In Schoenberg's Workshop… », p. 86 (note 37). Notons que la nuance – *fp* > *ppp* dès la mes. 116 – est proche du *pp* noté dans l'esquisse.

66 Voir Claude Lévi-Strauss, *Le Cru et le cuit*, Paris, Plon, 1964, p. 25.

EXEMPLE 12

La Main heureuse, mes. 115-116 (strates **a** à **d**)

accord
du Ms. 2450
(sans le *la*♮₄)

EXEMPLE 13

La Main heureuse,
décomposition de l'accord δ

configurations déjà mentionnées, les triades ‹*ré*♯₄ *fa*♯₄ *si*♮₄› et ‹*mi*♮₄ *sol*♮₄ *si*♮₄› (en relation de quinte donc, voire, si l'on veut, de domi-nante/tonique), et même, en incluant le *si*♭₃ = *la*♯, le rabattement vertical d'un enchaînement II–V–I : ‹*do*♯₄ *mi*♮₄ *sol*♮₄ *si*♮₄› → ‹*la*♯₃ *do*♯₄ *fa*♯₄› → ‹*ré*♯₄ *fa*♯₄ *si*♮₄›.

Un point important demande à être ici précisé. À la différence de l'accord β qui en est très probablement la préfiguration, l'accord δ (mes. 115-121), si riche soit-il, ne comporte pas les douze notes du total chromatique ; y manque le *sol♯*, ou *la♭*, qui n'apparaît que dans une autre strate : celle que forme l'accord de tierces joué par quatre violons solistes – ‹*la♭₄ do♭₅ ré♯₅ fa♯₅*› –, qui se rattache à la mélodie du 1er violon solo, et s'éteint avec elle à la fin de la mesure suivante [exemple 12, strate **c**]. À l'inverse, deux notes sont présentes deux fois dans l'accord des bois : le *sol♮* et le *fa♯* y apparaissent sous la forme, respectivement, du *sol♮₄* et du *sol♮₆*, et du *fa♯₄* et du *fa♯₇*. Si l'on considère le complexe sonore tout entier, le phénomène est bien plus net encore : dans l'accord des violons déjà, si le *do♭₅* du 4e violon solo se confond avec le *si♮₄* du 1er basson, la tierce ‹*ré♯₅ fa♯₅*› redouble à l'octave celle que jouent, respectivement, le 2e hautbois et le 3e basson ; et la prolifération de notes présentes dans plusieurs registres à la fois atteint son comble dans la succession d'accords de huit, voire neuf notes joués *pizzicato* par les cordes graves à la mes. 116[67] [exemple 12**d**]. Or, c'est là un trait distinctif du mode de pensée musicale propre à la période atonale libre, avec lequel conduira à rompre la technique dodécaphonique : dans de telles pages le nombre 12 n'est d'aucune façon érigé en norme, ou, selon l'expression d'Adorno, « hypostasié[68] ». La raison en est que la notion même de *classe de hauteurs* – et la « série » dodécaphonique est, dans son principe, constituée de classes de hauteurs – est ici mise en question : le *sol♮₄* et le *sol♮₆*, par exemple, ou le *fa♯₄* et le *fa♯₇*, etc., possèdent une valeur propre *en tant que hauteurs* à l'intérieur des sous-ensembles dont ils font partie, que distinguent leur position dans l'espace sonore (registre médium, aigu, etc.), ainsi que la couleur (bois d'un côté, cordes de l'autre) et le mode de jeu particulier (pour les cordes : jeu *arco* ou *pizzicato*) qui les caractérisent. En

---

67 Cette suite d'accords se prolonge en fait jusqu'au 1er temps de la mes. 117, où la densité atteint dix notes. Au sein même du deuxième accord de la mes. 116 le *ré♮* est présent deux fois, et dans le quatrième c'est la quarte ‹*la♭₃ ré♭₄*› (altos 3 et 4) qui est redoublée dans le grave (3e violoncelle et 1re contrebasse).

68 Th. W. Adorno, *Philosophie der neuen Musik*, p. 72 (trad. fr., p. 80 *sq*.). Dès le début du long développement ayant trait à l'échec qu'entraîne selon lui, dans la « méthode de composition avec douze notes », la rationalisation absolue du matériau (*das Mißlingen des technischen Kunstwerkes*), Adorno incrimine la contrainte liée à l'hégémonie du nombre 12 : « Il est impossible de voir pourquoi chaque *Grundgestalt* doit comprendre toutes les douze notes, sans en laisser une de côté, et rien que les douze notes, sans qu'aucune soit répétée. »

d'autres termes, la *gestalt* formée par le sous-ensemble l'emporte sur l'identité générique des éléments qui le constituent.

À cela s'ajoute que les éléments de la texture musicale résultant de la superposition et de l'interpénétration des strates ont, sur le plan sonore, des statuts et des modes de présence bien différents : si la dimension harmonique prévaut dans le cas des accords tenus dans le registre médium, celui que jouent les flûtes, combiné avec les croches répétées du célesta, se perçoit, dans l'extrême-aigu, comme un phénomène d'une autre nature, caractérisé avant tout par sa texture – celle d'une sorte de frange scintillante –, et qui relève donc d'une autre catégorie : de ce type de catégories qu'a cherché à définir Pierre Schaeffer dans son *Traité des objets musicaux*. Il en va de même des riches agrégats joués pizzicato (*poco forte*) par les altos et les violoncelles, paquets de notes compacts dont la succession décrit certes un mouvement précis – présentant, par là, un profil quasi mélodique (avec, à sa crête, le dessin diatonique ‹*do*♮₅ *ré*♮₅ *la*♮₄ *si*♮₄›)[69] –, mais qui sont inanalysables à l'oreille du point de vue harmonique, leur importance tenant à l'effet sonore global que produit, ici dans le registre qui va du médium au grave, le type d'attaque propre aux cordes pincées.

Par ailleurs, une relation du type figure/fond s'instaure, dans les strates où l'harmonie remplit pleinement son rôle, entre les accords tenus et diverses lignes mélodiques, expressément signalées comme « voix principales » (*Hauptstimmen*), sur lesquelles se focalise la perception : en premier lieu la mélodie souple et expressive du 1ᵉʳ violon solo, auquel répond, de façon quasi hétérophonique, un bref mélisme en valeurs longues de la trompette – qui est l'écho exact du dessin autour duquel s'articule le premier geste mélodique du violon : ‹*la*♮₅ *sol*♮₅ *la*♮₅›[70] –, puis une succession d'élégantes arabesques déroulées « très calmement » par la clarinette en *ré*, qui se fixe d'abord, à son tour, sur le *la*♮₅, puis sur *do*♮₅, avant qu'à la mes. 118 (où, sur scène, les regards se portent sur le diadème « serti de pierres précieuses » que l'Homme lève en l'air après l'avoir sorti de l'enclume) sa ligne mélodique ne s'enroule en volute autour des notes du segment chromatique {*mi*♮ *fa*♮ *fa*♯} [exemple 14].

---

69 Ce profil ressort d'autant plus clairement que les altos 2 et 3, à peu de chose près, reproduisent une et deux quartes plus bas la ligne de l'alto 1.

70 C'est cette même dyade, notons-le, qui est jouée dans l'accord des flûtes, une octave plus haut.

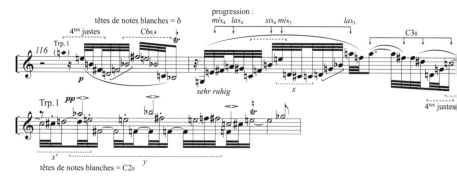

EXEMPLE 14
La Main heureuse, mes. 116-118,
parties de Clarinette en *ré* et de Trompette 1 (analyse)

Mais si la mélodie du violon solo doit pour beaucoup son expressivité au caractère diatonique, voire modal, par lequel elle tranche sur son environnement harmonique[71] – *mi*♮ tend à s'y affirmer comme la «tonique» d'un mode qui hésite entre le phrygien (avec *si*♮) et le locrien (avec *si*♭) –, la clarinette, à son entrée, fait venir au premier plan, en la décrivant sous forme d'arpège (une octave plus haut), une composante significative de l'accord δ: on y entend clairement la triade ‹*ré*♮ *fa*♯ *si*♭›, tandis que l'intervalle ‹*fa*♯ *mi*♮› est prélevé sur la structure d'intervalles très dense du haut de l'accord. Le *fa*♯, qui est en position d'«accent» sur le 4e temps, mais aussi – sur la 2e croche du 3e temps – à l'intérieur de l'anacrouse qui y conduit, est amené au départ par un double intervalle de quarte juste (anacrouse dans l'anacrouse), qui prolonge lui-même le *la*♮ de la trompette: ‹(*la*♮5) *mi*♮5 *si*♮4 *fa*♯4›; le dessin en forme de désinence qui, de *fa*♯5, descend au *si*♭3, fait entendre, lui, une configuration de tons entiers: le tétracorde C60,4, formé de deux tritons à distance de seconde majeure: {*si*♭ *do*♮ *mi*♮ *fa*♯}. L'arabesque de la clarinette fait par là le lien entre l'accord δ et la mélodie du violon, dont elle intègre – dans l'esprit, là encore, de l'hétérophonie – la tension entre *mi*♮ et *si*♭: le *si*♭3 trillé sur lequel elle se pose[72] est à

71 Cela vaut, non seulement de l'accord des bois, mais aussi de celui des violons, dont les deux notes supérieures sont dans δ (et également celles de la double croche en levée)

72 Dans la partition imprimée, cette note est écrite *sol*♯, en raison, manifestement, du trille. Dans le premier manuscrit complet (*Erste Niederschrift*), où les instruments sont notés en *ut*, Schönberg écrit bien *si*♭ et non *la*♯.

la fois celui qui dans la partie de violon, atteint par un glissando, marque le terme du mouvement mélodique, et, dans le « bon » registre cette fois, celui qui, dans δ, constitue la fondamentale de la triade établie dans le grave de l'accord. La fonction particulière du *si*♭ au sein du réseau complexe de relations hiérarchisées qui se tisse dans le passage est clairement explicitée par l'intervention des contrebasses, où la note, amenée ici par un intervalle de sixte majeure (*ré*♭ au lieu de *ré*♮), est mise en relief par un accent dans la nuance *forte*, et redoublée dans le grave[73]. Tout le dessin ‹*fa*♮₄ *fa*♯₅ *mi*♮₅ *si*♭₄› de la clarinette est, de plus, repris comme en écho, dans l'aigu, par le xylophone, qui part lui aussi de *mi*♮.

L'examen du solo de la clarinette tout entier (jusqu'à la mes. 118) permet, quant à lui, de saisir par quels moyens, et selon quelle logique à la fois précise et souple, s'effectue dans *La Main heureuse*, et plus généralement dans les œuvres de la période atonale libre de Schönberg, la construction mélodique. Resté seul[74], l'instrument décrit une deuxième arabesque, sinueuse et volubile, qui se déploie par vagues successives sur plus de deux octaves, telle une longue anacrouse, partant du *sol*♮₃ pour aboutir au *la*♮₅ (mes. 117). L'intervalle de quarte, très présent localement, est aussi celui qui structure la progression : d'abord ‹*mi*♮₄ *la*♮₄›, où *la*♮₄ forme l'accent d'une première mini-anacrouse au sein de l'anacrouse plus vaste qui conduit, sur le 2ᵉ temps de la mesure, à la quarte ‹*si*♮₄ *mi*♮₅›, à partir de laquelle sera atteint, cette fois en un seul élan, le *la*♮₅, amené par la triade arpégée ‹*ré*♮₄ *sol*♮₄ *si*♭₄› exactement comme, dans la première arabesque, le *fa*♯₅ l'était par la triade (symétrique) ‹*ré*♮₄ *fa*♮₄ *si*♭₄›. Cet agrandissement de l'intervalle menant au sommet de la ligne mélodique (d'abord la quinte augmentée ‹*si*♭₄ *fa*♯₅›, puis la septième majeure ‹*si*♭₄ *la*♮₅›) a pour effet de créer une progression à grande échelle, ce qu'accentue le fait que le *ré*♮₄ est lui-même, ici, pris dans le mouvement induit par la figure – apparentée à une broderie inférieure – ‹*ré*♮₄ *do*♮₄ *do*♮₄ *ré*♮₄›. Le dessin chromatique ‹*ré*♮ *do*♯ *do*♮›, augmenté du *mi*♮ (x), fait, quant à lui, le lien avec le dernier segment mélodique : partant du *do*♮₅, auquel aboutit une nouvelle arabesque, plus concise, que structure, cette fois, l'intervalle de

---

73 Le *si*♭₃ des contrebasses est également la note grave de l'accord joué *pizzicato* en même temps que lui, *pp*, par quatre cordes solistes, où la triade majeure de *si*♭ apparaît, cette fois, à l'état fondamental.

74 À partir de là, précise Schönberg, les bois doivent jouer leur accord « le plus *piano* possible » (*möglichst leise*).

tierce mineure : ‹*la*♮₅ *fa*♯₅ *ré*♯₅ *do*♮₅› (C30), mais où ce *do*♮₅ est atteint, à partir du *ré*♮₄ une fois encore, par un mouvement de quartes : ‹*ré*♮₄ *sol*♮₄ *do*♮₅›, se dessine, inversée, la ligne ‹*do*♮₅ *do*♯₅ *ré*♮₅ *mi*♮₅› (*x'*), d'où va se dégager, après quelques saccades, son symétrique : ‹*ré*♮₅ *mi*♮₅ *fa*♮₅ *fa*♯₅› (γ). C'est à présent, ici, la couleur de l'échelle par tons entiers qui s'affirme : au triton ‹*do*♮ *ré*♮ *mi*♭ *fa*♮› de la clarinette vient répondre, à la 1ʳᵉ trompette, le segment complémentaire de C20 {*do*♮ *si*♭ *la*♭ *sol*♭}, exprimé plus librement, et en valeurs longues, sous la forme ‹*la*♭₅ *si*♭₅ *do*♮₅ *sol*♭₅›.

Ce foisonnement interne de la texture musicale, la surabondance et en même temps l'extrême différenciation des éléments qui la composent, peuvent être vues comme un *analogon* de ce qui se joue sur scène après que le marteau s'est abattu sur l'enclume, durant la longue plage de temps où l'action se suspend, et où se mêlent chez les témoins de l'événement des sentiments de surprise et d'attente (la didascalie insiste sur l'étonnement qui fige le visage des ouvriers)[75], jusqu'à ce que l'Homme, tenant le diadème dans sa main levée, déclare, sans aucune emphase : « Voilà comment on fait les bijoux ! », et qu'alors le charme se rompe. L'action, aussitôt, se précipite, et quelques instants plus tard, la scène s'étant obscurcie, l'atelier lui-même aura disparu.

3.3 L'accord de douze notes (*Hammerschlag*)

Reste à s'intéresser à ce qui est, sur le plan dramatique, l'événement majeur : le coup de marteau lui-même (*Hammerschlag*, mes. 115 – à partir d'ici γ). Il est figuré musicalement par un accord qui comporte, lui, les douze notes du total chromatique (pas une de plus, pas une de moins) [exemple 15a]. Le rapprocher, à ce seul motif, de celui de l'esquisse *CV 7*ʳ, comme le fait Auner[76], n'est guère convaincant, pour diverses raisons : d'abord, l'accord β a la valeur d'une ronde – alors que le coup de marteau, nécessairement bref et sec, est noté sous la forme d'une croche –, ensuite les nuances sont diamétralement opposées : *pp* dans un cas, *fff* dans l'autre ;

---

75 Dans la *Philosophie der neuen Musik*, Adorno parle de l'« insatiable empilement de complexes harmoniques » qui caractérise la *Main heureuse* comme d'une « allégorie de la complexité (*Vielschichtigkeit*) du sujet psychologique » (*op. cit.*, p. 37 [trad. fr., p. 42]).

76 J. Auner, « In Schoenberg's Workshop... », p. 86.

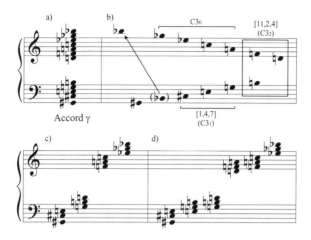

EXEMPLE 15

La Main heureuse, accord γ (a) et modes d'engendrement possibles (b à d)

l'instrumentation elle aussi diffère : si les bois sont prédominants dans l'accord β, le *Hammerschlag* est joué par les seuls cuivres et la percussion (timbales, marteau, grosse caisse et cymbales)[77]. Enfin, les deux accords n'ont pas du tout la même structure, car γ se construit, pour l'essentiel, à partir de l'intervalle de tierce ; il combine librement, ce faisant, des caractéristiques propres à différents cas de figure de l'exemple du *Traité d'harmonie* (voir l'exemple 11) : comme *e* et *g*, il superpose plusieurs structures de tierces mineures à distance de tierce majeure, dont une seule, cependant, déploie le cycle complet (C3₀) [exemple 15b] ; dans le grave, C3₁ aurait aussi pu être complet, mais si♭ est déplacé dans l'aigu, si bien que l'on obtient finalement, comme dans *a* et *b*, une superposition de triades majeures et mineures – à ceci près que la triade grave est à l'état de second renversement (quarte et sixte), et que l'alternance majeur/mineur n'est pas stricte [exemple 15c/d]. Il semble, du reste, qu'ici encore Schönberg ait eu à l'esprit une disposition d'ensemble symétrique, ce qui apparenterait γ à β, n'était le fait que le centre de symétrie est dans le cas présent, non pas une dyade, mais une hauteur

---

77 L'accord β est aussi très proche, du point de vue de l'instrumentation, de celui que jouent les bois aux mes. 110-115 (même si ce dernier ne possède que neuf notes), à quoi s'ajoute le fait que l'esquisse *CV 7*ʳ où il apparaît comporte également des éléments entendus, eux aussi, dans la progression qui précède le coup de marteau (*cf. SW 6-3*, p. 142 *sq.*). La structure de l'accord des mes. 110-115 est, elle, très différente de celle de β ; sa partie supérieure (‹*sol*♮₅ *do*♮₆ *fa*♯₆›), en revanche, préfigure nettement celle de δ.

simple, en l'occurrence le *ré*♮4 ; il devrait en résulter, en théorie, que
sol♯ = *la*♭ soit présent deux fois – de là sans doute la substitution
du *si*♭5 au *la*♭5 (symétrique du *sol*♯2) censé apparaître à cet endroit.

Mais le point important est ici que la brièveté de l'accord, et
surtout la forte prédominance des percussions (à commencer par
le marteau lui-même), interdisent de le percevoir en tant qu'entité
harmonique à part entière : plus nettement encore que dans le cas
des paquets de notes jouées pizzicato dont il a été question plus
haut, on a affaire à un objet sonore défini – pour reprendre les catégories de Schaeffer – selon des critères spécifiques de masse, de
dynamique et de timbre, et dans lequel la structure harmonique
ne joue qu'un rôle très secondaire – même si la durée d'une croche,
dans le tempo très lent qui s'établit à cet endroit (la croche à 90),
permet aux cuivres de faire entendre une brève résonance, venant
après l'attaque sèche des timbales, du marteau et de la grosse caisse.
Cela dit, il est frappant que Schönberg ait choisi d'associer *symboliquement* au coup de marteau d'où va surgir le diadème un accord
de douze notes[78], comme emblème de l'univers musical proprement « atonal » (que cette atonalité soit « libre » ou contrôlée par
une « méthode de composition » bien définie) : celui dont le matériau spécifique est l'échelle dodécatonique (*twelve-tone scale*)[79].

Pour mieux cerner l'originalité du rapport de Schönberg à ce
matériau, et sa distance à l'égard de la théorie, il n'est que de comparer avec l'accord de *La Main heureuse* celui par lequel Berg, non
moins symboliquement, traduira le « cri de mort » (*Todesschrei*) de
Lulu. Sa structure interne est elle-même, ici, symbolique : y sont en
effet superposés, verticalement, les trois tétracordes constitutifs de la
forme de base du premier des trois « tropes » dont Perle a montré qu'ils
sont au fondement du langage musical de l'œuvre[80] [exemple 16].

---

78 Ni dans la *Sixième Symphonie* de Mahler, ni même dans la « Marche » qui
     clôt les *Trois Pièces pour orchestre* op. 6 de Berg (composées en 1913), les
     coups de marteau ne sont doublés, à l'orchestre, d'un accord comparable.

79 Voir George Perle, *Serial Composition and Atonality : An Introduction to the
     Music of Schoenberg, Berg, and Webern*, Berkeley-Los Angeles, University
     of California Press, 6ᵉ édition révisée, 1991, p. 4 *sq*. Perle invite à préférer
     la dénomination de *twelve-tone scale* à celle de *chromatic scale*, où reste trop
     aisément sous-entendue, du fait de l'héritage tonal, une hiérarchie entre
     des degrés de premier rang et d'autres degrés qui leur sont subordonnés.

80 George Perle, *The Operas of Alban Berg* (vol. 2) : *Lulu*, Berkeley-Los
     Angeles, University of California Press, 1985, p. 89 *sq.*, ainsi que « The
     First Four Notes of *Lulu* », dans : Douglas Jarman (éd.), *The Berg Compa-
     nion*, London, Macmillan, 1989, p. 274 *sq.*

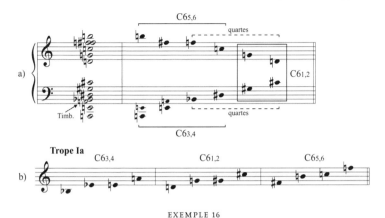

EXEMPLE 16

A. Berg, *Lulu*, 3ᵉ acte, *a)* accord du *Todesschrei* et structure interne ; *b)* Trope Ia

Ce « Trope I » est construit à partir d'une collection symétrique qui joue, chez Berg mais aussi chez Bartók, un rôle central : le *set-class* 4-9 de la nomenclature de Forte, formé de deux tritons à distance de seconde mineure, ou de quarte (0167) ; celle de ses deux formes (= transpositions) possibles qui joue dans *Lulu* le rôle le plus important – que Perle nomme « Ia » – est celle qui contient les tétracordes {si♭ mi♭ mi♮ la♮} (C63,4)[81], {ré♮ sol♮ sol♯ do♯} (C61,2) et {fa♮ si♮ do♮ fa♯} (C65,6).

L'accord est ici longuement tenu – sous la forme d'une blanche pourvue d'un point d'orgue (« très long ») –, et confié à tout l'orchestre, qui comprend également un piano (joué, dans cette mesure, à quatre mains) ; les percussions ne sont représentées, quant à elles, que par les timbales, la caisse claire et la grosse caisse, auxquelles est prescrite une nuance plus faible (attaque *f* au lieu de *fff*) ; pour des raisons d'équilibre sonore, le tétracorde inférieur est présenté dans une disposition plus large, sauf aux timbales. La construction de l'accord obéit ainsi, chez Berg, à une rationalité extrêmement poussée, tout à fait conforme à l'esprit de la technique dodécaphonique, voire renchérissant sur lui.

Avant même que Schönberg n'eût mis au point sa nouvelle « méthode de composition », Berg a de façon répétée, quand la situation exigeait un traitement musical spécifique, eu recours à de tels complexes de douze notes dont l'agencement, comme pour

---

81 C'est ce tétracorde qui retentit au tout début de l'opéra (joué par les trombones 1 et 2), sous la forme ‹ si♭2 mi♭3 mi♮3 la♮3 ›

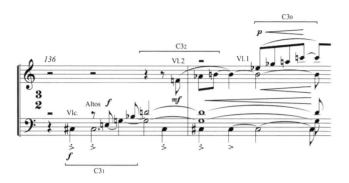

EXEMPLE 17
A. Berg, *Wozzeck*, acte I, scène 1, mes. 136 *sq.*,
déploiement du total chromatique

le *Todesschrei* de *Lulu*, procède directement de la réflexion théorique. Ainsi, le déploiement en éventail du total chromatique qui, dans la 1re scène de *Wozzeck*, s'effectue dans les cordes au moment où Wozzeck s'écrie : « *Wir arme Leute! Sehn Sie, Herr Hauptmann, Geld, Geld!* » (mes. 136-137) – et que Berg, dans une esquisse, relie à l'attitude de l'homme qui se dresse (*der sich aufrichtende*)[82] –, ne fait-il que se conformer de la manière la plus littérale au mode d'engendrement décrit par Schönberg dans le cas de figure *g* de l'exemple, reproduit plus haut, de son *Traité d'harmonie* : y sont déclinés tour à tour, en partant de *do*♯, les trois cycles de tierces mineures (C31, C32 puis C30), séparés par une tierce majeure[83] – sans que la présentation, ce faisant, ait rien de didactique, du fait de l'irrégularité de la disposition rythmique : le *do*♯$_3$, seul, accentué et répété aux violoncelles[84], puis aux altos deux figures de deux notes (avec une levée de croche) et aux 2^{nds} violons une figure de trois notes, et enfin, aux 1ers violons, l'énoncé en un seul geste mélodique du troisième cycle complet [exemple 17].

82 Voir Peter Petersen, *Bergs Wozzeck. Eine semantische Analyse*, München, edition text + kritik (*Musik-Konzepte*, Sonderband Alban Berg, *Wozzeck*), novembre 1985, p. 85 et p. 104.

83 À la fin de l'interlude qui conduit à la 2e scène (mes. 198-200), ce sont au contraire les structures de tierces majeures qui, comme dans le cas de figure *f*, envahissent la texture. Petersen fait dans son ouvrage un relevé des différents accords de douze notes obtenus par la superposition de tierces qui apparaissent dans *Wozzeck* (*op. cit.*, p. 102-106).

84 La note est redoublée à l'octave inférieure par les contrebasses (qui ne la tiennent pas après la dernière attaque).

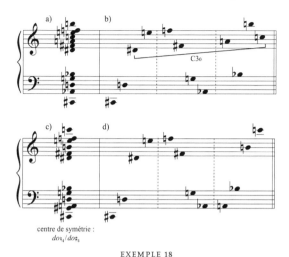

EXEMPLE 18

A. Berg, *Altenberg Lieder* n° 3, accord de douze notes
et principe d'engendrement

Mais l'exemple le plus remarquable est celui de l'accord de douze
notes qui ouvre et clôt le troisième des *Altenberg Lieder* – composés
durant l'été 1912 (à un moment où Berg n'avait donc pas connaissance de la musique de *La Main heureuse*) –, l'un des deux lieder
du recueil qui furent créés dans la salle du Musikverein de Vienne
le 31 mars 1913, lors d'un concert mémorable, sous la direction de
Schönberg [exemple 18a]. L'accord est, au départ, joué et longuement tenu dans la nuance *pp* par un ensemble de vents solistes, qui
s'échangent à plusieurs reprises ses notes constitutives[85] – selon le
principe de la « mélodie de timbres » que Schönberg avait expéri-
menté dans *Farben*, la troisième de ses *Pièces pour orchestre* op. 16 –,
avant de s'éteindre note après note, en commençant par le *do♯*
grave et en finissant par le *si♮* aigu. Pendant sa durée, la soprano
déroule une longue ligne mélodique sur la phrase : « Ton regard
portait pensivement au-delà des limites de l'univers » (*Über die
Grenzen des Alls blicktest du sinnend hinaus*). C'est donc ici de l'évocation poétique du Tout qu'est née l'idée d'une image sonore formée
par l'ensemble des notes du total chromatique[86]. Or, l'examen de

---

85 Voir à ce sujet, par exemple, Mark Devoto, « Some Notes on the Unknown
    Altenberg Lieder », *Perspectives of New Music*, 5/1, 1966, p. 73 *sq*.

86 *Cf.* Mosco Carner, *Alban Berg: The Man and the Work*, New York, Holmes
    & Meier, 2/1983, p. 105 (trad. fr.: *Alban Berg*, Paris, Jean-Claude Lattès,
    1979, p. 141). À la fin du lied, l'accord se reconstitue note par note,

l'accord révèle qu'il est engendré à partir de l'intervalle de seconde mineure, redoublé (9e mineure) ou renversé (7e majeure), conformément au schéma exposé dans le tableau des cycles d'intervalles que Berg a noté avec soin – en le qualifiant d'«amusement théorique» (*theoretische Spielerei*) – dans une lettre à Schönberg datée du 27 juillet 1920[87].

Pour des raisons évidentes, le déploiement du cycle est contenu dans un ambitus de quatre octaves, et, par conséquent, s'effectue tantôt en montant, tantôt en descendant [exemple 18d]. Berg, il est vrai, a modifié la place de trois notes : sous sa forme pure, l'accord, entièrement symétrique autour de la dyade *do*♮$_4$-*do*♯$_4$, s'étendrait du *do*♯$_2$ au *do*♮$_6$ [exemple 18c] ; mais le *do*♮ et le *la*♮ ont été baissés, respectivement, d'une et de deux octaves, tandis que le *si*♮ monte, lui, d'une octave [exemple 18b]. Il s'agit là, selon toute vraisemblance, d'une correction effectuée empiriquement (à l'oreille) : le déplacement du *la*♮ pour éviter (avec la seconde mineure ‹*sol*♯$_2$ *la*♮$_2$›) une disposition trop serrée dans le grave, l'échange du *do*♮ et du *si*♮ pour substituer à l'intervalle de quinte, très exposé au sommet, un triton plus approprié au contexte. On ne peut exclure, cela dit, que Berg ait cherché à obtenir, dans l'aigu, un déploiement vertical du motif BACH : ‹*si*♭$_3$ *la*♮$_4$ *do*♮$_5$ *si*♮$_5$›. Ces modifications internes, enfin, ont pour effet d'introduire dans l'accord une structure de tierces (sous la forme du tétracorde ‹*ré*♯$_4$ *fa*♯$_4$ *la*♮$_4$ *do*♮$_5$›) – élément qui lui était étranger.

symétriquement, du grave à l'aigu, deux octaves plus haut : il est joué cette fois – toujours *pp* – par les cordes (divisées) en sons harmoniques – chacune des douze attaques étant soulignée par le célesta ; la ligne de chant, elle, reste identique, à ceci près que la voix se suspend, *in fine*, sur le contre-*ut* (le verbe de la phrase, en outre, est maintenant au présent).

87 Ce tableau est reproduit et commenté par Perle dans l'article «Berg's Master Array of the Interval Cycles», *The Musical Quarterly*, LXIII/1, 1977, p. 1-5 [repris dans *The Right Notes*, Stuyvesant, NY, Pendragon Press, 1995, p. 207-209] ; le cycle des septièmes majeures figure sur la deuxième ligne en partant du haut. Voir le texte de la lettre dans *Briefwechsel Schönberg – Berg*, II, p. 53 *sq*.

4. L'ACCORD ɛ ET L'OSTINATO HARMONIQUE
(DE *CV* 9ᵛ À L'ÉTAT FINAL)

Une autre page d'esquisses de la *Compositions Vorlage* conduit à approfondir encore la question du lien qui s'est créé, dans le projet de la *Main heureuse*, entre invention musicale et théorie. Il s'agit du verso du 9ᵉ feuillet du document [illustration 3], que le compositeur a placé en face de la page du livret correspondant au passage de la troisième à la dernière scène du drame (*Verwandlung*).

On peut y voir, dans la partie gauche (**a**), deux nouveaux accords de douze notes, dont l'un (à droite) est un pur accord de quartes, identique à celui que montre l'exemple 338 du *Traité d'harmonie*[88] ; une seconde esquisse, plus haut à droite (**b**), contient un accord de cinq notes qui n'est autre que la partie supérieure du complexe, étendu à neuf notes, appelé à jouer un rôle essentiel durant toute la 1ʳᵉ scène sous la forme de ce que Schönberg nommera, dans sa conférence de Breslau en 1928, un « ostinato harmonique » (*ostinatoartiger Akkord*)[89] [exemple 19].

EXEMPLE 19
La Main heureuse, accords « *Verwandlung* », *CV*, 9ᵛ (transcription partielle)

88 Seule l'orthographe diffère partiellement : dans l'exemple du *Traité d'harmonie*, le haut de l'accord reste noté en bémols : *ré♭, sol♭, do♭, fa♭ = mi♮* (*op. cit.*, p. 487).

89 Voir le texte de cette conférence, donnée le 24 mars 1928, dans *Stil und Gedanke*, p. 235-239, et dans *Stile herrschen, Gedanken siegen*, p. 393-396, ainsi que dans *SW* 6-3, p. 339-342 (trad. fr., sous le titre « Conférence de Breslau », dans Schoenberg-Busoni, Schoenberg-Kandinsky, *Correspondances, Textes*, p. 203-208).

ILLUSTRATION 3
La Main heureuse, esquisses pour le début de la 4ᵉ scène
(ASC, *Compositions Vorlage*, 9ᵛ) © Copyright 1917 by Universal Edition A.G., Wien

Dans le commentaire qu'il consacre à ces deux esquisses, Auner risque l'interprétation suivante :

> Ces esquisses sont intéressantes non seulement parce qu'elles montrent la dérivation de l'accord ostinato, mais aussi parce qu'elles apportent la preuve que cet accord n'a pas été la première idée de Schoenberg pour cet endroit de la partition. À l'origine, son intention était d'utiliser les deux accords de douze notes (désignés par le terme de «Verwandlung» [...]) pour le changement de scène de la mes. 200 [...]. Il a toutefois remplacé ces accords par une autre esquisse [...] où l'on reconnait la partie supérieure de l'accord ostinato[90].

Or, un examen attentif de l'esquisse **a** montre que les deux accords n'ont pas du tout le même statut : celui de droite a été noté dans une taille plus petite, et la barre de mesure qui le sépare de ce qui

90 J. Auner, «Schoenberg's Aesthetic Transformations...», p. 117, ainsi que *The Genesis of* Die glückliche Hand, p. 56, et «In Schoenberg's Workshop...», p. 98 (note 55).

précède est clairement renforcée[91] ; par ailleurs, le premier accord, qui doit s'étendre sur deux mesures, porte des indications précises d'orchestration et de mode de jeu (*Flatterzunge*), à quoi s'ajoute, en marge, la liste des instruments devant être placés « derrière la scène » – ce qui montre que Schönberg envisageait dès ce moment-là de faire retentir dans la coulisse, durant les quelques secondes qui séparent la fin de la 3ᵉ scène (marquée par la chute de la roche qui ensevelit l'Homme) et le retour du décor initial – et où la scène est plongée dans l'obscurité –, une fanfare distincte de l'orchestre principal [exemple 20]. Mais surtout, et c'est là le point essentiel, ce premier accord n'est autre, en réalité, qu'une transformation de l'accord de quartes noté sur la droite : Schönberg l'a réagencé sous la forme d'un accord de quintes, déployé sur plus de six octaves : du $do\natural_1$ au $mi\sharp_7$ (six notes « naturelles » dans la portée inférieure, six notes diésées dans la portée du haut), avant de le comprimer dans les limites d'un ambitus de quatre octaves, en haussant le $do\natural$ et en baissant les trois notes supérieures ($r\acute{e}\sharp\ la\sharp\ mi\sharp$), dans l'un et l'autre cas, de deux octaves [exemple 21].

L'effet de cette opération, qui rompt la symétrie de la disposition de départ, est de faire apparaître dans la partie supérieure de l'accord, du $si\natural_3$ au $sol\sharp_5$, une alternance régulière de tierces majeures et de tierces mineures (générant une série de triades), exactement comme dans l'exemple 339*a* du *Traité d'harmonie*[92] – ce qui lui confère, au total, l'aspect d'un mixte. On ne peut guère douter, si l'on prend en compte tous ces éléments, que Schönberg ait fait autre chose que noter l'accord de quartes en marge *pour mémoire*, sans avoir eu d'aucune manière l'intention de l'utiliser tel quel dans la partition, et a fortiori de l'y faire entendre à la suite du premier accord[93] : celui-ci relève de la composition proprement dite, l'accord de quartes de la réflexion théorique à laquelle elle s'adosse[94].

---

91 Aucun de ces deux détails rédactionnels n'est pris en considération dans la transcription que propose le volume des *Œuvres complètes* (*SW 6-3*, p. 155).

92 Auner ne fait que décrire ce résultat quand il observe que l'accord « consiste principalement en une alternance de tierces majeures et mineures, complétée par (*along with*) des quintes justes dans la partie inférieure » (*The Genesis of* Die glückliche Hand, p. 244).

93 C'est l'hypothèse que retient Scheideler, à la suite d'Auner, dans son édition du volume des *Œuvres complètes* : « Le passage à un accord de quartes (*der Wechsel zu einem Quartenakkord*) à la 3ᵉ mesure n'a pas non plus été réalisé [dans la version définitive] » (*SW 6-3*, p. 155).

94 Dans l'optique qui est la sienne, Auner juge plausible, à l'inverse, que Schönberg ait d'abord conçu l'accord noté dans l'esquisse, et qu'il l'ait

EXEMPLE 20
La Main heureuse, mes. 198-202, partition imprimée (UE 13613)
© Copyright 1917 by Universal Edition A.G., Wien

EXEMPLE 21
La Main heureuse, CV, 9ᵛ, dérivation du 1ᵉʳ accord
à partir du 2ⁿᵈ (transcription)

EXEMPLE 22
La Main heureuse, mes. 201-202, musique derrière la scène,
accord final (avec la levée)

Il est difficile de trouver dans la version finale du passage une trace de l'accord noté dans l'esquisse **a**. Une musique jouée par les instruments qui y sont mentionnés retentit certes, à cet endroit, « derrière la scène » (s'y ajoute simplement, dans l'aigu, une partie confiée aux piccolos et aux clarinettes en *mi*♭[95], et le triangle remplace les cloches), et cette musique culmine bien dans un accord *fff* en *flatterzunge*; mais ce dernier ne comporte que sept notes, et n'a rien de commun, structurellement, avec celui que le compositeur avait conçu à l'origine [exemple 22].

intégré ensuite dans le *Traité d'harmonie*, ce qui le conduit à supposer que la rédaction de l'esquisse a elle-même précédé celle du chapitre du *Traité* sur les accords de quartes – *cf. The Genesis of* Die glückliche Hand, p. 56, note 15 (notons que le chapitre qui fut publié séparément, dès juin 1911, dans la revue *Der Merker* n'est pas, comme l'écrit Auner, celui qui contient l'exemple 338, mais le suivant, intitulé « Ästhetische Bewertung sechs- und mehrtöniger Klänge »).

95 La partition précise que tous les pupitres de l'orchestre placé dans la coulisse doivent être renforcés.

Loin des quartes (ou des quintes) et des triades résultant de l'alternance de tierces majeures et mineures (on ne relève ici qu'une seule triade), ce qui frappe est bien plutôt, dans la partie supérieure du complexe – en incluant l'anacrouse formée par le triolet de croches –, la présence de deux structures de tierces majeures rappelant le mode d'agencement de l'exemple 339*f* du *Traité d'harmonie* – C43, clairement perceptible : ‹sol♮5 (la♮5) si♮5 mi♭5›, et verticalement C40 –, auxquelles vient se mêler un cycle de tierces mineures (C30)[96]. Mais le *flatterzunge* des cuivres, combiné au son du triangle et des cymbales, ainsi que la stridence du *la*♮ projeté dans l'aigu (*la*♮6 au lieu de *la*♮5), font que l'accord final lui-même, doublé des «rires perçants et railleurs» qui s'élèvent au même moment dans la coulisse, produit avant tout l'effet d'un tintamarre[97], d'une cacophonie dans laquelle se trouve neutralisée la dimension harmonique. Schönberg a sans nul doute envisagé, au départ, d'associer à cet instant dramatique, ici encore symboliquement, un accord de douze notes, sur la construction duquel ne demandait qu'à déboucher son travail théorique. Mais l'intuition l'aura conduit à prendre finalement une autre voie.

En revanche, l'accord noté dans l'esquisse **b** occupe une place centrale durant le changement de scène, en tant que sous-ensemble du complexe de neuf notes déjà mentionné (à partir d'ici ε), qui apparaît d'abord sous forme d'accord, déployé sur presque cinq octaves (du *ré*♮2 au *si*♮6) par tout l'orchestre[98], pour revêtir ensuite, à l'instant précis où le vacarme s'éteint (mes. 202), ce qui deviendra dans l'œuvre son aspect le plus marquant : celui de l'«ostinato» dont parle Schönberg (nommons-le ε'), caractérisé à la fois par la dissociation de ses deux éléments constitutifs et par son instrumentation spécifique, l'accord de la partie supérieure (ε'1) étant joué par deux violoncelles et trois altos solistes avec sourdine,

---

96 La structure de tierces majeures C40 fait partie d'un segment de tons entiers que seule la substitution aux trompettes du *fa*♯ au *fa*♮ empêche de contenir la gamme complète (C20) ; or, c'est ce *fa*♯ qui fait qu'apparaît aux trompettes le dessin de tierces mineures ‹*mi*♭5 *fa*♯5 [et verticalement] *mi*♭5 *do*♮5›.

97 Le texte de la fin de la 1ʳᵉ scène précise, à propos de la musique «d'une gaieté vulgaire» (*gemein-lustige Musik*) qui retentit une première fois à ce moment-là derrière la scène, qu'elle «se termine par une joyeuse clameur des instruments» (*in einem Jubel der Instrumente ausklingt*).

98 Attaqué *ff*, cet accord est ensuite tenu *pp* pendant toute la durée de la musique de scène.

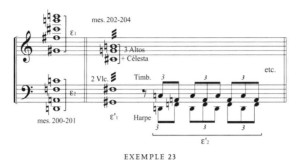

EXEMPLE 23
La Main heureuse, accord ε et ostinato e' (mes. 200-204)

pp et tremolo sur le chevalet[99], tandis que, séparément, la harpe
et les timbales se partagent les quatre notes inférieures (ε'_2) sous
la forme d'un mouvement régulier de triolets [exemple 23]. Aucun
lien explicite ne s'établit, toutefois, entre ε et l'accord de l'esquisse
a : les intervalles de quarte et de quinte sont certes très présents
à la fois dans ε_2 (ce qui ressort tout particulièrement dans la disposition large des mes. 200-201) et dans ε_1, où s'emboîtent l'une
dans l'autre les quartes redoublées ‹*sol*♯$_4$ *do*♯$_6$› et ‹*fa*♯$_5$ *si*♯$_6$› (formant
un segment continu du cycle des quintes), mais on ne peut guère
conclure, de là, à une véritable dérivation. À cela s'ajoute que dans
la seconde présentation (ε', mes. 202-204) le mode de jeu des cordes
et la combinaison, dans le registre grave, de timbres hétérogènes
(harpe et timbales) font que la texture sonore – l'aspect timbrique –
l'emporte, ici encore, sur la dimension proprement harmonique :
tout au plus percevra-t-on, au sommet de ε'_1, la structure de tons
entiers ‹*do*♯ *sol*♮ *si*♮›.

Il est difficile de dire à quel moment précis Schönberg a noté
les esquisses de la page *CV* 9^v, mais il n'a pu le faire, en tout état
de cause, qu'après avoir mis au point la nouvelle version, beaucoup augmentée, des lignes du livret auxquelles elles se rapportent
(le passage de la troisième à la dernière scène) – version dont il a
collé le texte, écrit à la main sur un morceau de papier, à l'endroit
du tapuscrit où figurait la première mouture (p. 10^r). Seul ce nouvel
état du texte prévoit en effet que dans la brève transition menant à
la dernière scène du drame – où réapparaît le décor initial – retentissent à nouveau dans la coulisse le charivari musical et les rires

---

[99] Les altos sont doublés ici par un trille du célesta. Il faut noter que le tutti
des cordes, dans les deux mesures qui précèdent, joue l'accord ε déjà *tremolo*, et à partir de la mes. 201 près du chevalet.

entendus à la fin de la 1re scène[100]. Par ailleurs, une esquisse des mes. 197-202 notée sur une feuille de papier à musique isolée (Ms. 2436)[101] révèle qu'au moment de sa rédaction Schönberg ne prévoyait pas encore ce retour, aux mes. 200-202, de la musique jouée derrière la scène [illustration 4] : non seulement l'accord ε y est écrit sur quatre portées (distribué à l'orchestre, à peu de chose près, comme il le sera dans la version finale)[102], mais le compositeur a, de façon cursive, écrit en gros caractères et entouré, au dessous des trois mesures, cette exclamation : « Rires moqueurs derrière la scène ! ! » (*höhnisches Lachen hinter der Szene*), ajoutant en dessous, rapidement, « plus la musique » (*Musik dazu*) ; en même temps, il a ébauché sur la deuxième portée du système – et également entouré – une partie mélodique, confiée semble-t-il aux cors, dans laquelle on devine la préfiguration, encore extrêmement lointaine, de ce que sera le texte final de la musique de scène[103]. Il est tout

100 Voir les différents états de ce passage du livret dans SW 6-3, p. 230 *sq.* Au départ, le texte ne donnait aucune précision sur ce qui se passe entre l'instant où la roche tombe sur l'Homme et celui où il réapparaît, comme au début du drame, avec l'animal fabuleux juché sur son dos. La révision n'apparaît pas encore dans le texte du livret publié par la revue *Der Merker* en juin 1911 ; Auner juge probable qu'elle n'ait été effectuée qu'en 1912 (« Schoenberg's Aesthetic Transformations... », p. 126, note 29).

101 Voir la transcription de cette esquisse dans SW 6-3, p. 167.

102 L'accord est noté comme l'aboutissement du mouvement de doubles croches joué par le tutti des vents (bois et cuivres) ; Schönberg a simplement ajouté sur la première portée : « plus les cordes tremolo » (*Streicher trem. dazu*) ; la timbale (*Pauke*) et le tam-tam prévus ici disparaîtront dans la version définitive. Il est difficile de savoir à quoi se rapporte la portée supplémentaire où apparaissent – sous la forme de deux quintes – les quatre notes de ε$_2$, confiées aux timbales (*Pk*) et à la harpe, avec un type d'articulation qui préfigure peut-être (voir les deux traits) le futur ostinato ; l'indication portée devant les deux notes supérieures est quasiment illisible – la lecture proposée par Scheideler : *Str* pour *Streicher* (« cordes), paraît très conjecturale.

103 Dans le premier manuscrit de l'œuvre (*Erste Niederschrift*), les mes. 200-201, rédigées, grosso modo, comme dans le Ms. 2436, ont été entièrement raturées et noircies à l'encre (p. 21). Après quoi Schönberg a réécrit à la suite la mes. 200, en utilisant les deux portées situées au-dessus du bloc des cordes pour noter, à l'évidence plus tard et à titre indicatif, deux éléments appartenant au texte définitif de la musique de scène : le tout début de la partie de piccolo et de clarinette en *mi*♭, et toute la partie de trompette (voir le fac-similé de la page dans Auner, *The Genesis of* Die glückliche Hand, p. 133). À la page suivante, pour la mes. 201, trois portées sont à présent dédiées à la musique de scène, mais seule y reste notée la partie de trompette, et sur la portée du bas figure l'indication « comme à la page 4 » (*wie auf Seite 4*), renvoyant au texte complet du passage que, selon Auner, le compositeur aura écrit entre temps pour la fin de la 1re scène.

à fait plausible, comme l'observe Auner, que l'idée d'établir à cet endroit un lien avec la 1re scène en y faisant réentendre les éclats de rire et la musique jouée dans la coulisse soit venue à Schönberg au moment précis où il notait cette esquisse, c'est-à-dire sans doute durant l'été 1912[104]. Et l'on ne peut que suivre le musicologue quand il déduit du document, en outre, que la musique de scène elle-même n'était pas alors déjà écrite (Schönberg n'aurait eu, autrement, qu'à s'y référer et à en recopier, fût-ce partiellement, le texte).

Mais il y a plus. L'étude de deux autres esquisses, figurant au recto et au verso (paginés 1 et 2) d'un même feuillet : les Ms. 2443 et 2444, a également permis à Auner d'établir que la musique de la 1re scène tout entière n'avait été composée que lors de l'ultime phase de travail, entre septembre et novembre 1913[105]. La première de ces esquisses [illustration 5], qui s'inscrit dans le prolongement du Ms. 2436, montre qu'au départ l'intention de Schönberg était d'enchaîner directement à l'accord entendu pendant le changement de scène, c'est-à-dire ε en disposition large, les mes. 205-210 de la partition finale [exemple 24], où cet accord est transposé tour à tour sur ses propres degrés – ceux de ε$_1$ auxquels s'ajoute do♮, car la disposition de l'accord a été, dans cette optique, resserrée (ε$_2$ est haussé d'une octave) [exemple 25] –, chacune de ces transpositions donnant lieu elle-même, au sein de la mesure, à un glissement chromatique de tout l'accord[106]. Dans l'esquisse, c'est au terme de ce

104 J. Auner, « Schoenberg's Aesthetic Transformations... », p. 117. Va dans le sens de cette datation, entre autres éléments, la présence, en haut à droite du Ms. 2436, de différents essais de graphie des signes indiquant une voix principale (*Hauptstimme*) et une voix secondaire (*Nebenstimme*) : or, ceux que Schönberg va finalement adopter, qui y figurent en bonne place, n'apparaissent pas encore, par exemple, dans la partition des *Cinq Pièces pour orchestre* publiée en avril 1912 (*ibid.*, p. 127, note 31). Auner fait référence, en outre, à deux lettres inédites adressées par Schönberg à Webern en juillet et en septembre 1912 (lettres conservées à la Library of Congress) où est précisément abordé ce sujet. Voir le fac-similé du Ms. 2436 mis en ligne sur le site de l'ASC.

105 J. Auner, « Schoenberg's Aesthetic Transformations... », p. 120-122, ainsi que *The Genesis of* Die glückliche Hand, p. 68-77 et p. 395 *sq.* Voir la transcription des deux esquisses dans SW 6-3, p. 137 et p. 171.

106 La frappante rationalité du procédé est accentuée par le fait que la succession des six agrégats produit au total un agencement symétrique, où se détache, au centre, le tétracorde (0167) : à la crête des accords : ‹sol♮$_6$ do♯$_6$ fa♯$_6$ do♮$_6$›. On notera que l'idée d'un déploiement horizontal des notes de l'accord tout comme celle d'un glissement chromatique de l'accord sur lui-même s'annoncent dès l'esquisse **b** du manuscrit *CV* 9^v (voir l'illustration 3).

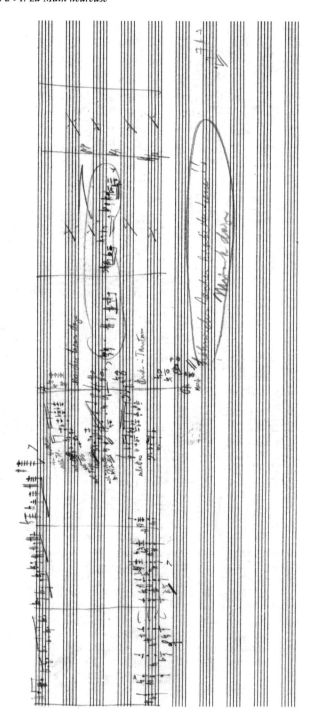

ILLUSTRATION 4

La Main heureuse, passage de la 3e à la 4e scène, esquisse (ASC, Ms. 2436)
© Copyright 1917 by Universal Edition A.G., Wien

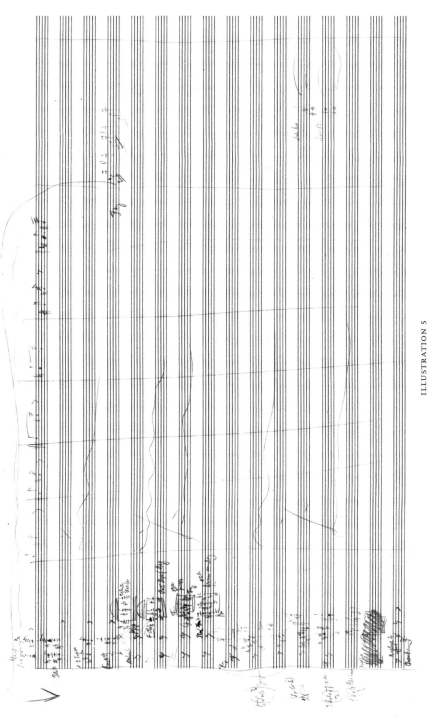

ILLUSTRATION 5

La Main heureuse, début de la 4ᵉ scène, esquisse (ASC, Ms. 2443). © Copyright 1917 by Universal Edition A.G., Wien

EXEMPLE 24-1

La Main heureuse, mes. 203-207, partition imprimée (*Sämtliche Werke*, vol. 6,3)

EXEMPLE 24-2

La Main heureuse, mes. 208-213, partition imprimée (*Sämtliche Werke*, vol. 6,3)
© Copyright 1917 by Universal Edition A.G., Wien

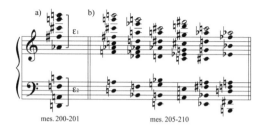

EXEMPLE 25
La Main heureuse, l'accord ε (mes. 200-201)
et ses transpositions (mes. 205-210)

conduit, long de sept mesures, qu'apparaissent le motif des bassons et ce qui deviendra l'ostinato harmonique (encore restreint ici à sa partie supérieure ε'_1 : l'accord tenu joué par cinq cordes solistes)[107], que Schönberg redirigera seulement *après coup* par une flèche vers l'avant de la séquence, dans l'intention manifeste de placer ces éléments là où ils se trouvent dans le texte définitif (mes. 202-204).

Dans l'esquisse suivante (Ms. 2444), en revanche, ce motif des bassons et le complexe harmonique ε' (complet cette fois)[108] conduisent à ce que Schönberg conçoit alors comme un brouillon du passage où, comme au début du drame, le chœur des douze voix – incarnation musicale de celui que forment les douze regards disposés en arc de cercle sur la scène[109] – s'adresse à l'Homme étendu face contre sol [illustration 6]. Bien qu'à demi effacés, les premiers mots du chœur, « Fallait-il que tu revives ce que tu as si souvent (vécu ?) » : *Mußtest du's wieder erleben, was du so oft* (*erlebt ?*), chantés par les six hommes à l'unisson (*alle sechs Männer*), sont clairement lisibles dans les deux dernières mesures[110]. L'intention du compositeur était selon toute apparence de rappeler ici le début de la 1re scène tel qu'il était noté dans le Ms. 2450 (voir l'illustration 1), dont il a

107 À ce stade, l'accord est joué par trois altos (notes aiguës) et deux violoncelles (notes graves).
108 La note la plus grave de l'ostinato, toutefois, est ici *ré♭* et non *ré♮*. C'est sous cette forme qu'elle apparaît encore, avant d'être corrigée en ♮, dans le premier manuscrit ainsi que dans la mise au net à l'encre de la partition (voir SW 6-3, p. 136) ; Schönberg ne s'est donc décidé que tardivement pour le *ré♮*.
109 Schönberg parle lui-même, dans la conférence de Breslau, d'un « chœur de regards » (*Stil und Gedanke*, p. 238, *Stile herrschen, Gedanken siegen*, p. 395 et SW 6-3, p. 341 ; trad. fr. : « Conférence de Breslau », p. 206).
110 Les parties de chœur sont ici notées, non en *Sprechgesang*, mais de façon classique, et sans l'indication « parlé » (*gesprochen*).

ILLUSTRATION 6

La Main heureuse, esquisse du début de la 4e scène, 1er état (ASC, Ms. 2444). © Copyright 1917 by Universal Edition A.G., Wien

EXEMPLE 26

La Main heureuse, rappel des mes. 4-5 dans la 4ᵉ scène,
1ᵉʳ état (transcription d'esquisses)

prélèvé la partie de chœur des 4ᵉ et 5ᵉ mesures pour en distribuer
les éléments à divers instruments de l'orchestre [exemple 26].

C'est à ce stade de son travail, montre Auner, que Schönberg va
prendre la décision d'utiliser le texte de ce qui devait être le début
de la 4ᵉ scène pour en tirer une nouvelle version du tout début de
l'œuvre[111] [exemple 27]. Cette conversion du Ms. 2444 – où le compositeur indique par les lettres **a**, **b**, **c** et **d** les mesures auxquelles
vont correspondre celles de la 1ʳᵉ scène (mes. 3 à 6) – s'opère de la
manière suivante :

1) Les parties chorales du Ms. 2450 retrouvent, aux mes. 3-4, leur
   statut originel.

2) Pour la suite du chœur (mes. 5-6), sont employées plusieurs
   parties instrumentales : celles des violons (**c**), puis du célesta (la
   ligne ‹*do♮ si♮ la♭*›) et du 2ᵉ basson (**d**) pour les voix de femmes,

---

111 J. Auner, « Schoenberg's Aesthetic Transformations... », p. 119 (exemple 6)
et p. 122. La question reste ouverte de savoir si, comme le pense Auner,
Schönberg a laissé pour plus tard la réalisation de ce plan, sa priorité étant
d'avancer dans la rédaction de la scène finale. Le compositeur a certes
consigné sur la page suivante du même folio double une nouvelle version des mesures concernées (Ms. 2445), mais celle-ci n'a pas non plus été
retenue. Scheideler juge peu probants, par ailleurs, les divers indices maté-
riels qu'avance Auner à l'appui de la thèse que la 1ʳᵉ scène n'aurait été écrite
qu'à la toute fin du processus de composition, et après le début de la 4ᵉ (voir
The Genesis of Die glückliche Hand, p. 64 et p. 115 *sq.*, et *SW* 6-3, p. 251 *sq.*).

EXEMPLE 27

La Main heureuse, mes. 1-6, partition imprimée (UE 13613)
© Copyright 1917 by Universal Edition A.G., Wien

celles du cor anglais et des clarinettes (**c**) puis du contrebasson et des contrebasses (**d**) pour les voix d'hommes.

3) Les autres parties instrumentales du Ms. 2444 sont, presque toutes, intégrées en tant que telles (avec de rares modifications de détail) dans le nouveau texte : ainsi retrouve-t-on les pizz. du 1er violon (**a**) à la mes. 3, les parties de la clarinette basse, de la trompette et des trombones avec sourdine (**b**) à la mes. 4, les parties de flûte et de clarinettes (**c**) à la mes. 5, les parties de flûte et de bassons, ainsi que les pizz. de la contrebasse (**d**) à la mes. 6.

4) Les parties de chœur de l'esquisse, enfin, sont abandonnées.

Le nouveau texte des mes. 1-2, quant à lui, reprend sans changement, en le complétant, celui qui était noté à la fin du Ms. 2443 et au début du Ms. 2444. D'autre part, le complexe ε' va être maintenu, sans aucune variation, pendant toute la durée de la scène, jusqu'au moment où les rires éclatent dans la coulisse. Ainsi, ce n'est que quand Schönberg, dans la phase ultime de son travail, procède à la refonte des premières mesures de l'œuvre, et du même coup à une révision du concept initial de la 1re scène tout entière, que nait l'idée de cet « ostinato » musical qu'à Breslau, en 1928, il présentera comme le pendant de celui que constitue, dans la pantomime scénique, la fixité des regards dirigés vers l'Homme lui-même immobile, l'animal fabuleux cramponné sur son dos – « l'ostinato musical, dira-t-il, illustre le fait que ces regards forment de leur côté un ostinato[112] » –, mettant en lumière, par cet exemple, l'interaction qui s'effectue au sein du drame entre les différents moyens d'expression.

---

112 *Stil und Gedanke*, p. 238, *Stile herrschen, Gedanken siegen*, p. 395 et *SW 6-3*, p. 341 ; trad. fr. : « Conférence de Breslau », p. 206. Le Ms. 2450 contient, certes, une partie de timbales qui, par son contenu : un mouvement de triolets de croches sur les notes ‹la♮$_2$ do♯$_3$›, préfigure l'ostinato du texte final – et qui pourrait bien même en être la source –, mais cette partie s'éteint là dès la 4e mesure.

5. Les enjeux de la révision :
architecture et statut de l'harmonie

Adorno, le premier, s'est employé à rendre compte dans la *Philosophie der neuen Musik* du renversement qui s'est opéré après *Erwartung* dans le cheminement créateur de Schönberg, et dont témoigne tout spécialement, à ses yeux, *La Main heureuse*. Il y montre comment le compositeur rompt dans cette œuvre avec l'idéal expressionniste, à la fois, d'une émancipation radicale des schémas formels hérités du passé, et d'un pur « enregistrement sismographique » des affects et des émotions (Adorno emploie à plusieurs reprises l'expression d'*Ausdrucksprotokoll*), en recourant à nouveau à un certain nombre de procédés destinés à structurer le déroulement de la composition, et en restaurant dans sa fonction traditionnelle d'« élément architectonique » l'harmonie qu'il présentait, peu de temps avant, comme le médium privilégié de l'expression psychique[113].

Revenant sur ce sujet dans le texte publié à l'occasion de la nouvelle production de *La Main heureuse* à Cologne en 1955, le philosophe met l'accent principalement sur l'aspect formel, c'est-à-dire sur le choix que fait Schönberg de doter l'œuvre d'une solide charpente musicale, et en particulier de la *boucler* par le retour dans la section finale d'éléments très saillants entendus dès son commencement. Ainsi oppose-t-il, à la façon dont *Erwartung* « mettait bout à bout une série de séquences musicales d'une extrême variété en renonçant à toute architecture » – au risque qu'il en résulte une certaine monotonie –, le souci propre à *La Main heureuse* d'individualiser nettement les différentes scènes en donnant à chacune

---

113 *Cf.* Th. W. Adorno, *Philosophie der neuen Musik*, p. 53 : « *So werden die protokollarischen Akkorden zum Material der Konstruktion.* » (trad. fr., p. 60), ainsi que la lettre de Schönberg à Busoni citée plus haut (*supra*, p. 30 *sq.*). Ce changement de stratégie qui se marque dans *La Main heureuse* par rapport à *Erwartung* a été maintes fois souligné, à la suite d'Adorno, dans la littérature schönbergienne : Auner, en particulier, a construit son argumentation sur ce qu'il présente comme l'opposition de deux esthétiques, l'une fondée sur l'intuition, l'autre sur l'intention consciente (*cf.* notamment « Schoenberg's Aesthetic Transformations... », *passim*) ; voir également le texte déjà cité de J. Crawford (« *Die glückliche Hand* : Further Notes »), ainsi que Michael Mäckelmann, « *Die glückliche Hand* : Eine Studie zu Musik und Inhalt von Arnold Schönbergs "Drama mit Musik" », dans : *Hamburger Jahrbuch für Musikwissenschaft*, Bd. 10, Regensburg, Laaber-Verlag, 1988, p. 7-36.

d'elles, sur le plan formel, une physionomie bien distincte, et en même temps de les regrouper en un tout « comme dans une forme sonate » (*sonatenartig*), la dernière partie « se présentant on ne peut plus clairement comme une réexposition, fût-elle extrêmement variée, de la première »[114].

La même analyse se retrouve dans *Vers une musique informelle*, texte d'une conférence lue par Adorno en 1961 lors des cours d'été de Darmstadt, où il s'adressait aux compositeurs de la nouvelle génération. Il est intéressant de noter que le philosophe se montre là plus réservé à l'égard du recours par Schönberg à des moyens dont l'effet est, dit-il, de garantir une simple cohérence « de surface ». Après avoir dessiné les contours de ce qu'il nomme « musique informelle » – « J'entends par là une musique qui se serait affranchie de toutes les formes abstraites et figées qui lui étaient imposées du dehors, mais qui, tout en n'étant soumise à aucune loi extérieure étrangère à sa propre logique, se constituerait néanmoins avec une nécessité objective dans le phénomène lui-même » –, Adorno poursuit :

> On a vu s'ouvrir une première fois, autour de 1910, la perspective d'une telle « musique informelle ». [...] On n'a pas tardé, cependant, à dévier quelque peu de ce qui avait été amorcé à l'époque où Schönberg écrivit *Erwartung*, la *Main heureuse* et *Herzgewächse*, et Stravinsky ses *Poésies de la lyrique japonaise* [...]. *La Main heureuse* déjà, à la différence d'*Erwartung*, recourt en surface – et elle ne fait certes pas sans motif – à des éléments de structuration très tangibles (*recht handfeste Oberflächenstrukturen*), y compris une sorte de réexposition. S'ils sont très utiles à l'articulation de l'œuvre scénique, ces procédés n'en marquent pas moins un recul par rapport à l'idéal poursuivi dans *Erwartung* d'une forme sans réexposition, axée vers un *Abgesang*[115].

Si juste que soit ici l'analyse, le rapprochement avec la réexposition d'un mouvement de forme sonate est, lui, problématique. Il ne se fonde, musicalement parlant, que sur le retour littéral, au début de

---

114 Th. W. Adorno, « Die Musik zur „Glücklichen Hand" », p. 409 (« *Das knappe Ganze aber schließt sich sonatenartig zusammen : mit dem letzten Fünftel tritt eine deutlich erkennbare wenn auch überaus variierte Reprise des ersten Bildes ein.* »)

115 Theodor W. Adorno, « Vers une musique informelle », dans : *Quasi una fantasia, Gesammelte Schriften*, vol. 16, Frankfurt am Main, Suhrkamp, 1978, p. 496 *sq.* (trad. fr., Paris, Gallimard, 1982, p. 294 *sq.*).

la scène finale, de la musique de scène et des rires d'une part, et d'autre part du complexe que forment, au début de l'œuvre, l'osti-nato harmonique ε' et la séquence mélodique des trois bassons (et de la clarinette basse) à l'unisson – dans laquelle ressort le triolet de doubles croches répété à la façon d'un signal. Tout au plus entend-on ε' réapparaître, inchangé, à deux endroits (mes. 213 et 249), sans que cet élément – dont l'identité, on l'a vu, est celle d'un objet sonore défini plus par sa texture et son timbre que par sa couleur harmo-nique – présente la moindre similitude avec un «thème» de mou-vement de sonate. L'accord ε, largement déployé, dont il est issu, et qui est tenu durant la musique de scène par l'orchestre tout entier, est sans équivalent dans la 1ʳᵉ scène[116]. Un lien puissant s'établit certes entre les deux tableaux, du fait que le plateau y donne à voir le même décor et la même pantomime (celle des douze regards), et que retentit dans l'une et dans l'autre le chœur – tantôt parlé, tantôt chanté – des douze voix qui s'adressent à l'Homme. Mais la musique n'a aucune part dans cette correspondance : la partie de chœur de la dernière scène, en particulier, est nettement plus développée que celle de la première, et la polyphonie y est beau-coup plus riche, dans l'esprit justement de cet *Abgesang* qu'évoque Adorno à propos de la dernière partie d'*Erwartung*[117]. Alors que le livret de *La Main heureuse* était, dès le départ, construit comme une arche[118] – à l'inverse du texte écrit par Marie Pappenheim pour

116 À la fin de la 1ʳᵉ scène, quand retentit la musique de scène (mes. 26-27), n'est entendu dans l'orchestre principal que l'ostinato ε' présent depuis le début, dont les trois notes supérieures sont ici colorées par le trille du célesta comme aux mes. 202-204 ; la même combinaison de timbres revient lors de la dernière apparition d'ε' à la fin du drame, aux mes. 249-250.

117 Adorno loue lui-même le «sens de la forme» qui conduit Schönberg à «renoncer précisément à l'ostinato dans la réexposition» (en dehors de son retour fugitif aux mes. 213 et 249), et à miser au contraire, pour carac-tériser cette section, sur un chœur d'une extrême densité polyphonique («Die Musik zur „Glücklichen Hand"», p. 410). Sur la catégorie formelle de l'*Abgesang* (est désignée par ce mot, à l'origine, la troisième et dernière partie, librement développée, de la «forme Bar», remise en honneur par Wagner dans les *Meistersinger*), voir en particulier Th. W. Adorno, *Mahler. Eine musikalische Physiognomik*, p. 190 *sq.* (trad. fr. : *Mahler. Une physio-nomie musicale*, p. 68), où l'*Abgesang* est présenté comme le modèle de ce qui devient chez Mahler le moment de l'«accomplissement» (*Erfüllung*).

118 On a souvent rapproché cette construction de celle, strictement symé-trique, du drame de Strindberg *Le Chemin de Damas* (*Nach Damaskus*), avec lequel *La Main heureuse* partage d'autres traits significatifs, en parti-culier le caractère anonyme du personnage principal (nommé chez Strind-berg «L'Inconnu»), et surtout la manière dont son destin s'accomplit au

Erwartung, dont le caractère est nettement rapsodique –, Schönberg a, dans la réalisation musicale, fait contraster entre elles les deux parties qui se répondent aux extrémités du drame, et le statut particulier des quelques éléments qui les relient entre elles – ce caractère *signalétique* qui fait dire à Adorno qu'ils agissent «en surface», avec d'autant plus d'efficacité qu'ils restent étrangers à la fibre de la musique – ne fait que souligner l'asymétrie. Ce que révèle l'étude de l'avant-texte : le fait que Schönberg ait *d'abord* composé le début de la scène finale, et les mesures de transition qui précèdent, avant d'en prélever ce qui allait devenir l'incipit de l'œuvre, conduit à renverser la perspective : la dernière scène ne «réexpose» en rien la première – dont Schönberg parle du reste comme d'une «introduction» (*Einleitungssatz*)[119] –, mais déploie au contraire les potentialités du matériau musical qui y était, pour ainsi dire, anticipé.

S'agissant du rôle structurel dont l'harmonie se voit à nouveau investie dans *La Main heureuse*, Adorno attire l'attention sur ce qu'il nomme le *Leitakkord*[120] de quatre notes joué par les trombones dans la 4ᵉ scène, à l'entrée du chœur (mes. 214-215), et qui revient à deux reprises, sans modification[121], une première fois au terme du grand développement polyphonique (mes. 248), puis après les derniers mots du chœur («*Du armer!*»), juste avant que

fil d'une succession statique de tableaux comparables aux «stations» d'un chemin de croix; voir en particulier John C. Crawford, «*Die glückliche Hand*: Schoenberg's *Gesamtkunstwerk*», *The Musical Quarterly*, 60/4, 1974, p. 585 *sq.*, ainsi que M. Mäckelmann, «Eine Studie zu Musik und Inhalt...», p. 24-29. Mäckelmann, cependant, a fait observer que la traduction allemande du *Chemin de Damas* n'avait paru qu'en 1912, ce qui exclut toute influence directe sur le livret de *La Main heureuse*. Tout au plus la lecture de cette traduction, que Schönberg fit certainement avant de procéder à la révision du texte initial de son propre drame, l'aura-t-il incité à renforcer le lien entre la première et la dernière scènes par les moyens musicaux décrits plus haut. Mäckelmann cite deux lettres de Webern à Berg, datées du 9 et du 14 septembre 1912, qui témoignent du retentissement qu'eut dans l'entourage de Schönberg, à sa parution, la pièce de Strindberg (*ibid.*, p. 27). Voir également Friedrich Buchmayr, «„Könnte von mir sein". Arnold Schönbergs Bewunderung für August Strindberg», *Musicologica Austriaca*, 20/2001, p. 9-28; trad. fr. : «"Cela pourrait venir de moi". L'admiration d'Arnold Schoenberg pour August Strindberg», dans : «*C'est ainsi que l'on crée...*», *op. cit.*, p. 133-153.

119 *Stil und Gedanke*, p. 238, *Stile herrschen, Gedanken siegen*, p. 395 et *SW 6-3*, p. 341 (trad. fr. : «Conférence de Breslau», p. 206).

120 Th. W. Adorno, *Philosophie der neuen Musik*, p. 54 (trad. fr., p. 60).

121 Seule la dynamique diffère la troisième fois, où l'accord est joué *molto crescendo* (de *pp* à *ff*).

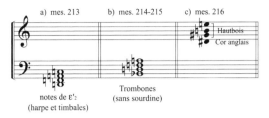

EXEMPLE 28
La Main heureuse, 1re occurrence du *Leitakkord*

tombe le rideau (mes. 252). À la mes. 214, cet accord retentit dans le prolongement direct de ε'[122], et sa structure, harmoniquement, s'apparente beaucoup à celle de ε'$_2$ (la partie inférieure de ε') : il en recueille la triade ‹ré♮ fa♮ la♮›, qu'il complète par un si♭ grave, en sorte que cette triade mineure de ré se superpose ici à la triade majeure de si♭ (dans ε'$_2$, c'est à l'inverse, au sein de la même disposition symétrique, la triade majeure de fa♮ qui est superposée à la triade mineure de ré♮) [exemple 28a/b]. On trouve dès la mesure suivante (mes. 216) un autre accord symétrique engendré selon le même principe, et lui aussi associé à un timbre spécifique (en l'occurrence celui des hautbois) : ‹ré♯$_4$ sol♯$_4$ si♮$_4$ mi♮$_5$› ; cette fois, ce sont deux quartes justes qui entourent la tierce mineure centrale, si bien que s'emboîtent l'une dans l'autre la triade mineure de sol♯ et la triade majeure de mi♮ [exemple 28c]. Le modèle de ce type d'agencement harmonique, il faut le souligner, était fourni, d'entrée de jeu, par l'accord α du Ms. 2450 : il suffit de remplacer, dans la partie supérieure de ce dernier, les deux tierces mineures (encadrant une quarte juste) par deux tierces majeures (encadrant une tierce mineure) pour obtenir exactement l'accord des trombones (voir l'exemple 1) – ce qui, une fois encore, tend à infirmer l'hypothèse selon laquelle se serait opéré, au sein même de la genèse de l'œuvre, un profond changement de stratégie compositionnelle, voire d'esthétique.

Si, à la différence du leitmotiv wagnérien, le *Leitakkord* formé par l'accord des quatre trombones ponctue le déroulement de la scène finale sans y être soumis à aucune transformation, et par conséquent à aucune forme de « travail thématique » – comme il le serait au sein d'une forme sonate –, le traitement dont fait l'objet l'« ostinato harmonique » est plus diversifié. En dehors des

___
122 À la mes. 248, à l'inverse, il précède le retour de ε'.

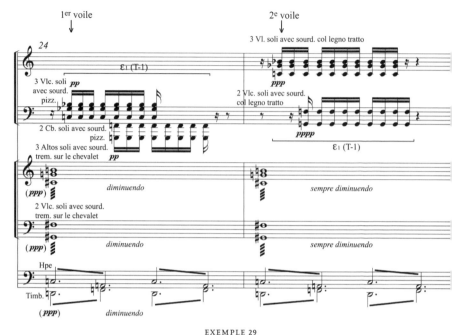

EXEMPLE 29
La Main heureuse, mes. 24-25, cordes + harpe et timbales (analyse)

cas déjà signalés où le complexe ε' réapparait tel quel dans la dernière scène, l'accord $ε_1$ fait l'objet, par deux fois, d'une reformulation significative :

a) À la fin de la 1re scène, aux mes. 24-25 (juste avant que la fanfare éclate dans la coulisse), il est joué par cinq cordes solistes, transposé un demi-ton plus bas (T-1), d'abord sous forme de pizzicati répétés, puis *col legno tratto* (les deux entrées coïncidant avec la chute des voiles noirs qui tombent lentement sur l'Homme après la disparition des douze visages), pendant que s'éteint graduellement l'ostinato proprement dit (ε') [exemple 29]. Si l'accord concourt bien ici, par l'utilisation qu'en fait Schönberg, à créer un réseau de relations au sein de la composition, il est remarquable qu'il remplisse cette fonction unificatrice pour ainsi dire incognito, en deçà du seuil de la conscience auditive, car, une fois encore, les nuances et le mode de jeu, spécialement le *col legno tratto*, rendent impossible toute perception claire des hauteurs, à commencer par celle de la transposition au demi-ton.

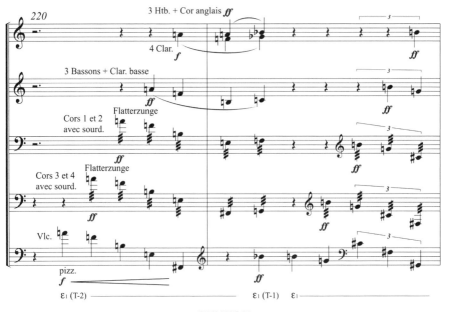

EXEMPLE 30
La Main heureuse, mes. 220-221, retour de l'accord ε_1

b) Dans la dernière scène, au moment où le chœur, à la question qu'il a adressée à l'Homme: «N'y a-t-il aucune paix en toi?» (*Ist kein Friede in dir?*), répond lui-même par l'exclamation: «Toujours pas!» (*Noch immer nicht!*) (mes. 220-221), et alors que ε'_2 revient sous sa forme habituelle à la harpe et aux timbales (avec *la*♭, toutefois, au lieu de *la*♮), la partie supérieure de ε' se reforme note après note, à la manière dont s'ouvre un éventail, d'abord transposée au ton inférieur (T-2), puis sous sa forme originale[123] [exemple 30]. En écho au rythme de la phrase prononcée par le chœur des douze voix (en homorythmie): «*Ist kein Friede in | dir?*» (5 syllabes +1) [exemple 31], les notes de ε_1 sont projetées horizontalement, de l'aigu au grave, sous la forme d'une succession de noires[124], et cela à partir de chaque noire successive, jusqu'à ce que l'accord soit entièrement reconstitué. À la syllabe (au vocable) «*dir*», tombant sur le 1er temps de la mes. 220, répond, sur le 1er

123 Selon Auner, qui décrit l'agencement de ces transpositions successives, le *la*♭ de la harpe pourrait s'expliquer par le souci d'éviter une interférence entre le *la*♮ de l'ostinato et celui de l'accord transposé («In Schoenberg's Workshop...», p. 93).
124 Seul diffère, dans le chœur, le rythme pointé sur le mot «*Friede*».

EXEMPLE 31

La Main heureuse, mes. 219, chœur des douze voix

temps de la mes. 221, une répétition du même accord, après quoi une seconde présentation verticale de ε_1, transposé cette fois un demi-ton plus bas (T-1), lance le segment suivant, qu'un triolet de noires contiendra dans les limites de la mesure. Toute la séquence est pensée comme une amplification du texte du chœur[125].

Outre que le choix d'un tel mode d'énonciation, où s'exprime l'équivalence des dimensions horizontale et verticale, annonce l'un des axiomes de base de la future technique dodécaphonique[126], le traitement auquel est ici soumis ε_1 est remarquable en ce que les lignes correspondant aux déploiements successifs de l'accord n'ont pas toutes la même identité sonore (résultant du timbre instrumental et du mode de jeu) : alors que la première est réalisée par les violoncelles *pizzicato*, les deuxième et troisième le sont par des cors avec sourdine *flatterzunge*, les quatrième et cinquième par des bois (bassons + clarinette basse puis clarinettes) ; la combinaison est encore différente, au centre, dans les deux présentations verticales : dans la première, les violoncelles se taisent, et les deux notes graves passent aux cors, etc., la note supérieure étant jouée par les hautbois ; dans la deuxième, les violoncelles jouent cette note supérieure

125 De là le contraste marqué qui oppose, sur le plan des nuances, l'ostinato de la harpe et des timbales, joué *p* – en retrait –, et la strate formée par les successions de noires, très sonores (*ff*) comme le chœur.

126 Schönberg fait lui-même ce rapprochement dans le dernier chapitre de son livre sur les «fonctions structurelles de l'harmonie» (rédigé dans les années 1940), où, mentionnant la possibilité de projeter verticalement la série de base (*basic set*) dans une composition dodécaphonique, il écrit : «Cela m'est arrivé avant même l'introduction de la série de base, quand je composais *Pierrot lunaire*, *La Main heureuse* et d'autres œuvres de cette période. Les notes de l'accompagnement me venaient souvent à l'esprit sous la forme d'accords brisés, disposés horizontalement plutôt que verticalement, à la manière d'une mélodie.» (*Structural Functions of Harmony* [Leonard Stein, éd.], New York, W. W. Norton & Company, 2/1969, p. 194).

EXEMPLE 32

La Main heureuse, mes. 223 (strates des bois, des cuivres et des cordes)

à l'unisson avec les hautbois. La transformation de l'objet, dont la structure harmonique interne reste inchangée, s'effectue ainsi dans la seule dimension timbrique.

L'accord ε, complet, réapparaît une dernière fois, dans la même disposition qu'à la mes. 205, mais joué par le tutti des cordes, au sein du grand geste orchestral qui fait la charnière entre les deux parties de la scène finale (mes. 223), prolongeant la dernière phrase du chœur parlé, et menant à la césure, marquée par un point d'orgue, qui ouvre sur le riche développement polyphonique par lequel sera amenée la coda de l'œuvre [exemple 32].

Trois plans bien distincts coexistent dans ce moment d'une grande intensité, où la saturation de l'espace sonore atteint un degré extrême. La «voix principale» (*Hauptstimme*) consiste en une suite de neuf accords de cinq notes jouée par les trombones et le tuba basse, auxquels viennent s'ajouter à trois reprises et dans la tenue finale les trompettes (ce qui porte alors à huit le nombre des notes), et, au sein de cette tenue, une ponctuation des cors, le tout dans la nuance *ff*/*fff*. L'énoncé formé par ces accords s'articule en deux éléments (antécédent/conséquent), à l'intérieur d'un ample 3/2 : le premier geste (*x*) s'organise, selon le schéma anacrouse-accent-désinence, autour de l'accord joué sur le deuxième temps ; le second (*y*) consiste en une anacrouse resserrée de quatre doubles croches menant à l'accord en *flatterzunge, crescendo*, qui occupe tout le troisième temps, où les cuivres sont, dans le grave, renforcés par les timbales. Les deux autres plans sont moins élaborés : dans le registre aigu, les bois (flûtes, hautbois, clarinettes) soulignent les 2e et 3e temps du 3/2 par une même figure de doubles croches en sextolet ; enfin, le tutti des cordes, étagé du registre grave au registre suraigu, pose sur le 2e temps l'accord ε, joué tremolo *ff*, qu'il tient ensuite, avec un long *crescendo*, jusqu'à l'avant-dernière noire de la mesure.

De manière frappante, Schönberg fait ici remplir à l'harmonie, simultanément, ses deux fonctions antithétiques. L'accord ε a pour seul rôle, par sa présence à cet endroit décisif de la forme musicale, de servir la construction : car, plus encore que lors de ses précédentes occurrences, on ne peut le percevoir ici, dans la sonorité globale où il s'insère, que comme une masse compacte principalement définie par son timbre instrumental (homogène) et sa texture (qu'unifie le mode de jeu), d'autant que viennent se joindre à lui, commençant dans la nuance *piano*, des sons de cloches, graves et aiguës, dont la hauteur reste indéfinie. À l'inverse, les accords des cuivres, libres de toute référence thématique, possèdent, à l'intérieur de la phrase musicale, une valeur essentiellement expressive : l'invention n'est guidée, dans leur cas, que par le souci de donner à chacun d'eux la structure et la couleur requises à l'instant requis, et cette forme de nécessité est appréciée de façon purement intuitive, à l'oreille. Cela ne signifie pas, cependant, que toute logique soit ici hors de propos, et que l'invention crée ses objets *ex nihilo*. La mélodie d'accords qu'il s'agit de réaliser exige qu'entre ses différents éléments se mette en place un jeu très précis de relations. Or, le compositeur, pour y parvenir, ne travaille pas avec un matériau indifférencié, pareil à ce chaos amorphe dont le créateur a le pouvoir de faire surgir l'ordre à chacune de ses décisions ; ce dont il dispose – si lointaine que soit encore, à l'époque de *La Main heureuse*, la notion de « série » – est un matériau déjà potentiellement organisé, sous la forme de structures d'intervalles spécifiques, où jouent un rôle essentiel les cycles d'intervalles. Il n'est, pour s'en rendre compte, que d'examiner de près la configuration des accords à partir desquels se construit, dans cette mes. 223, la phrase jouée par les cuivres.

Notons, pour commencer, la fréquence avec laquelle apparaissent, en position serrée, et le plus souvent placés bien en évidence au sommet ou à la base des accords, tout un ensemble de tricordes remarquables : triades majeures et mineures, structures de tierces mineures, de tierces majeures et de quartes [exemple 33], lesquelles peuvent s'agglomérer l'une à l'autre, ou, via d'autres combinaisons, s'intégrer dans des structures de hauteurs plus vastes, également remarquables : dans le premier accord de y, par exemple, s'emboîtent l'une dans l'autre, en partant du bas, la structure de tierces mineures ⟨$fa\sharp_3\ la\natural_3\ do\natural_4$⟩, la triade majeure ⟨$la\natural_3\ do\natural_4\ fa\natural_4$⟩ et la structure de quartes ⟨$do\natural_4\ fa\natural_4\ si\flat_4$⟩ ; le troisième accord de y, lui, imbrique dans la triade mineure de $ré$, ⟨$fa\natural_2\ la\natural_2\ ré\natural_3$⟩, un tétracorde symétrique formée de deux quartes justes séparées par un triton : ⟨$la\natural_2\ ré\natural_3\ sol\sharp_3\ do\sharp_4$⟩. L'accord final, tenu, est une amplification de ce troisième accord, qui est étendu à huit notes : l'adjonction du $do\natural_2$ y engendre, dans le grave, un nouveau tétracorde symétrique – qui n'est autre qu'une variante de ε'_2 – où, à la triade mineure de $ré$, se combine la triade majeure de fa : ⟨$do\natural_2\ fa\natural_2\ la\natural_2\ ré\natural_3$⟩ (deux quartes justes séparées par une tierce majeure), tandis que l'adjonction du $si\natural_2$ fait se déployer, au sein de l'accord, le cycle C3$_2$ tout entier sous la forme du tétracorde ⟨$fa\natural_2\ si\natural_2\ ré\natural_3\ la\flat_3$⟩ (deux tritons séparés par une tierce mineure).

Par delà ces remarques d'ordre morphologique, le principal intérêt de l'analyse est d'aider à comprendre comment s'effectue sur le plan *syntaxique*, grâce à l'harmonie, l'articulation de la phrase musicale. Au sein même de l'antécédent, cette dernière est réalisée par l'opposition de ce que l'on peut appeler, suivant l'expression de de Boris de Schlœzer, deux « milieux sonores »[127]. L'anacrouse s'inscrit tout entière dans celui de l'échelle octotonique – représentée ici par la gamme résultant de la combinaison de C3$_0$ et de C3$_1$ –, ce que rendent perceptible toutes les relations d'intervalles, à commencer par l'enchaînement des triades, majeure puis mineure, de do et de $mi\flat$ (celle-ci est même dédoublée : ⟨$si\flat_3\ mi\flat_4\ sol\flat_4\ si\flat_4\ mi\flat_5$⟩) – à quoi s'ajoute la quinte ⟨$fa\sharp_2\ do\sharp_3$⟩, bien établie dans le grave, qui fait entrevoir une autre « tonique » possible encore au

---

127 Boris de Schlœzer, *Introduction à J.-S. Bach. Essai d'esthétique musicale*, Paris, Gallimard, 1947, p. 220.

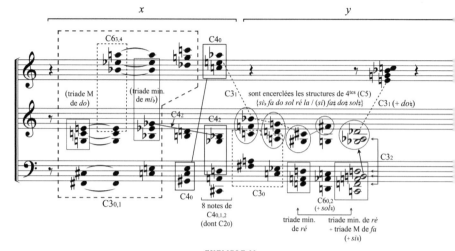

EXEMPLE 33

La Main heureuse, mes. 223, analyse de la strate des cuivres

sein de $C30^{128}$ –, ou encore le tétracorde $C63,4$: ‹$mi\natural_4\ si\flat_4\ mi\flat_5\ la\natural_5$›, formé de deux deux tritons à distance de quarte (l'une des réalisations possibles du *set-class* 4-9 dont il a déjà été question plus haut)[129], qui se détache à l'entrée des trompettes, et dont la couleur est très caractéristique aussi de l'univers octotonique. La cohésion interne du complexe sonore est, de plus, renforcée par la translation en son sein de plusieurs sous-ensembles harmoniques, qui changent de registre en passant d'un accord à l'autre, notamment le bloc ‹$do\natural\ mi\natural\ si\flat\ mi\flat$› [exemple 34].

Par opposition, les deux accords suivants, qui, sur le deuxième temps (la troisième noire) du 3/2, font office au sein de *x*,

128 Sur les caractéristiques propres à l'univers octotonique, et tout spécialement le rôle qu'y jouent les relations de tierces mineures, voir Jean-Louis
Leleu, « La notion de *Background Structure* chez George Perle. Une contribution à l'étude du rapport entre langage musical et stratégies composi-
tionnelles dans la musique post-tonale », dans : *La construction de l'Idée
musicale. Essais sur Webern, Debussy et Boulez*, Genève, Contrechamps,
2015, p. 54-63, ainsi que « Spécificités de l'agencement formel et de l'invention thématique dans la *Sonate pour flûte, alto et harpe* de Debussy »,
Revue de musicologie, 103/1, 2017, p. 116. À la différence de Debussy ou de
Stravinsky, Schönberg, il faut le préciser, ne travaille pas, dans les œuvres
de cette période, avec des échelles spécifiques : l'échelle octotonique n'est
autre ici qu'un effet de surface, produit par la combinaison locale de deux
cycles de tierces mineures.

129 Voir *supra*, p. 59.

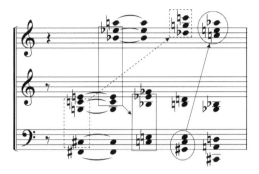

EXEMPLE 34
La Main heureuse, mes. 223, cuivres,
translation des blocs au sein de l'antécédent

respectivement, d'accent et, sur le temps faible, de désinence, sont, eux, caractérisés harmoniquement par la forte présence de structures de tierces majeures : si le premier accord conserve à son sommet un tricorde appartenant au complexe sonore initial, ce qui produit une forme de tuilage (l'enchaînement des deux accords joués par les trompettes dans l'aigu garde, de fait, une saveur octo-tonique prononcée), le second s'établit résolument dans le nouvel univers, en superposant l'un à l'autre $C4_2$ et $C4_0$[130] – dont la réunion donne la collection de tons entiers $C2_0$ complète[131] –, auxquels s'ajoute dans le grave la sixte mineure ‹*do*♯₂ *la*♮₂›, appartenant à $C4_1$, ce qui fait qu'à une note près (*fa*♮₂) est ici donnée à entendre, déployée verticalement, une réalisation du « mode 3 » de Messiaen (formé de la combinaison de trois cycles de tierces majeures), en l'occurrence $C4_{0,1,2}$. Les trois moments (anacrouse-accent-désinence) sont, en outre, reliés entre eux par une projection horizontale de $C4_2$ à la crête des accords (dans la partie du 1er trombone).

Un nouveau contraste, plus net encore, oppose *x* et *y*. Il se marque, d'entrée de jeu, par l'étendue des accords : le dernier accord de *x*, qui n'est pas seulement désinentiel, mais constitue aussi la

---

130 Ici encore, un sous-ensemble remarquable (le tricorde $C4_0$) passe d'un accord à l'autre en changeant de registre. On notera, par ailleurs, la présence du *do*♮ à deux endroits différents au sein du premier accord : comme nous l'avons déjà observé plus haut, l'appartenance à une structure de *hauteurs* particulière prévaut ici sur l'identité de la note en tant que *classe* de hauteurs (voir *supra*, p. 52 *sq.*).

131 Le sextolet des bois, dans l'aigu, est lui aussi centré sur un segment de $C2_0$: {*ré*♮ *mi*♮ *sol*♯} (deux des hauteurs qui le composent, *mi*♮₅ et *sol*♯₅, sont communes avec celles des 1re et 2e trompettes).

levée de γ, est le plus largement déployé de toute la séquence (trois octaves + une quinte); le premier accord de γ, à l'inverse, est le plus ramassé (il ne dépasse pas l'ambitus d'une onzième: octave + tierce majeure), et ce resserrement s'accentuera encore dans l'accord final, dont les huit notes tiennent à l'intérieur d'un intervalle d'à peine plus de deux octaves. Mais surtout, un nouvel intervalle, l'intervalle de quarte juste, envahit ici la texture, et introduit dans γ une forte composante diatonique: les deux structures de quartes qui retentissent au début de la figure de doubles croches déroulent un segment de six notes du «cycle des quintes» (C5) – ‹$si\flat_4\ fa\natural_4\ do\natural_4$ | $sol\natural_4\ ré\natural_4\ la\flat_3$› –, auquel répond ensuite, en miroir, le segment ‹$sol\natural_3$ $do\sharp_4\ fa\sharp_4$›, prolongé, dans l'accord final, par $si\natural_2$, à l'intérieur du bloc (exprimé cette fois sous forme de quintes) ‹$do\sharp_4$ (= $ré\flat$) $fa\sharp_3$ (= $sol\flat$) $si\natural_2$›. En même temps, γ recueille des éléments de x, réalisant ainsi une forme de synthèse: on y entend, au 1er trombone, le dessin mélodique ‹$si\flat_4\ sol\natural_4\ do\sharp_4$› – appartenant à C31 –, auquel se conjugue, dans le grave des deux premiers accords, le déploiement en position serrée de C30: ‹$do\sharp_4\ la\flat_3\ fa\sharp_3\ mi\flat_3\ do\sharp_3$›[132]; de la même façon, la brève ponctuation des cors qui suit l'attaque de l'accord final greffe sur la note supérieure de celui-ci la 7e diminuée ‹$ré\flat_4\ mi\natural_4\ sol\natural_4\ si\flat_4$›, complétée par un $do\natural_5$ qui incite à penser que Schönberg a eu à l'esprit ici la couleur d'un accord de 9e mineure (s'expliquerait ainsi la graphie $ré\flat$ au lieu du $do\sharp$ attendu). Par contraste, l'accord broderie par lequel est amené ce dernier accord (avec, au sommet, le mouvement de quartes ‹$do\sharp_4\ fa\sharp_4\ do\sharp_4$›) fait revenir la couleur de l'échelle par tons entiers: ‹$ré\natural_2\ la\flat_2\ do\natural_3\ fa\sharp_4$› (C60,2)[133].

Du jeu dynamique de ces multiples relations d'intervalles, et des tensions dont elles s'accompagnent, nait pour une bonne part le mouvement de la phrase musicale. Son intelligibilité n'est en rien menacée par le fait que retentisse en même temps, dans le tutti des cordes, l'accord ε: si riche qu'il soit en lui-même, le contenu

---

132 Le second accord présente une forte ressemblance avec l'accord de *Farben*, dont il transpose les quatre notes supérieures au demi-ton supérieur; seule diffère la note grave, $fa\sharp$ (au lieu de $do\sharp$), qui participe justement de la structure de tierces mineures mentionnée ici. Sur la structure interne de l'accord de *Farben*, voir J.-L. Leleu, «La notion de *Background Structure* chez George Perle», p. 72.

133 Le déplacement du $fa\sharp$ ($fa\sharp_4$ au lieu de $fa\sharp_3$), lié au dessin mélodique ‹$do\sharp_4\ fa\sharp_4$ $do\sharp_4$›, entraîne avec le $sol\natural_3$ (note de passage, étrangère au tétracorde C60,2) une structure de septièmes majeures: ‹$fa\sharp_4\ sol\natural_3\ la\flat_2$›, semblable à celles qui ont été décrites plus haut à propos du troisième des *Altenberg Lieder*.

harmonique de ε est en effet neutralisé au sein de la masse compacte que forme ce tutti, et la différence radicale de statut qui sépare, sur le plan sonore, les deux composantes de la texture musicale empêche toute interférence entre elles. Cette extériorité des deux plans l'un par rapport à l'autre ressort avec une netteté particulière dans l'accord final des cuivres, qu'un lien très étroit unit structurellement à ε : l'un et l'autre sont en effet composés exactement des mêmes classes de hauteurs (dans ε s'ajoute simplement *sol*♮), qui y sont réparties de la même façon en deux tétracordes renvoyant au cycle des quintes : {*ré*♮ *fa*♮ *la*♮ *do*♮} (ε_2) dans le bas de l'accord, et {*fa*♯ *sol*♯ *si*♮ *do*♯} (ε_1) dans sa partie supérieure ; mais la parenté reste abstraite : l'accord, recomposé dans un ambitus restreint, et magnifié par le registre grave où il vient s'établir, ne possède que dans la phrase des cuivres la valeur expressive que Schönberg, écrivant à Busoni, revendiquait pour l'harmonie[134]. Encore le cède-t-elle aussitôt à la puissance du crescendo qui, par un dernier renversement, conduit, sous l'action conjuguée des percussions (timbales et cloches) et du *flatterzunge* des cuivres eux-mêmes, à la saturation de l'espace sonore.

6. Le chœur final : des premières esquisses à la mise en place du tissu orchestral

Rapportant un propos de Berg qui, « non sans fierté », parlait de la dernière de ses *Trois Pièces pour orchestre*, la « Marche », comme de « la partition la plus complexe qui ait jamais été écrite », Adorno ajoute : « Il n'y a guère, parmi les œuvres de la même époque, que *La Main heureuse* de Schönberg qui puisse lui être comparée pour la complexité.[135] » Au sein même de l'œuvre, c'est, de ce point de vue, la seconde partie de la dernière scène qui assurément fascine le plus, du fait de la richesse du tissu orchestral dans lequel

---

134 Il est significatif que l'accord ε soit, à cet endroit, presque entièrement passé sous silence dans la transcription pour deux pianos réalisée par Steuermann : n'en sont conservées que les trois notes supérieures, jouées sur le deuxième temps du 3/2.

135 Theodor W. Adorno, « Bergs kompositionstechnische Funde », dans : *Quasi una fantasia*, op. cit., p. 425 (1re publication en 1961) ; trad. fr., p. 209 *sq*. L'œuvre de Berg est, rappelons-le, un peu postérieure (la partition porte, à la fin, la date du 23 août 1914).

est enchâssée la polyphonie, déjà très dense en elle-même, des douze voix solistes. Dans le souvenir de Schönberg, on l'a vu, ces pages comptaient parmi celles qui, durant sa vie de compositeur, lui avaient coûté le plus de peine[136]. Témoigne de ces difficultés le nombre particulièrement élevé de documents de genèse (brouillons et esquisses) qui se rapportent au tout début de la séquence[137]. Seule l'écriture des voix orchestrales, toutefois, s'est révélée délicate : une page d'esquisses, le Ms. 2439, montre en effet que le texte de toute la partie de chœur (jusqu'à la mes. 245) a, au départ, été écrit d'un trait, et il n'a subi par la suite que peu de modifications. Deux brouillons des mes. 224-225, notés dans le premier manuscrit complet de l'œuvre (*Erste Niederschrift*, p. 24) et l'un et l'autre raturés, indiquent qu'à l'inverse le compositeur a échoué à en rédiger le texte directement sur ce support comme il pensait, initialement, pouvoir le faire. Qu'il s'agisse là d'une première tentative ressort du fait qu'un détail de la partie de chœur – le troisième accord de la mes. 224 – y apparaît sous une forme encore provisoire. Schönberg explore, pour l'accompagnement, une voie qu'il abandonnera ensuite, mais qui mérite que l'on s'y attarde [exemple 35].

Commençons par observer que les trois premiers accords de la partie de chœur contiennent neuf des douze notes du total chromatique, et que chacun d'eux est, du point de vue harmonique, nettement typé : une structure de tierces mineures : ‹$mi\natural_4\ sol\natural_4\ la\natural_4$› pour le 1er et une structure de tierces majeures : ‹$mi\#_4\ la\natural_4\ do\#_5$› (C41) pour le 3e, l'accord central conjuguant les deux intervalles à l'intérieur d'une septième majeure : ‹$ré\#_4\ fa\#_4\ ré\natural_5$› . Le profil mélodique est lui aussi remarquable : le 2e accord est atteint, dans la voix supérieure, par une tierce majeure : ‹$la\#_4\ ré\natural_5$›, et c'est par ce même intervalle que sera atteint, une tierce mineure plus haut, le 4e accord : ‹$fa\#_4\ do\natural_5\ mi\#_5$›, dont la structure varie, en la renversant, celle du 2e : une quinte diminuée (= deux tierces mineures) surmontée d'une quarte juste (tierce augmentée), au lieu d'une tierce mineure surmontée d'une sixte mineure (= deux tierces majeures), à l'intérieur d'une septième majeure. La logique de l'enchaînement est imparable, et il est plausible que Schönberg l'ait préférée à une autre possibilité, consistant à construire le 4e accord avec les trois

136 Voir *supra*, p. 27.
137 Voir *SW* 6-3, p. 173-184.

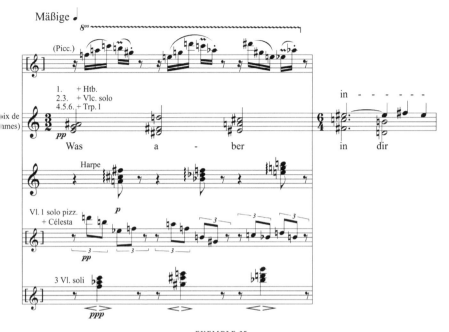

EXAMPLE 35
La Main heureuse, 1re rédaction de la mes. 224
(*Erste Niederschrift*, p. 24), transcription

notes manquantes : *sol♯*, *si♮* et *do♮*, qui, certes, pouvaient faire de lui le symétrique parfait du 2ᵉ : ‹*do♮₄ sol♯₄ si♮₄*›, mais au prix d'une chute d'intensité dans la ligne.

L'intention initiale du compositeur, partant de là, est de compléter chacun des accords de la mesure, dans l'orchestre[138], par deux autres accords dont la couleur contraste avec la leur : deux *triades*, jouées, l'une par trois violons solistes, l'autre par la harpe – les triades mineures, d'abord de *fa♮* et de *fa♯*, puis de *do♯* et de *si♭*, enfin de *sol♮* et de *mi♮* –, les quatre dernières fondamentales décrivant le cycle même de tierces mineures auquel appartient le 1ᵉʳ accord de la partie de chœur (C31). À l'intérieur de la première blanche, le 1ᵉʳ violon solo, doublé par le célesta, joue *pizzicato* les trois notes restantes du total chromatique sous la forme d'un dessin de croches de triolet qui, à la fois, contient deux des trois notes de

---

138 Chacune des trois voix, au sein des accords, est en outre doublée par un instrument de l'orchestre (hautbois, violoncelle solo et trompette).

l'accord chanté qui suit, et déploie mélodiquement la même structure d'intervalles que lui : ‹*ré♮$_6$ si♮$_5$ mi♭$_5$*› (tierce mineure + quinte augmentée), prolongée par *fa♮$_5$*, également présent dans l'accord des violons, mais qui ici fait ressortir le segment de C32 ‹*ré♮$_6$ si♮$_5$ fa♮$_5$*›. Cette idée, d'une part, de présenter mélodiquement celles des douze notes qui n'apparaissent pas déjà dans les accords du chœur, des violons et de la harpe, et, d'autre part, de faire entendre par anticipation les notes de l'accord que chantent aussitôt après les six femmes, est poursuivie sur le 2e temps du 3/2, où la figure ‹*la♮$_5$ fa♮$_5$ si♮$_4$*› permet, à la fois, d'annoncer la couleur de tons entiers (le *do♯* du chœur, déjà présent dans les deux triades, n'y a pas sa place), et, avec le *sol♯$_5$* qui suit, de dérouler un nouveau segment de C32 : ‹*fa♮$_6$ si♮$_5$ sol♯$_5$*›, un lien étroit se trouvant créé, par là, avec la figure précédente.

Le traitement du 3e temps semble, à première vue, plus lâche : seul le *do♮$_5$* initial annonce l'accord chanté qui vient ensuite, et, comme les autres notes de la figure, ‹*si♭ ré♮ si♮*›, sont aussi présentes dans les triades, le total de douze est loin d'être atteint : *mi♭*, *la♭* et *si♭* manquent à l'appel. Comme d'autres solutions étaient praticables – la triade {*la♭ do♮ mi♭*}, par exemple, était possible –, on doit conclure qu'une autre logique, plus empirique, a ici prévalu, vraisemblablement celle qui, de façon très perceptible, gouverne les relations d'intervalles au sein même de la partie du 1er violon et du célesta. Si chacune des trois figures a sa physionomie propre au sein d'une trajectoire qui, passant par étapes de l'aigu au médium (à l'inverse du mouvement ascendant de la ligne vocale), ramène à la fin la tierce mineure initiale (‹*ré♮ si♮*›), les deux premières ont en commun de distribuer (différemment) les notes d'une même structure d'intervalles, délimitée par le triton {*fa♮ si♮*} : la collection {*si♮ ré♮ mi♭ fa♮*}, et sa transposition au triton {*fa♮ sol♯ la♮ si♮*} ; cette parenté se marque, non seulement, comme nous venons de le voir, par la présence, à l'intérieur des deux figures, d'un segment de C32, mais aussi par la connexion dans l'une et l'autre d'un intervalle de tierce mineure et d'une structure de tons entiers : ‹*ré♮$_6$ si♮$_5$ | si♮$_5$ mi♭$_5$ fa♮$_5$*›, et inversement ‹*la♮$_5$ fa♮$_5$ si♮$_5$ | si♮$_5$ sol♯$_5$*› ; or, la dernière figure, dans un ambitus fortement restreint, s'articule selon le même principe : ‹*do♮$_5$ si♭$_4$ ré♮$_5$ | ré♮$_5$ si♮$_4$*›. Enfin, l'enchaînement d'une figure à l'autre s'effectue par le même intervalle ascendant de tierce majeure : ‹*fa♮$_5$ la♮$_5$*› et ‹*sol♯$_4$ do♮$_5$*›, de manière analogue, cette fois, à ce qui se passe dans le chœur. Tout cela a sans doute été noté rapidement, quasi intuitivement, sans qu'un savant « calcul »,

EXEMPLE 36
La Main heureuse, 1ᵉʳ jet de la mes. 224, partie de piccolo
(*Erste Niederschrift*, p. 24)

en tout cas, eût été nécessaire, mais le soin avec lequel a été pensé l'agencement de la ligne est manifeste.

Le brouillon de la mes. 224 transcrit dans l'exemple 35 est le second que Schönberg ait noté dans le manuscrit même de la partition. Alors que, dans le premier jet, était également ébauchée la suite de la partie de harpe et de celle des trois violons solistes[139], la nouvelle version s'interrompt à la fin de la 1ʳᵉ mesure. Son intérêt majeur, par rapport au texte initialement noté, consiste en la révision de la partie de piccolo à laquelle a procédé ici le compositeur. Plutôt que de s'en tenir à une succession de mélismes rapides, de caractère ornemental, comme il avait commencé de le faire au départ[140] [exemple 36], il réécrit cette partie de manière à en faire, dans le registre suraigu, une sorte de double de celle du 1ᵉʳ violon et du célesta, non moins riche qu'elle en relations internes : les trois figures, composées de cinq doubles croches (3 + 2), sont ici axées sur leur note finale : $la\flat_6$, qui est atteinte, successivement, par deux intervalles descendants de tierce, l'une mineure (‹$si\natural_6$ $sol\sharp_6$›), l'autre majeure (‹$do\natural_7$ $la\flat_6$›), puis par un intervalle ascendant de quarte juste (‹$mi\flat_6$ $la\flat_6$›) – dont la 1ʳᵉ note est chaque fois soulignée par un mordant.

La 1ʳᵉ figure est, on ne peut plus explicitement, une variante de la figure centrale du 1ᵉʳ violon, et s'organise comme elle autour du segment de C32 ‹$fa\natural$ $si\natural$ $sol\sharp$› (l'anacrouse, augmentée du $do\natural$, est ici étendue à une triade). Les trois premières notes dessinent, quant à elles, un mouvement chromatique : ‹$fa\natural$ $mi\natural$ $mi\flat$›, dont le dernier terme est haussé d'une octave ($ré\sharp_7$), cependant qu'il revient à

---

139 Voir la transcription de cette première version dans *SW 6-3*, p. 177. La partie des trois violons, qui jouent ici *pizzicato*, s'y continue par une suite d'accords (en croches) faisant alterner, pendant la durée de la blanche pointée, triades et structures de tierces mineures et de tons entiers.

140 L'exemple 34 transcrit le texte tel que l'a noté Schönberg, qui s'interrompt après la 2ᵉ blanche, et reste très approximatif (les figures devraient être des sextolets de doubles croches).

EXEMPLE 37a

La Main heureuse, 1ʳᵉ ébauche de la version définitive (Ms. 2446), transcription

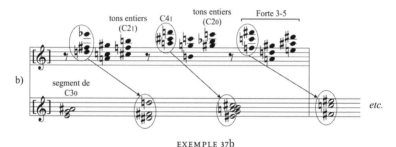

EXEMPLE 37b

La Main heureuse, 1ʳᵉ ébauche de la version définitive (Ms. 2446), analyse

l'anacrouse de conduire au *mi♭* « réel », à partir duquel s'accomplit le mouvement cadentiel ‹*mi♭₆ la♭₆*› (ces deux notes sont, rappelons-le, absentes des accords du chœur, des violons et de la harpe). Ce que révèle le passage du 1ᵉʳ au 2ᵉ état de cette première ébauche de la mesure, c'est la tendance à enrichir le tissu orchestral de voix indépendantes, où prend forme mélodiquement le matériau harmonique.

Renonçant à poursuivre sur le support que lui offrait la partition elle-même, Schönberg entreprend alors de mettre au point la mes. 224 sur des pages d'esquisses séparées. Une première ébauche (Ms. 2446), très raturée, présente de façon encore abstraite le nouvel agencement qu'il a désormais à l'esprit [exemple 37a] : abandonnant les triades, il opte pour une suite d'accords de structure variable, dont le premier, au sein de chaque groupe de trois, préfigure, dans chaque cas, l'accord chanté qui suit, les deux autres étant choisis en sorte de compléter la collection des douze notes[141] [exemple 37b].

---

141 Voir J. Auner, « In Schoenberg's workshop… », p. 102. Le musicologue note, à juste titre, que les trois accords du 3ᵉ groupe sont des réalisations du même *set class* (016) (Forte 3-5). Le dernier accord des 1ᵉʳ et 2ᵉ groupes, par ailleurs, présente sous deux formes différentes la même structure de tons entiers (026) (Forte 3-8).

Au moment de noter le 3e groupe, cependant, le compositeur prend la décision de modifier, à cet endroit, l'accord chanté – la présence en son sein du *mi*♯ étant incompatible avec la préparation de l'accord suivant, où le *mi*♯$_5$, nous l'avons vu, est essentiel en tant que hauteur vers laquelle tend toute la ligne mélodique. Biffant le *mi*♯ et le *la*, il substitue donc à l'accord de quinte augmentée une autre structure de tons entiers conforme à la logique de l'enchaînement : ‹*sol*♮$_4$ *si*♮$_4$ *do*♯$_5$›[142] – sans toutefois revenir sur l'accord du groupe précédent, qui gardera la mémoire, dans le nouveau texte, de l'étape antérieure. L'esquisse suivante, notée au recto – en haut à gauche – d'un nouveau feuillet (10^r = Ms. 2448) [illustration 7], ne fait que proposer une instrumentation, proche dans l'esprit de celle de la toute première version, du texte qui vient d'être arrêté[143] [exemple 38]. La seule partie mélodique qui y est notée (sans indication d'instrument) consiste en un simple déploiement horizontal des accords de la harpe et (de façon incomplète) du célesta[144].

Schönberg semble alors réagir au fait que ce dernier texte, en donnant la priorité à une forme de logique très contrôlée – où s'annonce le type de préoccupation que formalisera la future «méthode de composition» – se soldait par un certain appauvrissement de l'invention. Les esquisses suivantes du même passage marquent en effet une rupture : le compositeur s'y concentre à présent sur l'écriture de voix mélodiques modelées avec soin, où l'expression réaffirme ses droits face aux mécanismes de la simple déduction. Après quelques tâtonnements (Ms. 2447), il revient à la page 10^r pour y consigner d'un geste sûr, à la suite de l'esquisse antérieure qu'il a rayée d'une croix, une version des mes. 224-225 très proche du texte final, caractérisée par l'abondance, dans les parties instrumentales, de lignes et de brèves formules mélodiques d'une

---

142 Auner fait remarquer que les notes de ce nouvel accord sont identiques à celles du haut de l'accord ε (*ibid.*, p. 100 *sq.*). Il est douteux, cependant, qu'un lien quelconque s'établisse à distance, dans l'écoute, entre les deux éléments.

143 On notera qu'ici encore le 3e accord de la partie de chant avait d'abord été noté sous sa forme initiale. Il est donc possible que la modification ait été effectuée sur les deux esquisses en même temps.

144 Auner a commis une méprise en estimant que ces deux esquisses étaient antérieures aux ébauches du passage notées dans la partition manuscrite (qu'il n'examine pas, du reste, en détail). La chronologie des documents qu'il propose est donc fausse, et a été rétablie par Scheideler (voir J. Auner, *The Genesis of* Die glückliche Hand, p. 420 et p. 423, ainsi que SW 6-3, p. 176-179).

ILLUSTRATION 7

La Main heureuse, esquisses des mes. 224-225, ASC, Ms. 2448 (partie supérieure). © Copyright 1917 by Universal Edition A.G., Wien

EXEMPLE 38
La Main heureuse, esquisse de la mes. 224 (Ms. 2448), transcription

grande diversité, libres de toute soumission à une règle supérieure [exemple 39] : l'intérêt tout particulier du Ms. 2448 vient du contraste frappant qui oppose les deux textes notés l'un à côté de l'autre[145] (voir l'illustration 7). Et la vision du compositeur est maintenant assez claire pour qu'il écrive dans la foulée au verso du feuillet, presque sans rature, le texte des quatre mesures suivantes[146] (Ms. 2449) – ce qui le mène à la fin de la première grande unité de toute la séquence, correspondant à l'exclamation du chœur : « Mais ce qui est en toi, et autour de toi, où que tu sois ! » (*Was aber in dir ist, und um dich, wo du auch seist !*). Aucune étude préparatoire n'a plus ensuite été réalisée, semble-t-il, pour la fin de la scène.

Dans le texte définitif des deux mesures [exemple 40], une claire répartition des rôles – et par là une hiérarchie bien précise – est expressément établie, dans le tissu orchestral, entre les différents instruments, tous solistes : le statut de *Hauptstimme* est réservé à la fois au 1er hautbois, qui double et colore la voix du 1er soprano, et au contrechant *espressivo dolce* (*zart*) de la clarinette en *ré* – qu'ornementent de souples arabesques de la 1re clarinette en *si♭* –, celui de *Nebenstimme* à un second contrechant, confié au 1er violon solo.

145 Schönberg a également écrit, plus bas sur la même page, une mise au net de l'enchaînement des transpositions de ε qui forme la matière des mes. 205-210 (voir *supra*, p. 71).

146 Voir la transcription de ce brouillon des mes. 226-229 dans *SW 6-3*, p. 183-184.

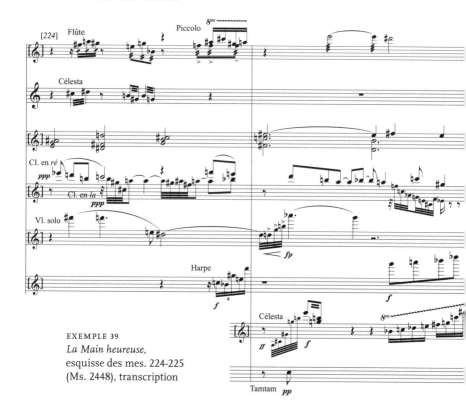

EXEMPLE 39
La Main heureuse,
esquisse des mes. 224-225
(Ms. 2448), transcription

Des interventions plus brèves, dont l'intensité sonore tranche sur la nuance *pp* de la trame principale, ponctuent le déroulement en valeurs longues de la partie de chœur : c'est le cas de la figure de la harpe (*f crescendo*) qui, à la fin de la mes. 224, ouvre sur l'accord chanté qui suit, ainsi que du mouvement de croches joué à l'unisson, dans le registre suraigu, par la harpe et le xylophone – auquel se conjuguent les doubles croches (*f marcato*) du célesta –, qui prépare l'entrée, à la mes. 226, des voix d'hommes. Le court trémolo du célesta sur ‹*si*♮5 *mi*♮6›, amené par un trait rapide de petites notes (*ff*), vient souligner le *la*♭6 (discrètement coloré aussi par le tamtam) avec lequel culmine le contrechant du 1er violon, formant avec lui, fugitivement, la triade ‹*si*♮5 *mi*♮6 *sol*♯6› (le *mi*♮6 est ensuite prolongé et tenu par la 1re flûte en *flatterzunge*, tandis que le *la*♭6 du violon descend au *sol*♮6). De ces éléments ponctuels relève également, dès le début de la 1re mesure, la touche sonore créée par la combinaison des brefs mélismes en *flatterzunge* de la flûte et des trémolos du célesta, le tout dans la nuance *pp*.

EXEMPLE 40
La Main heureuse, mes. 224-225, texte définitif

La conduite des lignes mélodiques, au sein des deux contre-chants principaux, donne lieu à un jeu raffiné de contrastes et d'interactions. Le mélisme initial, *espressivo*, de la clarinette en *ré* fait venir au premier plan le tétracorde symétrique (0134), formé de l'imbrication de deux tierces mineures – ce même tétracorde auquel Debussy fait jouer un rôle central, sous une forme voisine, dans *Nuages*, le premier de ses *Trois Nocturnes* –, tandis que le violon décrit un pur mouvement chromatique, dont l'intervalle central est ensuite repris en écho par la clarinette, qui, à la fois, en lisse le rythme pointé et en gomme le caractère disjoint : ‹fa♮₆ mi♮₆› au lieu de ‹(fa♯₆) fa♮₆ mi♮₅ (ré♯₅)›. Après la tenue du ré♯₅, ce mouvement chromatique est prolongé par une figure de triples croches (toutes accentuées) qui, partant de ré♮₅, conduit, via la triade ‹ré♮₅ sol♮₅ si♮₅›, à un nouvel intervalle de seconde mineure : ‹la♭₆ sol♮₆›, lequel ramène, comme en boucle, au début de la ligne. De façon remarquable, le $la\flat_6$ coïncide avec le début du mélisme qui, dans la *Hauptstimme*, commence avec ‹$ré\natural_6$ $si\natural_5$› – $si\natural_5$ tombant sur la 2e noire, avec $ré\natural$ en levée –, et qui, via l'autre tierce mineure ‹$la\natural_5$ $do\natural_6$› (le $la\natural_6$, syncopé, étant lui-même brodé), aboutira lui aussi à $la\flat$, une octave plus bas ($la\flat_5$). Or, ce dessin ‹$ré\natural_6$ $si\natural_5$ ($la\natural_5$ $do\natural_6$) $la\flat_5$›, qui structure la ligne de la clarinette, n'est autre qu'une amplification de celui du 1er violon : ‹$ré\natural_5$ ($sol\natural_5$) $si\natural_5$ $la\flat_5$›, et cette configuration de tierces mineures, qui se greffe au départ sur le $mi\sharp_5 = fa\natural_5$ de la 1re voix soliste, s'affirme dans la seconde partie du 6/4 comme l'élément structurel déterminant sur le plan harmonique, lorsque les autres voix du chœur se posent sur ‹$ré\natural_4$ $si\natural_4$›, et que sur la dernière noire de la mesure se forme le cycle C3$_2$ complet : ‹$ré\natural_4$ $si\natural_4$ $mi\sharp_5$ $la\flat_5$› (chœur + *Hauptstimme*).

Le soin que le compositeur apporte à la plasticité des lignes mélodiques est, on le voit ici, intimement lié à celui que nécessite le contrôle harmonique. Le risque d'une indifférenciation, sur ce plan, était d'autant plus grand que l'étagement et l'entre-croisement des différents éléments s'effectuent, avant l'entrée des voix d'hommes, dans un ambitus restreint, allant du médium au suraigu (la note la plus grave est le $do\sharp_4$ de la clarinette en $si\flat$ à la mes. 225). Cette attention portée à l'harmonie est particulièrement visible sur le 3e temps de la mes. 224 (qui est un 3/2), où la tension spécifique, propre au geste de levée, que la configuration de tons entiers imprime à l'accord chanté se communique à toute la texture : les notes tenues déploient la collection C2$_1$ (sous la forme de deux tricordes symétriques dans lesquels s'inscrivent C4$_1$ et C4$_3$)[147] [exemple 41], tandis qu'en contrepoint la harpe, qu'individualisent fortement son timbre et son mode de jeu (cordes pincées + accents dans la nuance f), égrène les notes de C2$_0$.

Cette prédominance des tons entiers est, à l'inverse, soigneusement évitée sur le 2e temps du 3/2 (où l'orchestre n'a plus maintenant pour mission d'anticiper l'accord chanté qui suit), au profit d'une coloration diatonique : la triade ‹$la\natural_5$ $do\natural_6$ $fa\natural_6$› résultant des tenues des clarinettes et du violon y est l'élément le plus saillant du déploiement d'un large segment du cycle des quintes, allant de $fa\natural$ à $mi\natural$, voire à $si\natural$ si l'on inclut la triple croche accentuée de la clarinette et le célesta – voir, par exemple, les triades qui se forment

---

147 La version initiale du 3e accord de la partie de chœur se trouve ainsi réintroduite, inversée autour de $do\sharp_5$.

EXEMPLE 41

La Main heureuse, mes. 224 (3ᵉ blanche), accords de tons entiers

fugitivement entre les clarinettes et la flûte : ‹*do*♮₆ *mi*♮₅ *sol*♮₅› (horizontalement) et ‹*mi*♮₅ *la*♮₅ *do*♮₆› (verticalement). Sur le 1ᵉʳ temps, enfin, s'enchevêtrent des structures d'intervalles plus diversifiées : sans doute peut-on voir dans les premières notes de la clarinette et du violon, comme le fait Auner[148], une trace de l'accord initial de l'esquisse notée sur le Ms. 2446 (voir l'exemple 37a), préparant l'accord chanté qui suit : ‹*mi*♭₆ *ré*♮₆ *fa*♯₆› ; le *do*♯₅ du célesta, par ailleurs, complète la structure de tierces mineures du chœur pour donner le cycle C31 complet (en position serrée), et dans la rencontre des lignes de la clarinette et de la flûte se forme également C32 : ‹*ré*♮₆ *fa*♮₅ *si*♮₅ *sol*♯₅›, amenant le *ré*♮₅ de la voix soliste et du hautbois[149].

Dans la seconde moitié de la mes. 225, où le tissu instrumental est particulièrement dense, la strate formée par les parties de célesta et de harpe (combinée au xylophone) ne se différencie pas seulement, au sein du tout, par le registre (suraigu) et par le timbre (cordes pincées et lames métalliques) : les interventions de ces instruments – là où, nous l'avons vu, domine le cycle de tierces mineures C32 – s'inscrivent, de manière frappante, dans une gamme octotonique réunissant les deux autres cycles, C30 et C31[150], et le rôle structurant de la tierce mineure dans ce « milieu sonore » est clairement explicité par le fait que le dessin mélodique formé par les notes de la harpe et du xylophone est l'exacte transposition à la sixte majeure de celui que joue le célesta au début de son trait de doubles croches[151] [exemple 42]. Dans le

---

148 J. Auner, « In Schoenberg's workshop… », p. 104 (note 62).

149 Le *do*♯₅ du 3ᵉ temps est préparé, de façon plus nette encore, par le mélisme de la flûte : ‹*mi*♮₅ *sol*♮₅ *si*♭₄ *do*♯₅› (C31).

150 Le procédé est identique à celui qui, sur le 3ᵉ temps de la mesure précédente, consistait à inscrire la figure de la harpe dans la collection de tons entiers complémentaire de celle qui gouverne, à cet endroit, l'harmonie.

151 À l'autre extrémité de l'ambitus, la figure de triples croches de la clarinette en *si*♭ s'inscrit en grande partie, elle aussi, dans cette gamme : la succession ‹*sol*♮₄ *mi*♮₄ *do*♯₄› inverse, sous une forme resserrée, celle que déroule le célesta : ‹*do*♯₆ *mi*♮₆ (*fa*♯₆) *sol*♮₆›, cependant que *do*♯ et *mi*♭ occupent les mêmes places (la 2ᵉ et la 8ᵉ) dans l'une et l'autre suite de notes.

EXEMPLE 42

La Main heureuse, mes. 225, parties de célesta,
harpe et xylophone (gamme octotonique)

EXEMPLE 43
La Main heureuse, mes. 225,
2e temps, structures
de tierces mineures

même esprit, la broderie que constitue le *fa*♯ de la 1re voix soliste
s'accompagne, dans l'orchestre, d'un emprunt au cycle correspondant (C30), exprimé sous la forme de la 7e diminuée (en posi-
tion serrée) ‹*fa*♯$_5$ *la*♮$_5$ *do*♮$_6$ *ré*♯$_6$› : c'est dans ce contexte que prend
son sens la présence dans la *Hauptstimme* du mélisme ‹*si*♭$_5$ *la*♮$_5$
do♮$_6$ *la*♭$_5$› [exemple 43].

7. La polyphonie chorale des mes. 224-240

La longue séquence polyphonique qui constitue la seconde partie
de la scène finale (avant la coda) s'articule elle-même en quatre
grandes unités, suivant la progression du texte :

Was aber in dir ist und um dich, wo du auch seist! (mes. 224-229)

Fühlst du dich nicht? Hörst du dich nicht? (mes. 230-233)

*Fassest nur, was du greifst! Fühlst du nur, was du
berührst,* (mes. 234-237)

*Deine Wunden erst an deinem Fleisch, deine Schmerzen erst
an deinem Körper?* (mes. 237-240)

[deine Freude nicht an deiner Seele! (mes. 239-242)][152]

---

152 Cette dernière exclamation n'est chantée que par le 1er ténor, à cheval sur
la fin de la séquence polyphonique et le retour du chœur parlé.

Cette suite de questions et d'exclamations prolonge et développe la dernière phrase du chœur parlé qui précède (mes. 222-223) : « Tu cherches à saisir ce qui ne peut que t'échapper quand tu le tiens » (*Suchst zu packen, was dir nur entschlüpfen kann, wenn du's hälst*). Les voix – dans lesquelles se projette la conscience même de l'artiste[153] – y insistent sur la richesse de ce que l'Homme possède intérieurement, mais qu'il ne « sent » ni n'« entend » en lui, tout occupé qu'il est à vouloir saisir des biens tangibles (« *was du greifst* ») et à poursuivre un bonheur qu'il peut « toucher » (« *was du berührst* ») – allusion à la fin de la 2ᵉ scène du drame, où, agenouillé devant la Femme dont la vision le transporte, l'Homme lève sa main gauche vers celle qu'elle lui tend elle-même, la touche doucement (« *hebt die Hand und berührt leise die ihre* »), et, profondément ému, reste un moment ainsi, les yeux fixés sur cette « main heureuse » (qui bientôt lèvera en l'air le diadème), sans remarquer que celle qu'il croit « posséder pour toujours » s'est entre temps éclipsée et a quitté la scène. S'expliquant sur le titre de l'œuvre, Schönberg commentait ainsi cette pantomime à la fin de sa conférence de 1928 : « Un bonheur au bout des doigts : toi qui as en toi le supra-terrestre, tu aspires au terrestre... ? »[154].

En écho aux propos mi-accusateurs, mi-compatissants que le chœur adresse à l'Homme prostré sur la scène[155], la musique se fait, par sa propre luxuriance, l'image de cette richesse qu'il a en lui et ne perçoit pas. Le raffinement de la polyphonie chorale, qu'a essentiellement pour rôle de magnifier l'opulence du tissu orchestral, s'annonce dès la première unité (mes. 224-229). La proposition « *Was aber in dir ist und um dich* » donne lieu d'emblée, au sein d'un énoncé du type antécédent/conséquent, à une imitation

---

153 Voir à ce propos les commentaires de Peter Szondi relatifs à la pièce de Strindberg *Nach Damaskus*, dans *Theorie des modernen Dramas (1880-1950)*, Frankfurt am Main, Suhrkamp, 7/1970, p. 46-50.

154 *Stil und Gedanke*, p. 239, *Stile herrschen, Gedanken siegen*, p. 396 et *SW 6-3*, p. 343 ; trad. fr. : « Conférence de Breslau », p. 206 (« *Ein Glück an den Fingerspitzen : der du das Überirdische in dir hast, sehnst dich nach dem Irdischen ?* »). Sur le thème strindbergien de la lutte des sexes, voir Fr. Buchmayr, « „Könnte von mir sein" », p. 18 *sq.* (trad. fr., p. 142 *sq.*).

155 Dans la version initiale du livret, une didascalie précisait que le chœur, dans cette dernière scène, s'adressait à l'Homme « sur le ton de la compassion la plus profonde » (*im Ton tiefsten Mitleids*), ce que Schönberg a ensuite changé en « sur un ton accusateur, sévère » (*anklagend, streng*) – voir *SW 6-3*, p. 232 *sq.*

EXEMPLE 44
La Main heureuse, mes. 226-227, texte de la partition éditée

canonique entre les voix de femmes (mes. 224-225) et les voix
d'hommes (mes. 226-227) [exemple 44], l'articulation interne du
second membre de phrase étant régie par les mêmes techniques
que celle de l'antécédent.

On n'a pas manqué de souligner, à ce propos, le fait que
Schönberg, après la phase de rupture radicale avec la tradition qu'incarne de façon emblématique *Erwartung*, recourait
de nouveau, dans *La Main heureuse*, à des procédés d'écriture

contrapuntique hérités du passé[156] – procédés dont *Friede auf Erden* faisait déjà, au demeurant, un ample usage, et que ne cesseront d'exploiter les œuvres ultérieures du compositeur. Ce qui vaut surtout d'être relevé, cependant, est que l'on a affaire ici à une *double* imitation : la voix supérieure du chœur d'hommes (doublée par le cor anglais) imite en effet celle du chœur de femmes, à la fois – de façon stricte – par mouvement contraire (à la quarte inférieure), mais également, du point de vue des hauteurs, par mouvement semblable et rétrograde, à l'*octave* inférieure – ce que rend possible la structure symétrique du modèle, et en amont celle du tétracorde (0347) lui-même, ici {*la♯ do♯ ré♮ fa♮*} –, un lien extrêmement étroit se trouvant créé, de ce fait, entre les deux membres de phrase.

Les accords, eux, sont variés. Le premier est très proche de celui que Schönberg avait initialement placé sur le 3e temps de la mes. 224 : la même structure de tierces majeures (C41) y est simplement disposée autrement (‹*la♮$_2$ do♯$_3$ fa♮$_4$*›) ; comme les voix de femmes posent au même moment l'accord de quinte augmentée ‹*si♮$_3$ ré♯$_4$ sol♮$_4$*› (C43), c'est toute la collection de tons entiers C21 qui retentit à cet endroit dans le chœur, contrastant avec la structure de tierces mineures du 1er accord de l'antécédent. Les deux accords suivants (« *aber* ») s'inscrivent ici l'un et l'autre dans un intervalle de 9e majeure (à distance de demi-ton), mais la voix médiane monte d'une tierce mineure, ce qui fait que, si l'accord du 2e temps présente le même type de tension interne que dans l'antécédent, la coloration diatonique du suivant : ‹*do♮$_3$ fa♮$_3$ ré♮$_4$*› (que renforce le *la♮$_4$* de la 1re voix de femme), contraste, à l'inverse, avec la structure de tons entiers de son homologue. À la mes. 227, la phrase musicale aboutit, comme dans l'antécédent, à une configuration de tierces mineures : ‹*do♯$_3$ sol♮$_3$ si♭$_4$*›, qui, complétée par le *mi♮$_5$* de la 1re voix de femme, donne le cycle C31 complet. Mais ici, cette couleur est présente, dans les voix d'hommes, dès le début de la mesure : l'accord central, sur « *dir* », prend ainsi la valeur d'une broderie (en quelque sorte symétrique de celle de la voix supérieure), et dans le mouvement non synchrone des voix se forment, successivement, la nouvelle structure de tierces majeures C42 (‹*ré♮$_3$ fa♯$_3$ si♭$_3$*›) et la

---

156 Voir par exemple J. Crawford, « *Die glückliche Hand* : Further Notes », p. 72 et p. 75. Auner fait remarquer qu'à la différence de *Pierrot lunaire*, où Schönberg use également de tels procédés contrapuntiques, les grandes sections chorales de *La Main heureuse* y recourent sans aucune intention parodique (*The Genesis of* Die glückliche Hand, p. 409).

EXEMPLE 45

La Main heureuse, mes. 227, parties de hautbois
et de violons (gamme octotonique)

triade ‹*ré*♮₃ *fa*♯₃ *la*♮₃› – *si*♭ pouvant être entendu, dans l'enchaînement, comme retard du *la*♮. D'autant plus frappant est, dans ce contexte, le déploiement mélodique, clairement mis en évidence dans la voix supérieure du chœur de femmes, de C40 : ‹*la*♭₄ *do*♮₅ *mi*♮₅›, avec *la*♮₄ en levée[157]. À la faveur de l'imitation libre par les 2ᵉ et 3ᵉ voix du dessin ‹*la*♭₄ *la*♮₄ *do*♮₅› (« *und um [dich]* »), ce sont ici, sur les 2ᵉ et 3ᵉ noires, la structure de tierces mineures C30 (‹*fa*♯₄ *la*♮₄ *do*♮₅›) puis la triade ‹*fa*♮₄ *la*♭₄ *do*♮₅› qui viennent étoffer la strate formée par le chœur des femmes[158].

Comme dans l'antécédent, ce réseau de relations internes est rendu plus dense encore par les commentaires instrumentaux dont s'enrichit la texture : ici ceux des hautbois et des violons. Et le procédé utilisé par Schönberg est identique à celui que nous avons observé dans la mes. 225 : les deux contrechants s'inscrivent, de façon stricte, dans la gamme formée par la réunion des deux cycles de tierces mineures complémentaires de celui qui domine dans le chœur, C30 et C32 [exemple 45] ; C32 ressort très nettement, aussi bien dans la figure des hautbois que dans la ligne des violons[159], où *ré*♮, et dans une moindre mesure *fa*♮, tendent à sonner comme de possibles « toniques », conformément à la logique qui caractérise l'emploi modal de l'échelle octotonique[160] ; seul *do*♮ n'y apparaît pas, mais la note est présente, au premier plan, dans les voix de femmes.

---

157 Ce déploiement se prolonge dans les trilles de la clarinette en *ré*, que colorent les trémolos de la harpe (*do*♮₆ est dans le trille du *si*♭, qui appartient à la même gamme par tons). C40 se trouve ainsi projeté verticalement (avec le *do*♮₅ des voix 2 et 3 du chœur de femmes) au moment même où il finit de se déployer mélodiquement.

158 Les hautbois 2 et 3 jouent à l'envers, une octave plus haut, le même enchaînement que les voix 2-3 et 4-5-6 du chœur de femmes, d'où résulte un échange des accords eux-mêmes entre les voix de femmes et les hautbois (la 1ʳᵉ voix étant doublée par le 1ᵉʳ hautbois).

159 Les trilles des flûtes appartiennent également à C32.

160 Voir déjà, à ce propos, *supra*, p. 91 (et la note 128).

EXEMPLE 46
La Main heureuse, mes. 226-227, partie de cor, analyse

Une connexion, en outre, s'opère à distance, de façon clairement perceptible, entre le geste mélodique initial des violons
(‹*mi*♭₆ *ré*♮₆ *si*♮₅›) et la figure jouée au début de la mes. 224 par la
clarinette en *ré*[161]. Le lien avec cette figure s'établit, en fait, dès le
début du conséquent, le motif initial de la partie de cor (désignée
comme *Hauptstimme*) s'articulant selon le même schéma rythmique : trois croches en levée menant à la note tenue (∪ ∪ ∪ –) ;
ce rythme, ici, structure ensuite tout le mélisme : le 3ᵉ temps est
atteint par une figure similaire – en diminution rythmique (trois
doubles croches) –, et les croches de triolet qui servent d'anacrouse
au *fa*♯₃ sont une variante (réduite à deux notes) du même schéma.
Mélodiquement, le « modèle » est varié par le cor, qui amorce, d'entrée de jeu, un mouvement chromatique : ‹*do*♭₅ *si*♭₄ (*mi*♭₄) *la*♮₄›, dont
l'accomplissement s'effectuera dans un deuxième temps : ‹*si*♮₃ *la*♮₃
sol♯₃ *sol*♮₃ *fa*♯₃›[162] ; la broderie qui, à l'intérieur du triolet, ornemente
ce mouvement chromatique résume en fait toute la séquence, *si*♮₃
renvoyant au *do*♭₅ initial [exemple 46] ; quant au dessin : ‹*fa*♯₄ *sol*♮₃ *si*♭₃
la♮₃›, au centre, il est bien une imitation (en miroir) de celui de la
clarinette, à ceci près qu'à l'intervalle de seconde mineure s'y substitue un saut de 7ᵉ majeure : ‹*fa*♯₄ *sol*♮₃›, qui donne à la présentation
du tétracorde (0134) une élégance particulière. À cet enchevêtrement
de structures participe, enfin, la configuration de tierces mineures
dans laquelle s'inscrit le *la*♮₄ tenu (‹*mi*♭₄ *la*♮₄ *fa*♯₄›), l'intervalle ‹*la*♮ *fa*♯›
étant celui à l'intérieur duquel se déploie la fin du mélisme[163].

161   À cela s'ajoute que la seconde mineure sur laquelle se suspend la ligne
       mélodique des violons, ‹*fa*♮₆ *sol*♭₆›, est (inversée) celle-là même dont par-
       tait, au début de l'antécédent, le 1ᵉʳ violon lui-même.

162   Le dessin ‹*do*♭₅ *mi*♭₄ *la*♮₄›, lui, s'inscrit distinctement dans l'harmonie de
       tons entiers de la partie de chœur, qu'il prolonge vers l'aigu, tandis que
       le mouvement chromatique répond à celui que décrit en valeurs longues,
       sur les mêmes notes : ‹*sol*♮₄ *sol*♯₄ *la*♮₄›, la 1ʳᵉ voix de femme.

163   L'arabesque de la clarinette en *si*♭, qui s'enroule autour du *la*♮₄ tenu de la
       Hauptstimme, se clôt elle-même, dans une sorte de raccourci, par l'inter-
       valle ‹*mi*♭₄ *sol*♭₃›.

EXEMPLE 47

La Main heureuse, mes. 230-232, partition imprimée (*Sämtliche Werke*, vol. 6,3)
© Copyright 1917 by Universal Edition A.G., Wien

Alors qu'un troisième membre de phrase, prolongeant la séquence antécédent/conséquent (mes. 228-229), est marqué par un bref apaisement des tensions (le texte, «*wo du auch seist*», y évoque la possibilité d'accéder à la paix intérieure «où que l'on soit»), les réflexions qui suivent – le constat douloureux du sort misérable de l'Homme – donnent lieu à un brusque regain d'intensité expressive, et tout concourt à faire de ce passage le moment le plus fascinant de l'œuvre tout entière : la densité et l'écriture même du tissu polyphonique, son amplitude du point de vue des registres, et la puissance sonore liée à la dynamique (où domine le *forte*, avec beaucoup de contrastes et de fluctuations) – à quoi s'ajoute, ici encore, la richesse du commentaire orchestral [exemple 47].

Une nouvelle fois, les deux questions – «*Fühlst du dich nicht ? Hörst du dich nicht ?*» – donnent lieu à une construction du type antécédent/conséquent, mais l'imitation entre les voix d'hommes et les voix de femmes se resserre, et s'effectue à présent au sein de chacun des deux membres de phrase. Par ailleurs, deux plans sont ici bien distincts : un 1er canon, strict, par mouvement semblable (à la tierce mineure dans l'antécédent, à la tierce majeure dans le conséquent) et en valeurs brèves, qui prend place au sein du chœur d'hommes entre les voix 2-3 et les voix 4-5-6, est subordonné à celui (par mouvement contraire), beaucoup plus libre, qui se déploie entre la voix supérieure du chœur d'hommes et le chœur de femmes tout entier, celui-ci étant traité de façon compacte, sous la forme d'une succession d'accords [exemple 48]. Cette disproportion entre les deux «voix» du canon principal – que souligne encore, dans l'antécédent, l'opposition *p* (voix d'hommes) / *f* (chœur de femmes) – a pour effet de donner au chœur de femmes une forte autonomie au sein de la polyphonie : son entrée a quelque chose de saisissant (les voix font irruption dans la musique), et dans le conséquent cette intensité est renforcée par le contrechant *ff* des quatre clarinettes à l'unisson (notée comme *Hauptstimme*), ainsi que par l'intervention des violons 1 et 2, que prolongent, en l'imitant librement, les trois flûtes[164].

---

164 Notons aussi que la 1re voix de femme (qui joue le rôle de leader) est doublée par les trois hautbois à l'unisson, la 1re voix d'homme par le cor anglais, coloré par le trémolo des altos – ce qui a pour effet de créer un lien entre elles (le cor anglais est un hautbois alto) tout en les individualisant. Les trois derniers accords du chœur de femmes sont doublés, eux, par les altos, ponctuées par les pizz. des violons 2.

EXEMPLE 48

La Main heureuse, mes. 230-233, voix, canon principal et canon secondaire

EXEMPLE 49

La Main heureuse, mes. 230-233, voix, canon principal
et canon secondaire, analyse

Harmoniquement, la force du passage doit beaucoup à la présence des accords parfaits (presque tous mineurs) qui envahissent la texture, et qui donnent au chœur de femmes un caractère lumineux, presque rayonnant, encore accentué, paradoxalement, par les «notes étrangères» qui, dans le dernier accord de chacun des deux membres de phrase («*nicht*»), se substituent à la tierce (*sol♯* ou *sol♮*) [exemple 49].

La première fois, le *sol♯* (*la♭*) est effectivement chanté par le ténor, qui descend ensuite au *sol♮*, puis à *mi♮*, formant alors avec les voix du canon secondaire, qui sonnent là à découvert, une nouvelle triade mineure, celle de *la*♮. La relation, clairement perceptible, qui s'établit à distance entre les deux accords finaux – ‹*mi*♮$_5$ *si*♮$_4$ (écrit *do*♭)› se renversant en ‹*si*♮$_4$ *mi*♮$_4$› – passe par la triade mineure de *sol*♮, sur « *hörst* » (*cf.* le dessin ‹*mi*♮$_5$ *sol*♮$_5$ *si*♮$_4$› dans la voix supérieure), et la couleur caractéristique de l'enchaînement à la tierce mineure attire également l'attention. À l'inverse, l'accord de quinte augmentée ‹*ré*♭$_4$ *fa*♮$_4$ *la*♮$_4$› (C41) confère au dernier enchaînement un net caractère cadentiel. Que le tout premier accord du chœur de femmes soit, lui, si surprenant tient pour beaucoup à la relation de triton qui s'instaure entre le *mi*♭ et le *la*♮ des voix d'hommes, fugitivement entendu au départ comme « tonique ». Le *ré*♭ tenu du 1er ténor (entendu comme tierce majeure de ce *la*♮) forme ensuite (a posteriori) avec la triade mineure de *mi*♭ l'un de ces tétracordes symétriques dont il a été question plus haut, composés de deux triades superposées : ‹*ré*♭$_4$ *sol*♭$_4$ *si*♭$_4$ *mi*♭$_5$› : pour inattendu qu'il soit, l'accord de *mi*♭ est, en fait, préparé par le mouvement de quartes (passant par la 2e voix du chœur d'hommes) ‹*ré*♭$_4$ *la*♭$_4$ *mi*♭$_5$ *si*♭$_4$›.

Mélodiquement, la tierce mineure est l'intervalle qui domine dans la conduite des voix : c'est autour de lui, en particulier, que s'articulent les segments mélodiques du canon principal, et la chute de la voix supérieure, très expressive, à la fin de la phrase, est produite par le renversement de la tierce en sixte, ‹*fa*♯$_5$ *la*♮$_4$› ; dans le canon secondaire, les tierces mineures encadrent, à l'inverse, une sixte mineure ascendante (renversement de la tierce majeure)[165].

Si, dans les mes. 230-233, les accords sont intégrés au jeu des imitations entre le 1er ténor et le chœur de femmes, l'écriture verticale acquiert, dans l'unité suivante (mes. 234-236) [exemple 50], une plus grande autonomie, qui l'individualise nettement au sein de la séquence tout entière. Des ébauches de canons y sont certes repérables, mais l'imitation reste très lâche, tant sur le plan mélodique que sur le plan rythmique. La première exclamation (« *Fassest nur, was du greifst !* »), dans le chœur de femmes, s'affranchit même de toute logique de cette nature : rythmiquement lisse (c'est une simple succession de noires) et les deux « voix » (réparties ici de façon égale entre sopranos et altos) en homorythmie, elle se greffe plutôt, avec un réel caractère exclamatif, sur la partie du 1er ténor, dont le dessin

---

165 À la mes. 232, le *mi*♭$_4$ attendu (à la suite du *do*♮$_4$) dans la voix supérieure du canon secondaire est chanté par le 1er ténor dans le canon principal. L'imitation à la tierce majeure, dans la voix inférieure, ramène la figure initiale, dont le dernier intervalle est inversé : ‹*la*♭$_3$ *fa*♮$_3$› au lieu de ‹*la*♭$_3$ *do*♭$_4$›.

EXEMPLE 50

La Main heureuse, mes. 233-238, partition imprimée (*Sämtliche Werke*, vol. 6,3)
© Copyright 1917 by Universal Edition A.G., Wien

EXEMPLE 50
(suite)

EXEMPLE 51

La Main heureuse, mes. 234-236, chœur des douze voix

garde, lui, le caractère linéaire propre à l'écriture contrapuntique [exemple 51]. Ce qui en résulte est une suite d'accords (groupés par trois : deux en levée, le troisième sur le temps) extrêmement typés : les trois premiers sont de pures configurations de tierces majeures, où domine C43, – C42, au centre, faisant office d'accord de passage[166] [exemple 52] ; suivent trois triades mineures, où s'apaise la tension inhérente aux harmonies de tons entiers, d'autant que le dernier accord, dans lequel se conservent deux des notes de C43 (seul le *sol*♮ se résout en *sol*♯) est amené, exactement comme dans une cadence tonale, par un double intervalle de seconde mineure, ‹*mi*♭5 *ré*♯5› et ‹*sol*♯4 (= *fa*×) *sol*♯4›, où *mi*♭ et *fa*× ont la valeur de notes attractives ; mais tout l'enchaînement – avec, à la voix supérieure, la ligne mélodique ‹*sol*♭5 *fa*♯5 *mi*♭5 *ré*♯5› – s'inscrit dans cette logique.

Le 2ⁿᵈ volet, correspondant à la proposition suivante, « *Fühlst du nur, was du berührst* », obéit à un schéma similaire, même si l'écriture du chœur de femmes redevient ici conforme au modèle contrapuntique. Les trois « voix » supérieures sont conduites de

166 La partie confiée, dans le grave, aux autres voix d'hommes, qui reste en retrait (*p*) durant tout le passage, participe également ici au dispositif : le dessin mélodique qui conduit au *la*♭ (« *greifst* ») est formée de tierces majeures imbriquées, dont C41. Comme ‹*sol*♭3 *ré*♮3› appartient à C42, tout ce qui est entendu avant le 2ᵉ temps du 6/4 s'inscrit dans l'échelle du 3ᵉ des modes à transpositions limitées de Messiaen (C41,2,3).

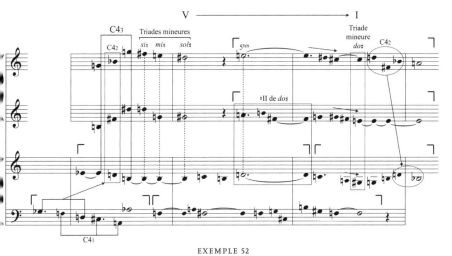

EXEMPLE 52

La Main heureuse, mes. 234-236, chœur des douze voix, analyse

façon à aboutir, sur le 2ᵉ temps du 6/4, à l'accord parfait mineur de *do*♯ (en position de quarte-et-sixte) et l'on entend clairement se mettre en place, entre les deux membres de phrase, un enchaînement V – I. La voix supérieure (celle des sopranos) va directement à *do*♯₅ en prolongeant, à partir de *mi*♮₅, la ligne mélodique du segment précédent, tandis que le chemin des altos et du 1ᵉʳ ténor est plus sinueux, et passe par des notes étrangères à la gamme de *do*♯ mineur : leur point de départ est l'accord {*ré*♮ *fa*♯ *la*♮}, sur le IIᵉ degré abaissé de *do*♯, réminiscence de l'un des enchaînements favoris de la *Neudeutsche Schule*, et le *do*♮ du 1ᵉʳ ténor sonne ensuite, dans ce contexte, à la fois comme un *si*♯ – sous-entendant l'accord du 5ᵉ degré (♮II – V – I) – et comme la fondamentale, devenue fugacement autonome, de la triade {*do*♮ *mi*♮ *sol*♮}, qui se substitue à cet accord du Vᵉ degré[167]. Durant quelques secondes, c'est l'écriture de *Friede auf Erden* qui resurgit ici, insérée sans aucun heurt dans le nouvel univers musical où s'est dissoute la grammaire tonale. La fin de la séquence (« *was du berührst* »), après cet appui sur l'accord parfait mineur de *do*♯, redevient flottante : malgré le déploiement mélodique des triades {*ré*♮ *fa*♯ *la*♮} (aux sopranos) et {*sol*♮ *si*♮/ *si*♭ *ré*♮} (au 1ᵉʳ ténor), aucune « tonique » n'y affirme ses droits, et la

---

167 Le *sol*♮ des altos peut, de la même manière, être interprété aussi comme une note de passage dans le mouvement mélodique qui porte de *fa*♯ à *sol*♯.

EXEMPLE 53

La Main heureuse, mes. 239-241, partition imprimée (*Sämtliche Werke*, vol. 6,3)
© Copyright 1917 by Universal Edition A.G., Wien

phrase musicale se suspend sur l'une des configurations les plus caractéristiques de l'harmonie « atonale » (en ce que précisément toute notion de hiérarchie entre les notes est ici abolie) : la super-position d'un triton et d'une quarte juste[168].

Le relâchement de l'imitation canonique au profit d'une écri-ture plus verticale, dans les mes. 234-236, a manifestement pour fonction de préparer, en ménageant le plus grand contraste possible avec lui, le tour de force contrapuntique que constitue la quatrième et dernière unité (mes. 237-239) [exemple 53] – point culminant de tout le développement, à la suite duquel le tissu polyphonique se désagrègera progressivement. Les voix se font ici plus pressantes à l'égard de l'Homme, l'interrogeant : « [Ne sens-tu que] tes blessures dans ta chair, tes douleurs dans ton corps ? », avant que le 1er ténor, silencieux jusque là, n'entonne seul, séparément, les paroles qui viennent clore cette forme de harangue : « Mais non la joie dans ton âme ! ». La séquence prend la forme d'un chœur à quatre par-ties – augmenté, à la fin, d'une « voix » instrumentale jouée par les quatre cors à l'unisson[169] –, où un même modèle est présenté neuf fois, selon un dispositif serré et complexe d'imitations, allant du strict au très libre [exemple 54], qu'il est possible d'analyser de la façon suivante (les différents segments, il est important de le pré-ciser, se succèdent dans chaque voix sans aucune césure) :

1) La première entrée, confiée aux basses, est aussitôt (à distance de noire) imitée de façon stricte, rythmiquement et mélodique-ment, par les deux ténors ; un seul détail change : la levée ini-tiale de deux croches est chantée un demi-ton plus haut[170] (‹la♭$_3$ sol♮$_3$ si♭$_3$› au lieu de ‹sol♮$_3$ fa♯$_3$ si♭$_3$›).

---

168 Le cycle de tierces majeures C42, qui, réapparaissant ici sous forme mélo-dique, passe des sopranos au 1er ténor, participe de cette logique : il conserve jusque dans le si♭ de l'accord final son statut de structure symé-trique non hiérarchisée (par opposition à l'interprétation tonale qui peut en être faite, en tant qu'accord de quinte augmentée).

169 Comme dans le reste de la séquence, les parties chorales sont ici doublées par des instruments de l'orchestre : jusqu'à « Schmer-(zen) » les sopranos le sont par les trois hautbois, les altos par le cor anglais et les violoncelles, les ténors par les altos *pizzicato* et les basses par les contrebasses *pizzi-cato* ; à partir de « (Schmer)-zen », les voix de femmes sont doublées par les altos *pizzicato* et les voix d'hommes par des trombones.

170 L'imitation se fait donc à la quarte supérieure, et non, comme l'écrit Auner, au triton – *cf.* Joseph Auner, « *Die glückliche Hand, Drama mit Musik* op. 18 », dans : Gerold W. Gruber (éd.), *Arnold Schönberg. Interpre-tation seiner Werke*, Laaber, Laaber-Verlag, 2002, vol. I, p. 258.

EXEMPLE 54

La Main heureuse, mes. 239-241, chœur des douze voix,
imitations du « modèle »

2) Suit, dans la voix de soprano, une présentation du modèle en
augmentation rythmique, transposition presque exacte de celui-
ci deux octaves plus haut[171], et cette nouvelle entrée est imitée
par les basses – trois noires plus loin, cette fois – à la quarte inférieure (redoublée), avec une modification de la ligne mélodique
sur « *an deinem Körper* » : ‹*sol*♮$_3$ *ré*♯$_3$ *ré*♮$_3$ *do*♯$_3$ *fa*♯$_3$› se substituant
à l'imitation de ‹*do*♭$_4$ *si*♭$_4$ *la*♭$_4$ *sol*♮$_5$›. Les deux ténors rejoignent
ici les basses sur « *Schmerzen* », mais avec une ligne mélodique
différente, entièrement affranchie du modèle : l'intention est de
donner une certaine épaisseur harmonique à la voix inférieure.

3) Le premier énoncé de la voix d'alto, rythmiquement conforme
au modèle (à ceci près que la levée est en noires, comme
aux sopranos), et dont la ligne mélodique varie celle des
ténors – *cf.* en particulier le dessin ‹(*mi*♮$_4$) *sol*♮$_4$ *si*♭$_4$ (*la*♭$_4$) *ré*♮$_4$› –,
est imité rythmiquement par les cors, les deux noires initiales
devenant simplement ♩♪ ; sur le plan des hauteurs, cette imitation est très libre, mais la similitude est évidente entre, d'une
part, ‹*la*♭$_4$ *ré*♮$_4$ *sol*♭$_4$› et ‹*sol*♯$_4$ *ré*♮$_5$ *fa*♯$_4$› (les notes sont les mêmes,

---

171 Ici encore, un unique détail est modifié : *do*♭ au lieu de *do*♮ sur » *an (deinem)* ».

seule la direction de la quinte diminuée est inversée : ‹sol♯₄ ré♮₅› au lieu de ‹la♭₄ ré♮₄›), et d'autre part les dessins chromatiques ‹sol♭₄ fa♮₄ mi♮₄ mi♭₄› et ‹fa♯₄ sol♮₄ fa♮₄ mi♮₄›. Autre détail significatif : comme dans la première imitation (basses/ténors), le rythme, aux cors comme aux altos, s'inscrit ici, non dans un 6/4, mais dans un 3/2.

4) Le second énoncé des sopranos est une nouvelle imitation, stricte cette fois, du texte initial des basses, à la tierce mineure (plus deux octaves) ; seule la fin de la ligne (sur les trois dernières syllabes) est variée. Les altos se joignent à cette voix supérieure selon un schéma analogue à celui qui est utilisé pour les voix graves : le mouvement mélodique s'y affranchit totalement du modèle, en se faisant entièrement conjoint, et même en bonne partie chromatique.

À la question de savoir quelle logique sous-tend la réécriture mélodique dont font l'objet les énoncés successifs, la réponse est : ici encore une logique harmonique. Car si le jeu des imitations consacre le primat de la dimension horizontale sur la dimension verticale, le compositeur n'en continue pas moins d'exercer sur cette dernière, de façon empirique, un contrôle aigu. Alors même qu'aucune configuration harmonique bien claire ne ressort de l'entrelacs des voix, tout le passage baigne dans un vague *ré* mineur, avec des glissements incessants d'un degré à l'autre (I, II, IV, V, VI) ; des appoggiatures se mêlent, de surcroît, aux sonorités classées, qu'achève de brouiller le halo dont l'orchestre les enveloppe. Les inflexions chromatiques (par attraction) sont omniprésentes, et le mot « *Wunde* », dans un tel contexte, ne peut pas ne pas faire penser à *Tristan* (auquel fait déjà référence, dans la 2ᵉ scène, l'épisode de la coupe que la Femme tend à l'Homme). Le ton de *ré* mineur est suggéré par le modèle lui-même, où s'entend au départ, « entre les lignes », un accord de 9ᵉ mineure sur *la*♮ (le *ré*♮₃ initial puis le *fa*♮₃, ainsi que le *la*♭₃ aux ténors, sont, dans ce cas, des appoggiatures), et si une forme de résolution s'effectue bien dans la voix supérieure avec le mouvement ‹la♮₄ ré♮₄ fa♮₄› (*la*♮ en levée du *ré*♮), les basses « évitent » la cadence en orientant l'harmonie dans une autre direction, qui reste incertaine (comment entendre la structure de tons entiers ‹ré♭₃ mi♭₃ sol♮₃› sur le 1ᵉʳ temps ?). Le même accord de 9ᵉ mineure sur *la*♮ se dessine, dans un premier temps, au sein des voix de femmes, avec aux altos le dessin de tierces mineures, on ne peut plus explicite, ‹*mi*♮$_4$ *sol*♮$_4$ *si*♭$_4$›, mais un décalage se produit aussitôt du fait que dans la voix supérieure les valeurs rythmiques sont dédoublées. Pourtant, la partie de cor semble bien, ensuite, résolument dirigée vers ce *ré*♮$_5$ qui, de façon significative, est atteint – à l'inverse de celui de la voix d'alto – par un intervalle *ascendant* de quinte augmentée, avec cette ambiguïté supplémentaire que l'on peut entendre *ré* mineur, avec *sol*♭ comme appoggiature du *fa*♮, mais tout aussi bien *ré* majeur, en écrivant ‹*fa*♯$_4$ *mi*♯$_4$ *la*♮$_4$›[172].

L'écriture de *Friede auf Erden*, une nouvelle fois évoquée, est ici entièrement absorbée par le milieu sonore que gouverne l'échelle dodécatonique, au point que, du passé tonal, ne subsistent plus que des traces fugitives, presque insaisissables : version grandiose du « *O alter Duft aus Märchenzeit* » de *Pierrot lunaire*. Mais ces effluves, dans *La Main heureuse*, n'ont rien à voir avec le « vieux parfum vaporisé » aux vertus enivrantes, ni avec un « désir enfin réalisé » : le charme du spleen n'est en rien brisé. Les « joies longtemps méprisées » dont parle le texte allemand de *Pierrot lunaire* ne sont évoquées par les voix du « drame avec musique » que comme une richesse dont ne jouit pas celui qui la possède : faute de sentir cette joie (*Freude*) qui est « en son âme », comme le chante avec une certaine emphase le 1er ténor au terme de toute la séquence, l'Homme n'est en fin de compte, devant les douze regards tournés vers lui, qu'une créature tourmentée, dont la quête ne connaît pas de répit – objet de pitié et de désolation.

Comparée à celle des réalisations ultérieures où, au moyen de la série, un principe d'organisation rationnel de l'espace « atonal » régira le traitement des hauteurs, l'écriture harmonique et mélodique de *La Main heureuse* a ceci de remarquable – on le voit dès le brouillon des premières mesures – que le compositeur y jongle en équilibriste avec des amorces de lois d'organisation adaptées au nouvel univers musical et des vestiges de l'ordre ancien.

---

172 Commentant un article de Herbert Buchanan où est analysée la citation dans *Erwartung* d'un lied de la période tonale de Schönberg, *Am Wegrand* (op. 6 n° 6), Michael Cherlin a mis l'accent sur la fréquence avec laquelle, dans les œuvres atonales du compositeur, de « fugaces réminiscences tonales » (*evanescent recollections of tonality*) imprègnent la texture musicale (le musicologue parle également d'« *evanescent tonal centers* ») – voir « Schoenberg and Das Unheimliche : Spectres of Tonality », *The Journal of Musicology*, 11/3, 1993, p. 363 *sq.* et p. 369, ainsi que Herbert Buchanan, « A Key to Schoenberg's "Erwartung" (op. 17) », *Journal of the American Musicological Society*, 20/3, 1967, p. 434-449.

On a volontiers fait valoir que la sécurité offerte par la « méthode de composition avec douze notes » allait aussi priver Schönberg de cette spontanéité de l'invention qui lui apparaissait, autour de 1910, comme une qualité particulièrement précieuse. C'est le sens de la critique qu'Adorno a formulée dans sa *Philosophie der neuen Musik* à l'égard de la technique dodécaphonique, et c'est également ce qui, au début des années 1950, conduira Boulez à se doter, pour la préparation du matériau, d'une autre technique – celle de la « multiplication d'accords » –, qui ne restreigne pas, dans son principe, la liberté d'action dans le maniement des hauteurs. Mais les années durant lesquelles a marqué le pas la gestation de *La Main heureuse* ne sont pas seulement celles où Schönberg, confiant au départ dans l'élan d'*Erwartung*, s'est trouvé placé ainsi « à la croisée des chemins » : le « drame avec musique » marque aussi le moment où se met en place, en relation étroite avec le sujet traité, une nouvelle tension dialectique entre dissonance et consonance (la première, réellement « émancipée », cessant d'être subordonnée à la seconde au sein d'un système de relations bien réglé) – tension (interaction) que l'une des missions de la technique sérielle sera d'articuler avec précision.

DER WUNSCH DES LIEBHABERS, OU : L'ALLIANCE PARADOXALE DU PENTATONISME ET DE L'ATONALITÉ

> Le bon Dieu est dans les détails.
> (*Der liebe Gott steckt im Detail*)[1]

1. Le choix du poème et du matériau musical

L'une des compositions les plus attachantes de la période où Schönberg a exploré les possibilités de sa « méthode de composition avec douze notes », mise au point en 1921, est sans conteste la dernière des *Quatre Pièces pour chœur mixte* (écrites entre septembre et novembre 1925), *Der Wunsch des Liebhabers* (Le vœu de l'amant), sur un texte du poète chinois Hung-So-Fan (1812-1861), dont Hans Bethge avait proposé une traduction allemande dans son recueil *Die chinesische Flöte*, paru en 1908. Après la *Suite pour piano* op. 25, le *Quintette à vent* op. 26 et la *Suite* pour sept instruments op. 29[2], et avant les *Variations pour orchestre* op. 31, Schönberg revient dans l'opus 27 à une formation pour laquelle il n'avait plus écrit depuis la composition de *Friede auf Erden* en 1907 (si on laisse de côté les parties chorales de *La Main heureuse*), tout comme il renouera peu après, dans l'opus 30, avec le quatuor à cordes. Alors que les deux premiers chœurs mettent en musique des textes dont il est lui-même l'auteur, le choix, pour les deux autres, de poèmes tirés de *Die chinesische Flöte* – « Mond und Menschen » et « Der Wunsch des Liebhabers » – ne peut pas ne pas faire penser à Mahler, qui, dans le *Chant de la terre*, a étroitement

---

1 Aby M. Warburg, *Protokollnotiz über die Eröffnungssitzung vom 25. Nov. 1925 zum Seminar Hamburg Wintersemester 1925/26*, London, The Warburg Institute (cité par Dieter Wuttke dans : *Aby M. Warburgs Methode als Anregung und Aufgabe*, Göttingen, Gratia-Verla, 1978, p. 41).

2 La *Suite* op. 29, commencée en octobre 1924, ne fut terminée qu'en avril 1926. Les *Quatre Pièces pour chœur mixte* op. 27 sont datées respectivement, dans le manuscrit, du 30 septembre (I), du 17 octobre (II), du 16 octobre (III) et du 10 novembre 1925 (IV). Les *Trois Satires* op. 28 (également pour chœur mixte) ont été composées dans la foulée, entre mi-novembre et fin décembre 1925.

associé à son nom celui de Bethge[3]. Ce choix fait écho, à distance, à celui qu'avait déjà fait Webern, dans les années 1910, de mettre en musique trois poèmes du même recueil : en 1914 « Die geheimnisvolle Flöte » (devenu le 2ᵉ des *Lieder* avec piano op. 12), et en 1918 « Die Einsame » et « In der Fremde », qui figurent dans le cahier des *Quatre Lieder* pour voix et ensemble instrumental op. 13.

Der Wunsch des Liebhabers occupe une place à part au sein de l'opus 27 du fait que le chœur n'y chante pas a cappella comme dans les trois autres pièces, mais que lui a été adjoint un quatuor d'instruments, dont la composition est insolite : mandoline, clarinette, violon et violoncelle (ces derniers avec sourdine)[4] ; le choix de la mandoline surtout retient l'attention : l'instrument (que n'utilise pas Webern dans ses propres lieder) ne manque pas d'évoquer ici Mahler, et tout spécialement le *Chant de la terre*, où il joue un rôle important. Ce dernier chœur est en outre, avec ses 81 mesures, plus développé que les précédents : le 1ᵉʳ et le 2ᵉ sont extrêmement brefs – ils comptent respectivement 31 et 24 mesures, et leur tempo est rapide (la noire à 120) –, et *Mond und Menschen* ne doit qu'à son tempo très lent (la noire à 48) d'avoir une durée plus étendue. Enfin, alors que les deux premiers chœurs traitent de questions touchant aux préoccupations les plus intimes du compositeur – en particulier, dans *Du sollst nicht, du mußt* (où est affirmée l'interdiction de toute image visant à représenter l'absolu), le retour à la religion juive[5] –, et que la tonalité du poème de *Mond und Menschen* est très

---

3   Sans le *Lied von der Erde*, le livre de Bethge serait aujourd'hui oublié. Dans une intéressante étude sur la fascination exercée par l'Orient sur de nombreux artistes à Vienne entre 1890 et les années 1920, Zoltan Roman a mis en regard les versions que Richard Dehmel, Hans Heilmann puis Bethge lui-même avaient réalisées de l'un des poèmes choisis par Mahler, « Das Lied vom Kummer », et cette comparaison fait ressortir ce qu'avait d'artificiel la démarche de Bethge, qui est parti, non des textes originaux, mais de diverses traductions déjà existantes (« The Rainbow at Sunset : The Quest for Renewal, and Musico-Poetic Exoticism in the Viennese Orbit from the 1890s to the 1920s », *International Review of the Aesthetics and Sociology of Music*, 39/2, 2008, p. 180-184). Roman cite un propos de Max Brod selon lequel la *Chinesische Lyrik* de Heilmann (parue en 1905), qui a été éclipsée par le recueil de Bethge dont elle est l'une des sources, aurait profondément marqué Kafka (*ibid.*, p. 182, note 42).

4   Ces quatre instruments étaient déjà présents dans la formation de la *Sérénade* op. 24 (écrite entre 1920 et 1923), qui comprenait également un alto, une guitare et une clarinette basse.

5   Voir Laurenz Lütteken, « *Vier Stücke für gemischten Chor* op. 27 », dans : *Arnold Schönberg. Interpretation seiner Werke*, vol. I, *op. cit.*, p. 414.

sombre (la vie erratique des humains y est opposée à la course tran-
quille et imperturbable de la lune dans le ciel), le texte du *Vœu de
l'amant* frappe par son caractère léger, voire insouciant. En voici une
traduction, avec le découpage en strophes adopté par Schönberg :

Strophe I Doux clair de lune sur les pruniers
            Dans la tiédeur de la nuit, fais présent à ma compagne
            De délicieux rêves d'amour dans son sommeil ;

Strophe II Fais en sorte qu'elle rêve de moi,
            Qu'un désir brûlant l'attire vers moi,
            Qu'elle me voie de loin, et qu'avec empressement
            Elle accourre vers moi pour m'embrasser !

Strophe III Elle ne pourra, cependant, arriver jusqu'à moi,
            M'éloignant toujours plus, je disparaîtrai à sa vue,
            Et ainsi elle pleurera, et un désir plus violent,
            Plus brûlant encore, traversera son cœur.

Strophe IV Mais demain à l'aube, elle se hâtera
            De venir à moi, telle une biche,
            Pour me prendre en personne dans ses bras.

Strophe V Et le feu de ses baisers me dira alors
            Si tu as bien répandu dans son sommeil
            Les rêves dont je formais le vœu.

Épilogue Doux clair de lune sur les pruniers !

Dans un texte paru dans les *Musikblätter des Anbruch* en 1928,
Adorno a mis l'accent sur la « grâce lumineuse de la sonorité et
des lignes » qui, écrit-il, se dégage immédiatement du *Vœu de
l'amant*[6]. Ce charme, tout comme l'intérêt très particulier que
présente la pièce du point de vue du rapport au langage – et, par

---

6 « *Der helle Anmut von Klang und Linie ist unmittelbar sinnfällig.* »
  (Theodor W. Adorno, « Schönberg : Chöre op. 27 und op. 28 », dans :
  Gesammelte Schriften, vol. 18, Frankfurt am Main, Suhrkamp, 1984,
  p. 356). Au moment d'écrire ce texte, Adorno avait en main la partition
  des *Chœurs* op. 27 et 28, parue à l'automne 1926, mais aucune exécution de ces œuvres n'avait encore été donnée. On ignore quand eut lieu
  leur création, qui a été longtemps différée en raison des problèmes d'in-
  tonation que devaient surmonter les chanteurs – *cf.* Arnold Schönberg,
  Chorwerke I. Kritischer Bericht zu Band 18A, Teil 2 · Skizzen (Tadeusz
  Okuljar et Dorothee Schubel, éds.), Série B, vol. 18/2, Mainz-Wien,
  Schott-Universal Edition, 1996 [à partir d'ici *SW 18-2*], p. xxvii-xxviii.

là, de la proximité entre composition et théorie[7] –, tiennent pour beaucoup au choix qu'a fait Schönberg de construire à partir de gammes pentatoniques la série de douze notes qui y est utilisée, et de faire ainsi coexister et interagir, au cœur même de la pièce, deux modes d'organisation de l'espace sonore a priori antinomiques : ceux que fondent, d'un côté, l'échelle dodécatonique (*twelve-tone scale*), résultant d'une division de l'octave en 12 demi-tons égaux, et de l'autre l'échelle pentatonique, issue du cycle des quintes, d'où est absent l'intervalle même de seconde mineure. Mahler déjà, en faisant appel dans le *Chant de la terre* au pentatonisme – matériau associé historiquement à des musiques de tradition populaire et à des cultures extra-européennes (à commencer par la musique chinoise)[8] –, n'était motivé que secondairement par la recherche

7 Alors que Richard Kurth, dans un article centré sur *Mond und Menschen*, souligne – sans entrer dans le détail de l'analyse – «*the beautiful serenade-like setting with barcarolle rhythms*», ou encore «*the gentle tenderness of the rhythms and delicacy of the accompanimental textures*», qui font du dernier chœur du recueil une composition propre à «séduire interprètes et publics» («Twelve-Tone Compositional Strategies and Poetic Signification in Schönberg's Vier Stücke für gemischten Chor, op. 27», *Journal of the Arnold Schoenberg Center*, 7, 2005, p. 162), Ethan Haimo met l'accent, lui, sur «l'importance centrale de l'œuvre dans le développement de Schönberg», la présentant comme «l'un de ces bonds en avant dans la pensée (*quantum leaps in thinking*)» qui caractérisent l'évolution du compositeur (*Schoenberg's Serial Odyssey*, Oxford, Oxford University Press, 1990, p. 142).

8 Sur le pentatonisme, voir les travaux de Constantin Brăiloiu, notamment «Sur une mélodie russe», dans : *Musique russe*, Tome II (Pierre Souvtchinski, éd.), Paris, PUF, 1953, p. 329-391, et «Un problème de tonalité (la métabole pentatonique)», dans : *Mélanges d'histoire et d'esthétique musicales offerts à Paul-Marie Masson*, Tome I, Paris, Richard-Massé, 1955, p. 63-75 (repris l'un et l'autre dans *Problèmes d'ethnomusicologie*, textes réunis par Gilbert Rouget, Genève, Minkoff, 1973), ainsi que les deux premiers écrits où la question a été traitée en profondeur : Hermann von Helmholtz, *Die Lehre von den Tonempfindungen als physiologische Grundlage für die Theorie der Musik*, Braunschweig, Friedrich Vieweg und Sohn, 1863 / 3ᵉ édition remaniée et augmentée, 1870 (4/1877) [trad. fr. de la 1ʳᵉ édition : *Théorie physiologique de la musique fondée sur l'étude des sensations auditives*, Paris, Victor Masson, 1868, complétée par un *Appendice* (traduit d'après la 3ᵉ édition), Paris, G. Masson, 1874], et Carl Engel, *The Music of the Most Ancient Nations*, London, John Murray, 1864. À quoi il convient d'ajouter Hugo Riemann, *Folkloristische Tonalitätsstudien. I. Pentatonik und tetrachordale Melodik im schottischen, irischen, walisischen, skandinavischen und spanischen Volksliede und im gregorianischen Gesange*, Leipzig, Breitkopf & Härtel, 1916, ou encore la deuxième des «Conférences de Harvard» (*Harvard Lectures*) de Bartók, dans : *Béla Bartók Essays*, selected and edited by Benjamin Suchoff, London, Faber & Faber, 1976,

de couleurs exotiques : tout en évoquant l'univers lointain d'une Chine imaginaire, les sonorités pentatoniques ont partie liée, chez lui, avec la volonté d'émancipation de la musique savante occidentale et l'affirmation d'une forme de modernité. Dans son livre sur Mahler, Adorno fait à ce propos, de manière frappante, un rapprochement entre l'utilisation qui est faite de l'échelle pentatonique dans le *Chant de la terre* et la technique sérielle :

L'exotisme, dans le *Chant de la terre*, fournit avant tout le principe de construction thématique. Mahler choisit, pour en faire un motif originaire (*Urmotiv*) sous-tendant toute l'œuvre, le groupe de notes critique de l'échelle pentatonique : la succession mélodique de la seconde et de la tierce, c'est-à-dire ce par quoi cette échelle s'écarte de l'échelle diatonique. [...] Avec ses innombrables modifications et transpositions – y compris l'inversion, le rétrograde et l'inversion du rétrograde –, ce motif *la-sol-mi* se situe à mi-chemin entre l'élément thématique et le vocable musical, et il peut être vu, en cela, comme le modèle le plus avancé et le plus prégnant des *Grundgestalten* de la technique dodécaphonique de Schönberg. Comme dans cette dernière, le motif est également rabattu verticalement, par exemple dans l'accord non résolu sur lequel se termine l'œuvre[9].

p. 363-375 ; trad. fr. : Béla Bartók, *Écrits* (Philippe Albèra et Peter Szendy, éds.), Genève, Contrechamps, 2006, p. 297-304. On peut aussi consulter le livre de Jeremy Day-O'Connell *Pentatonicism from the Eighteenth Century to Debussy*, Rochester, University of Rochester Press, 2007, ainsi que son article « Debussy, Pentatonicism, and the Tonal Tradition », *Music Theory Spectrum*, 31/2, 2009, p. 225-261.

9 Th. W. Adorno, *Mahler. Eine musikalische Physiognomik*, p. 292 *sq.* (trad. fr., *Mahler. Une physionomie musicale*, p. 219) ; voir également les remarques du philosophe sur la spécificité de l'utilisation que fait Mahler du pentatonisme (*ibid.*, p. 291 *sq.* ; trad. fr., p. 215 *sq.*). Dans son ouvrage sur le pentatonisme « du XIXᵉ siècle à Debussy » (où n'est pas mentionné *Der Wunsch des Liebhabers*), Jeremy Day-O'Connell souligne le fait que, dans la littérature, n'a généralement été reconnu à l'attirance des compositeurs pour le pentatonisme qu'un caractère « superficiel et anecdotique », et qu'en la jugeant due essentiellement à la recherche d'une couleur exotique, on a négligé « un grand nombre d'exemples dont les motivations sont plus complexes, voire tout à fait différentes » (*Pentatonicism from the Eighteenth Century to Debussy*, p. 1) ; le musicologue souligne, en particulier, le rôle joué par le pentatonisme, au XIXᵉ siècle, en tant que « réaction contre ce qui dut apparaître comme une tendance du chromatisme à verser dans la mièvrerie » (*reaction against what must have seemed the cloying tendencies of chromaticism*) (*ibid.*, p. 4).

En installant le pentatonisme au sein même de la série de douze notes, Schönberg ne ferait ainsi, dans *Le Vœu de l'amant*, que prolonger en la radicalisant la démarche du dernier Mahler. Les lieder déjà mentionnés de Webern, à l'inverse, restent fidèles, sur le plan du langage, à l'idéal de pureté stylistique cultivé par le compositeur : l'écriture y est strictement « atonale », au sens où la *twelve-tone scale* y est établie comme unique échelle de référence, même si l'on on a pu déceler dans *Die Einsame* des tournures mélodiques rappelant, très discrètement, le deuxième lied du *Chant de la terre*, *Der Einsame im Herbst*[10].

2.1 Construction de la série et choix de l'inversion

Dans un projet de préface, non publié, à la partition des *Chœurs* op. 27 et op. 28, Schönberg dit sa conviction d'avoir définitivement établi, avec ces nouvelles œuvres, la validité de sa technique de composition fondée sur l'utilisation de ce qu'il nomme la « *Grundgestalt* », cette « suite de notes mûrement réfléchie en fonction du but à atteindre » (*zweckgemäss durchdachte Reihenfolge*) destinée à garantir l'unité d'une composition donnée, et dont la mission est d'instaurer un « rapport logique » (*ein logisches Verhältnis*) entre les douze notes de l'échelle chromatique[11]. Pour saisir les enjeux musicaux qu'impliquent, de ce point de vue, les choix effectués par Schönberg dans *Le Vœu de l'amant*, il nous faut examiner la structure interne de la série qui y est utilisée, et dégager les propriétés qui en découlent[12]. La forme première (P1) [exemple 1, portée supérieure] est constituée de deux segments de cinq notes (α, β) qui se ramènent à deux collections pentatoniques, x et y (où x correspond, comme dans *Voiles* de Debussy – ou, déjà, dans les premières mesures de *Printemps* –, aux touches noires du piano) [exemple 2], lesquelles s'étendent à des collections heptatoniques (diatoniques) si l'on ajoute les deux notes centrales (γ), qu'il faudrait écrire *fa♭ do♭* dans le cas de x (*fa♭ sol♭ la♭ si♭ do♭ ré♭ mi♭*) : x et y correspondent en effet à deux segments contigus, symétriques en eux-mêmes et l'un par rapport à l'autre, du cycle des

10 Voir Z. Roman, « The Rainbow at Sunset », p. 219-226.
11 *SW 18-2*, p. xxxvi-xxxvii, et *Stile herrschen, Gedanken siegen*, p. 387 sq.
12 Voir déjà, à ce sujet, E. Haimo, *Schoenberg's Serial Odyssey*, p. 142 sq.

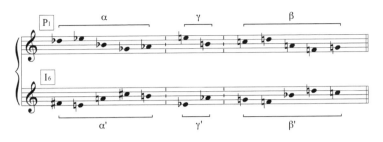

EXEMPLE 1
Der Wunsch des Liebhabers, série (formes utilisées dans l'œuvre)

EXEMPLE 2
Collections pentatoniques qu'ordonne la série

EXEMPLE 3
Segments correspondants du cycle des quintes

quintes [exemple 3]. Il découle de cette homologie de structure entre les deux éléments que la collection *y* peut être vue à la fois comme une transposition (au demi-ton inférieur) et comme une inversion (transposée à la tierce mineure) de *x*. L'ordre des notes choisi par le compositeur met en avant, partant de là, la première de ces propriétés, celle de l'équivalence par transposition : dans α comme dans β, il fait précéder ce que Riemann a proposé d'appeler le *pycnon*, c'est-à-dire le segment de trois notes formé de deux tons consécutifs[13], du segment formé par les deux notes complémentaires – appartenant à l'autre gamme par tons –, tout en opérant au sein de ces deux éléments constitutifs une même permutation

---

13 Voir H. Riemann, *Folkloristische Tonalitätsstudien I*, p. 5, ainsi que C. Brăiloiu, « Sur une mélodie russe », p. 334 et « Un problème de tonalité », p. 64 (*Problèmes d'ethnomusicologie*, p. 348 et p. 410).

interne, d'où il résulte que β est, au sein même de la série, la transposition de α un demi-ton plus bas[14].

Cette forme P1 est couplée, comme toujours chez Schönberg, avec une inversion : en l'occurrence, ici, l'inversion transposée à la quarte, I6 [exemple 1, portée inférieure]. Contrairement à la règle qu'applique d'ordinaire le compositeur, le choix de cette forme n'obéit pas au principe de ce que Milton Babbitt a nommé *l'hexachordal combinatoriality* : loin d'être complémentaires, les hexacordes de P1 et de I6 ont en commun, dans un cas (α et α') deux notes (*ré*♭ = *do*♯ et *sol*♭ = *fa*♯), et dans l'autre (β et β'), plus nettement encore, quatre notes (*do*♮, *ré*♮, *fa*♮ et *sol*♮). Il résulte de cette décision que le rétrograde de β' est identique à β à une note près, *si*♭ se substituant, au centre, à *la*♮ (*si*♭ est, notons-le, la note centrale de α, et la dyade *la*♮-*si*♭ est précisément le centre de symétrie autour duquel s'inversent les deux formes). Précisons dès maintenant que seules ces deux formes (quatre avec les rétrogrades) seront utilisées dans toute la pièce.

La volonté de ne pas appliquer ici le principe de la complémentarité des hexacordes est délibérée, puisque la structure de la série permettait cette application : à P1 serait alors couplée l'inversion I2 [exemple 4].

Les deux premières mesures de la pièce, purement instrumentales, permettent de se faire une idée de l'intention qui a présidé à un tel choix. Comme il a coutume de le faire, Schönberg fait coïncider l'unité syntaxique que constitue cette entrée en matière avec la présentation et la mise en relation des deux formes de base de la série, en l'occurrence P1 et I6, qui sont déroulées l'une à la suite de l'autre, ce qui donne naissance à une « mini-période » (antécédent-conséquent). Plus précisément, à P1 s'enchaîne le *rétrograde* de I6, RI6. Structurellement, la symétrie est donc double : la deuxième mesure présente, à l'envers, l'image en miroir de la première. Cette double symétrie, cependant, n'est mise en évidence ni par le rythme, ni par le timbre (la succession clarinette-violon n'est pas inversée), ni surtout par le dessin mélodique : si β est, logiquement, exposé comme la transposition de α, β' est donné à entendre, non

---

14 Cette propriété de la série du *Vœu de l'amant* annonce celle de la « série miracle » du *Psaume moderne* (op. 50c) sur laquelle mettra précisément l'accent Schönberg : c'est là le rétrograde du second hexacorde tout entier qui est l'exacte transposition du premier une seconde majeure plus bas (voir *supra*, p. 46 et l'exemple 9).

EXEMPLE 4

Couplage de P1 avec la forme complémentaire I2

comme l'image inversée, mais, par un effet de « trompe-l'oreille », comme une variante mélodique de β[15], suivie de sa propre transposition un demi-ton plus bas (α') : c'est, du même coup, le conséquent tout entier qui est entendu comme la transposition légèrement variée, un demi-ton plus bas, de l'antécédent[16] [exemple 5, portée supérieure]. Une formulation mélodique strictement symétrique – c'est-à-dire une stricte inversion des intervalles – aurait suffi à expliciter la relation P/RI [exemple 4, portée inférieure]. C'est là, du reste, la présentation que Schönberg a lui-même adoptée dans son tableau des quatre formes utilisées dans l'œuvre, où sont inventoriés, à l'aide de couleurs différentes, les parcours possibles permettant d'en combiner entre eux les éléments[17] [illustration 1].

15 Haimo emploie, en anglais, le terme de « *variation* » (*Schoenberg's Serial Odyssey*, p. 142 *sq.*). « Variante » est, en français, plus juste, étant donné que la modification s'accomplit dans le matériau lui-même, et non au sein d'un processus interne à la composition.

16 Dans un article traitant de l'usage que Schönberg fait de la symétrie dans *Moses und Aron*, Michael Cherlin a souligné la difficulté qu'il y a généralement à percevoir ce qu'il nomme des « miroirs palindromiques » (*palindromic mirrors*), du fait que « de telles structures présentent souvent d'autres aspects qu'il est plus facile de reconnaître [...] dans le temps de l'expérience (*in experiential time*) », à commencer par la simple transposition (« Dramaturgy and Mirror Imagery in Schönberg' Moses and Aron : Two Paradigmatic Interval Palindromes », *Perspectives of New Music*, 29/2, 1991, p. 53 et p. 56).

17 ASC, Ms. 548ᵛ. Ce document est reproduit et transcrit dans *SW 18-2*, p. ix et p. 51. Schönberg note ici les deux pentacordes sous la forme de l'*idée mélodique* par laquelle la série se concrétise d'entrée de jeu dans l'introduction instrumentale. La présentation plus resserrée que j'ai adoptée dans l'exemple 1 est, nous le verrons, celle qui fait référence dans la partie de chœur. Son profil ne laisse pas d'évoquer le thème associé aux Filles du Rhin, tel qu'il apparaît au début de *L'Or du Rhin* – chanté la première fois par Woglinde –, et qui réapparaît à la toute fin du *Crépuscule des dieux*.

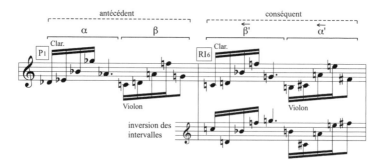

EXEMPLE 5
Der Wunsch des Liebhabers, mes. 1-2, ligne mélodique écrite et inversion réelle

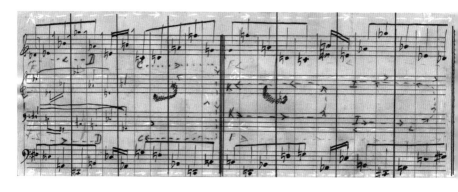

ILLUSTRATION 1
Der Wunsch des Liebhabers, tableau des formes sérielles (ASC, Ms. 548ᵛ)
© Copyright 1926, 1953 by Universal Edition A.G., Wien

Dans une note manuscrite collée sous le texte du poème, à côté du tableau qui vient d'être mentionné, le compositeur insiste sur ce qu'il dit avoir été dans cette pièce «le principe de son travail», à savoir l'idée d'agencer les douze notes en sorte qu'un rapport précis s'établisse, non seulement, comme d'ordinaire, entre la série tout entière et son inversion, son rétrograde et l'inversion de ce dernier, mais, à l'intérieur même de la série, entre deux pentacordes de même structure, de façon à créer entre les éléments un lien (*Zusammenhang*) plus étroit, d'une nature particulière[18]. Or, une page du dossier de genèse (Ms. 551) contient toute une série d'esquisses préparatoires qui révèlent qu'à l'origine, si étrange que

---

18 Voir une transcription de ce texte, difficilement lisible par endroits, dans *SW 18-2*, p. 4 *sq.*

EXEMPLE 6
Der Wunsch des Liebhabers, formes sérielles abandonnées
(transcription d'esquisses, Ms. 551, portées 2 et 5)

cela puisse paraître après coup, Schönberg n'envisageait pas d'atteindre ce but au moyen de la collection pentatonique proprement dite, et que la forme définitive de la série n'a même été mise au point qu'au terme de nombreux tâtonnements[19] [illustration 2].

Parmi les options qu'a au départ envisagées puis barrées le compositeur, figurent deux séries symétriques (de type P = RI, ou *RI-symmetrical*), et dans les deux cas la forme première a bien été couplée avec l'inversion contenant les hexacordes complémentaires (portées 2 et 5) [exemple 6 a/b] ; l'axe de symétrie entre les hexacordes et entre les deux formes est déjà, notons-le, la dyade *la♮-si♭*, placée ici au centre de la série.

Les collections auxquelles se ramènent les hexacordes consistent, dans le premier cas, en un segment chromatique entouré de deux secondes majeures $(0,2,3,4,5,7)$[20] [exemple 7a], dans le second cas en

19 La série finalement mise au point n'apparaît qu'au bas de la page (au centre). Que soient requis des groupes de *cinq* notes est probablement lié au fait que les vers du poème comptent le plus souvent dix syllabes : *Süßes Mondlicht auf den Pflaumenbäumen / in der lauen Nacht, schenk meinem Mädchen*, etc.

20 Il s'agit de l'un des six *all-combinatorial source sets* inventoriés par Milton Babbitt (c'est-à-dire les « séries sources » dont les deux hexacordes peuvent être combinés à la fois à leur propre inversion et à leur propre transposition) – *cf.* « Some Aspects of Twelve-Tone Composition », dans : *The Collected Essays of Milton Babbitt*, Stephen Peles (éd.), Princeton-Oxford, Princeton University Press, 2003, p. 42 (1re publication en 1955). Voir également G. Perle, *Serial Composition and Atonality*, p. 130.

ILLUSTRATION 2

Der Wunsch des Liebhabers, esquisses préparatoires relatives à la série (ASC, Ms. 551)

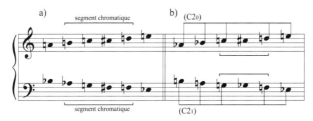

EXEMPLE 7

Collections auxquelles se ramènent les hexacordes des formes de l'exemple 6

EXEMPLE 8

Der Wunsch des Liebhabers, esquisse des mes. 1-2 (Ms. 549), transcription

un segment de cinq notes de l'une des gammes par tons entiers, l'un des intervalles étant rempli chromatiquement (0,2,4,5,6,8) [exemple 7b]. On trouve dans une autre page d'esquisses (Ms. 549) une ébauche de réalisation (barrée elle aussi) correspondant à la première possibilité : de la structure de la série découle qu'en enchaînant les formes P et RI (ce que fait manifestement ici Schönberg) on obtient deux fois la même succession de notes, ce qui fait que la seconde moitié de la mesure (en l'occurrence une mesure à 4/4) est l'exacte duplication de la première [exemple 8]. Il est aisé de voir ce qui a pu amener le compositeur à écarter cette solution, et d'une façon générale à toujours éviter, à la différence de Webern, l'emploi de telles séries symétriques[21].

21 Sur la manière dont Webern met à profit l'emploi de séries du type P = RI (ce qu'il fait dans les op. 28, 29 et 30), voir Jean-Louis Leleu, « Énoncé musical et mode(s) de structuration de l'espace sonore, ou : de la relation composition/cognition dans un fragment de l'opus 28, I de Webern », dans : *La construction de l'Idée musicale, op. cit.,* p. 193-204 (1re publication en 1998).

2.2 Symétries et « trompe-l'oreille »
(analyse de la strophe i)

L'agencement finalement retenu par Schönberg, dans lequel les quatre segments de cinq notes présentent de fortes similitudes entre eux sans être identiques, a le double avantage d'assurer le surcroît d'unité recherché au sein même de la série, tout en permettant une différenciation des énoncés musicaux dans lesquels celle-ci se concrétise. C'est là, nous allons le voir, le ressort intime de toute la pièce. Dès l'entrée du chœur, un rôle déterminant est dévolu, comme dans l'introduction instrumentale, à la relation P/RI : ainsi, l'articulation interne de l'unité correspondant au premier vers (mes. 3-5) est réalisée par le couplage des formes P_1 (dans A_1) et RI_6 (dans A_2) : à β s'enchaîne dans la voix de soprano le rétrograde de β', à α, dans la voix de basse, le rétrograde de α' ; en d'autres termes, chaque voix est en elle-même *RI-symmetrical* [exemple 9]. Ce même dispositif, mettant en jeu une double symétrie (axe de symétrie horizontal pour la relation P/I, vertical pour la relation P/R), est ensuite appliqué aux deux autres vers de la strophe, si bien qu'un même axe de symétrie horizontal (la dyade *la♮-si♭ / mi♭-mi♮*)[22] contrôle, dans les différentes voix, toute la section [exemple 10].

La mise en relation de P et de RI s'effectue, ici encore, dans la succession, chaque forme étant déclinée tout entière *avant* la suivante (les deux formes ne seront superposées qu'une seule fois, à la fin de la pièce)[23]. Dans A_1, par exemple, les sopranos exposent β et les basses, en même temps, α (c'est-à-dire le même pentacorde transposé une septième majeure + une octave plus bas), altos et ténors se partageant γ. Une telle réitération du total chromatique, mesure après mesure, risquerait d'engendrer une forme de grisaille harmonique si une hiérarchie précise n'était soigneusement mise en place entre les voix, l'une d'elles ayant au sein de la strophe le statut de *Hauptstimme* et devant, à ce titre, ressortir distinctement, à la manière dont une figure se détache sur un fond : les sopranos, à qui échoit ce rôle dans la première strophe, chantent *p*, et, au second

---

22 Toute dyade a, rappelons-le, *deux* centres de symétrie possibles à distance de triton : par exemple, *si♭*$_4$ et *sol♯*$_4$ sont symétriques par rapport à *la♮*$_4$, *si♭*$_4$ et *sol♯*$_3$ par rapport à *mi♭*$_4$ – « triton » étant entendu ici comme *interval class* (= *ic* 6) (l'intervalle peut évidemment être redoublé).

23 C'est avant tout le fait que les hexacordes des formes P et I ne soient pas complémentaires qui fait ici obstacle à leur superposition.

EXEMPLE 9

Der Wunsch des Liebhabers, mes. 3-5, combinaison des éléments α, β et γ

EXEMPLE 10

Der Wunsch des Liebhabers, 1ʳᵉ strophe, voix mélodiques,
agencement des pentacordes

plan, les basses (faisant office de *Nebenstimme*) pp[24]; les deux voix, par ailleurs, ne s'inscrivent pas dans la mesure de façon identique : les sopranos sont en 6/8, les basses notées en 3/4 (sauf aux mes. 8 et 10, où ce rapport s'inverse). La différence des registres contribue également, dans cette 1re strophe, à la clarté de la disposition : une à deux octaves séparent les deux voix, tandis que dans le médium altos et ténors, en homorythmie, se partagent les deux notes centrales de la série sous la forme d'une pédale, dans laquelle la déclamation du texte s'effectue *recto tono*. Cet étagement se retrouve dans le quatuor instrumental, dont la fonction est de créer un riche décor sonore, à la manière d'enluminures : la clarinette et le violon (tous deux *legato*) déroulent leurs figures volubiles – où est à la fois démultiplié et brodé le pentacorde β – dans le même registre que les sopranos, avec une projection vers l'aigu (jusqu'au *ré*♮$_6$) ; à l'opposé, les pizzicati «très brefs mais sonores» du violoncelle, qui tirent leur substance de α, s'inscrivent dans la même bande de fréquence que les basses, avec une légère extension de la tessiture : jusqu'au *sol*♭$_4$ dans l'aigu, jusqu'au *ré*♭$_2$ dans le grave ; la mandoline, enfin, est à l'unisson des parties médianes[25] [exemple 11].

Reste à voir comment se concrétise musicalement la double symétrie qu'induit, dans la strophe, le couplage des formes P et RI, et quelle est sa pertinence sur le plan de l'écoute. Pour se rendre compte de la manière dont se marque dans le phénomène sonore la relation entre P1 et l'inversion I6, il suffit de rabattre, à l'intérieur de chaque unité, le second segment sur le premier [exemple 12] : on voit alors que sur les quinze dyades qui se forment, à l'intérieur de la strophe, dans la voix principale (celle des sopranos), onze ont pour centre de symétrie *la*♮$_4$-*si*♭$_4$, trois autres *mi*♭$_5$-*mi*♮$_5$, et une seule *mi*♭$_4$-*mi*♮$_4$: la règle est donc l'inversion autour d'un même axe, l'exception l'écart, toujours investi d'une valeur expressive, et sans lequel, il est facile de s'en convaincre, l'application du procédé prendrait un caractère mécanique. La fonction première de la série est d'assurer, par cette permanence d'un axe de symétrie bien défini – dont le rôle est équivalent à

---

24 Voix principale (H) et voix secondaire (N) sont attribuées à un couple différent dans chaque strophe : ténors (H) et sopranos (N) dans la strophe II, altos (H) et ténors (N) dans la strophe III, sopranos (H) et altos (N) dans la strophe IV, basses (H) et ténors (N) dans la strophe V.

25 Haimo insiste sur le fait que, dans les parties instrumentales, les pentacordes ne sont plus traités comme des «suites de classes de hauteurs ordonnées» (*as an ordered series of pitch classes*), mais comme des «unités harmoniques» (*harmonic units*) (*Schoenberg's Serial Odyssey*, p. 144).

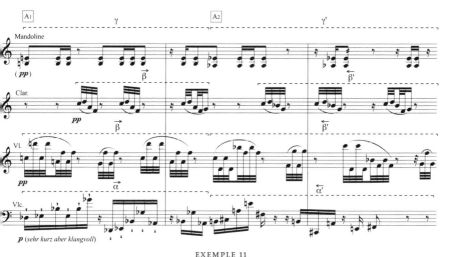

EXEMPLE 11
Der Wunsch des Liebhabers, mes. 3-5,
quatuor instrumental, agencement sériel

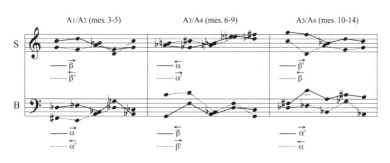

EXEMPLE 12
Der Wunsch des Liebhabers, mes. 3-14,
symétrie des pentacordes (hauteurs réelles)

celui d'un centre tonal[26] –, l'unité et la cohésion interne de la phrase musicale, en même temps que son usage permet de contrôler de manière fine les relations de hauteurs opérées dans ce cadre[27].

26 Voir à ce sujet David Lewin, «Inversional Balance as an Organizing Force in Schoenberg's Music and Thought», *Perspectives of New Music*, 6/2, 1968, p. 1-21.

27 La *Hauptstimme* du «thème» des *Variations pour orchestre* op. 31 sera agencée exactement selon le même principe. Notons que ce jeu dialectique entre une symétrie globale et les irrégularités créées, dans le détail, par des entorses locales faites à cette symétrie est loin d'être propre aux musiciens de l'École de Vienne, même si la méthode de composition sérielle l'a fait venir au premier plan. Dans sa monographie sur la sculpture de Moissac,

Toutefois, si l'efficience de ce principe, sur le plan structurel, est indiscutable, l'effet de «trompe-l'oreille» dont il a été question à propos de l'introduction instrumentale continue de valoir pour le chœur en ce sens que le second élément de chaque unité (A1/A2, A3/A4, A5/A6) tend à être saisi dans l'écoute comme une variante du premier, et non, au sein d'un jeu de miroirs complexe, comme la présentation rétrograde de son inversion autour de l'axe défini par la dyade *la♮-si♭*. Ainsi, dans la voix principale, le rétrograde de β' (A2) est entendu, non comme l'inversion transposée à la quarte et déroulée à l'envers de β (A1) – qu'il est structurellement –, mais comme une duplication variée de ce premier élément, dans laquelle le *si♭4* se substitue au *la♮4*, tandis que le *ré5* est, lui, baissé d'une octave (*ré4*), et que les valeurs rythmiques s'inversent (les longues devenant brèves et vice versa).

La même remarque vaut également pour les deux unités suivantes[28]. L'articulation de la phrase musicale, cependant, contredit ici de manière plus profonde le dispositif impliquant les formes P et RI. Aux mes. 6-7 (A3), dans lesquelles se prolonge l'invocation au clair de lune qui forme le premier membre de phrase du poème (*Süßes Mondlicht auf den Pflaumenbäumen / in der lauen Nacht*), la ligne mélodique des sopranos (α^retr) est en effet, de manière franche, rattachée par l'écriture à ce qui précède: elle fait écho, par le rythme, à A1, et sonne mélodiquement comme le rétrograde varié, à la fois

Meyer Schapiro a ainsi attiré l'attention sur le rôle essentiel que joue ce principe dans l'agencement du tympan de l'abbatiale (réalisé sans doute entre 1115 et 1130), montrant que sa symétrie d'ensemble «intègre des irrégularités manifestement voulues, mais qui n'apparaissent qu'à un examen attentif (*which are manifestly planned, but not apparent without close examination*)», ces écarts délibérés par rapport à la stricte application de la règle produisant, souligne-t-il, des «contrastes expressifs et des coupures propres à éveiller l'intérêt (*exciting interruptions*) au sein de l'animation incessante du tympan considéré dans son tout» (Meyer Schapiro, *The Sculpture of Moissac*, New York, George Braziller, 1985, p. 80; trad. fr.: *La sculpture de Moissac*, Paris, Flammarion, 1987, p. 80 [traduction modifiée]). Ce tympan est du reste comparable à une vaste composition contrapuntique.

28 Dans la voix de basse, en particulier, les segments A3 et A4 sont étroitement liés entre eux: plus explicitement encore qu'aux sopranos dans l'unité précédente, l'enchaînement de β et de β' y donne lieu à un phénomène de duplication variée, où le second terme acquiert, du fait de l'octaviation des deux dernières notes (‹ré♮4 do♮4› au lieu de ‹ré♮3 do♮3›), une intensité expressive nettement accrue. C'est la recherche de cet effet qui explique la neutralisation, à cet endroit, du jeu de miroir que devrait engendrer le couplage des formes P/RI (voir la note 16).

de β (indirectement), mais surtout de β' (A2), transposé un demi-
ton plus haut – et dans cette transposition s'opère la modulation,
déterminante, du premier couple de pentacordes – {fa♮ sol♮ la♮ do♮
$ré$♮} et symétriquement {$ré$♮ do♮ si♭ sol♮ fa♮} – au second: {sol♭ la♭ si♭
$ré$♭ mi♭} et symétriquement {do♯ si♮ la♮ fa♯ mi♮}. Une nette césure,
correspondant à la découpe du vers, sépare ensuite A3 et A4, et
le choix que fait Schönberg de dérouler, à la faveur de l'enjambement (*Schenk meinem Mädchen / holde Liebesträume*), la forme I6
tout entière, a pour résultat que c'est ici le rapport de transposition, exact cette fois, entre A4 (α') et A5 (β') qui structure l'énoncé,
avec l'attaque dans l'aigu du fa♯$_5$ (A4) puis du sol_5 (A5), avant que
revienne la transposition (la collection pentatonique) de départ. Le
dernier segment A6 s'enchaîne alors au précédent comme A2 s'en-
chaînait à A1 au début de la strophe, et on le perçoit clairement, à
distance, comme le rétrograde de A1, le $ré_4$ de la mes. 13 faisant écho
à celui de la mes. 4. Le retour dans le médium, accentué par ce $ré_4$,
ainsi que la régularité rythmique et la généralisation des valeurs
longues, tout contribue à donner à A6 un caractère de résolution.

En résumé, l'énoncé musical doit ici son articulation interne au
croisement de deux dispositifs agissant sur des plans différents:
celui que fonde, de manière sous-jacente, le couplage des formes
symétriques (3×2), et celui qui consiste à faire suivre une unité
dans laquelle un segment est déjà dupliqué – sous une forme variée
(A2) ou transposée (A5) – d'un élément à caractère suspensif ou
conclusif où entre en jeu le sens rétrograde, le membre de phrase
s'articulant alors en trois temps: $3+3=2\times[2+1]$. Le schéma syntaxique de référence est (en miniature), dans le premier cas celui
de la période (antécédent-conséquent), dans le second cas celui de
la forme Bar (AAB: *Stollen* 1 et 2 + *Abgesang*)[29].

Une autre variable joue un rôle important dans l'écriture chorale
du *Vœu de l'amant*: la façon dont s'inscrivent et se distribuent *dans
le registre* les deux éléments constitutifs de la gamme – ou du «système[30]» – pentatonique. Étant donné la tessiture des sopranos, le
pycnon se place en quelque sorte de lui-même dans le médium: {sol♭$_4$
la♭$_4$ si♭$_4$} (α$_1$) / {fa_4 sol_4 la_4} (β$_1$) pour α et β, et symétriquement {do♯$_5$
si_4 la_4} (α'$_1$) / {$ré_5$ do_5 si♭$_4$} (β'$_1$) pour α' et β' [exemple 13a]. Quatre fois

---

29 Sur la *Barform*, voir *supra*, p. 83 (et la note 117).
30 Sur l'emploi de ce terme, voir C. Brăiloiu, «Sur une mélodie russe»,
    p. 342 et «Un problème de tonalité», p. 63 *sq.* (*Problèmes d'ethnomusico-
    logie*, p. 356 et p. 409 *sq.*).

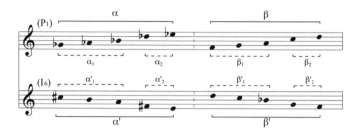

EXEMPLE 13A

Der Wunsch des Liebhabers, registration de référence des pentacordes

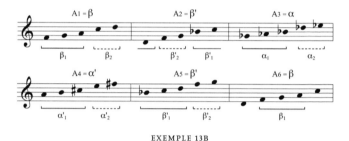

EXEMPLE 13B

Der Wunsch des Liebhabers, 1re strophe, registration de la voix de soprano

sur six, dans la voix de soprano, le pentacorde tout entier est présenté sous sa forme la plus resserrée (à l'intérieur d'une sixte majeure). Mais au lieu que, dans le cas de I6, la disposition initiale, où le pycnon est établi au bas de la gamme – {*fa*$_4$ *sol*$_4$ *la*$_4$ *do*$_5$ *ré*$_5$} dans A1 et {*sol*♭$_4$ *la*♭$_4$ *si*♭$_4$ *ré*♭$_5$ *mi*♭$_5$} dans A3 –, soit inversée, c'est cette même disposition qui est adoptée dans A4 – {*la*$_4$ *si*$_4$ *do*♯$_5$ *mi*$_5$ *fa*♯$_5$} = α' – et dans A5 – {*si*♭$_4$ *do*$_5$ *ré*$_5$ *fa*$_5$ *sol*$_5$} = β' –, les deux notes qui complètent le pycnon, α'$_2$ et β'$_2$, étant, contre la symétrie, haussées d'une octave ; là encore, la transposition se substitue à l'image en miroir [exemple 13b]. La progression vers l'aigu amorcée dans A3 s'affirme ainsi dans A4 et A5, ce que souligne, à la jonction de A3 et de A4, le saut de quarte ‹*ré*♭$_5$ *fa*♯$_5$ (*mi*♮$_5$)› sur lequel renchérit ensuite la sixte mineure ‹*si*♮$_4$ *sol*$_5$ (*fa*♮$_5$)›. Dans A6, le déplacement du *ré* (analogue à celui de A2) entraîne une présentation symétrique de la gamme – le pycnon étant encadré par deux tierces mineures (à l'intérieur d'un intervalle de septième mineure) –, ce qui est le modèle préconisé par Riemann[31]. Cette disposition équilibrée, dans le registre médium (avec au sommet *do*$_5$), contribue beaucoup à l'effet de résolution des tensions.

31 H. Riemann, *Folkloristische Tonalitätsstudien*, p. 2 sq.

3. La forme strophique :
Variations sur un même agencement

Deux pages d'esquisses, les Ms. 549 et 550, montrent qu'après avoir mis au point la série Schönberg a commencé par rédiger le texte de la voix principale tel qu'il se déroule, passant d'un pupitre à l'autre, au fil des cinq strophes, jusqu'au canon où est chantée la reprise du vers initial[32]. Un relevé des suites de pentacordes qui y sont mises en place fait apparaître deux règles d'agencement [tableau 1].

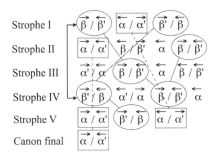

TABLEAU 1
Der Wunsch des Liebhabers,
succession des pentacordes (voix principale)

D'une part, la logique qui vient d'être décrite pour la 1ʳᵉ strophe vaut pour toute la pièce : toutes les unités (à l'exception de la dernière unité de la 3ᵉ strophe, sur laquelle nous reviendrons) consistent en un couple de type P/RI, et dans chaque strophe alternent des couples de pentacordes α et β ; dans les trois strophes centrales, un pentacorde isolé, rendu nécessaire par la longueur du texte, complète la ligne[33]. D'autre part, si un même couple de pentacordes peut très bien apparaître plusieurs fois, les éléments sont toujours,

---

32 Voir la transcription de ces deux documents dans *SW 18-2*, p. 60 et p. 62. Sur le Ms. 549 est noté, parmi d'autres esquisses, le texte des sopranos (1ʳᵉ strophe) puis celui des ténors (2ᵉ strophe) ; le Ms. 550, lui, est entièrement dédié à la rédaction de la *Hauptstimme*, telle que l'énoncent ensuite les altos (3ᵉ strophe), les sopranos de nouveau (4ᵉ strophe) et les basses (5ᵉ strophe) – à quoi s'ajoute la partie de sopranos du canon final.

33 Le chant est, en principe, syllabique. Lorsque le vers comporte une ou deux syllabes supplémentaires, il suffit de répéter une ou deux notes. Si le texte est plus long, un pentacorde est ajouté, quitte à ce que certaines syllabes soient alors traitées de façon mélismatique (c'est le cas surtout dans la 4ᵉ strophe).

au sein de la strophe, *montés* différemment, si bien qu'aucune suite ne se répète.

Pour bien saisir comment s'affine et se concrétise, à partir de là, ce jeu du même et du différent, il est éclairant de comparer d'abord entre elles la première strophe et la quatrième (D), qui marque le début d'une seconde partie : on y passe du vœu proprement dit à la vision de la scène qui devrait s'ensuivre s'il est exaucé. La relation entre les deux strophes se marque d'emblée par le fait que la voix principale est de nouveau confiée dans D aux sopranos, couplés cette fois avec les altos. Elle est explicitée, en outre, par le retour des couples de formes sérielles initiaux, répartis de la même façon entre les deux voix, mais énoncés à l'envers – à I6 s'enchaîne ainsi, dans la 1re unité (D1/D2), le rétrograde de P1 –, si bien que la voix principale donne à entendre, sous forme rétrograde, les mêmes couples de pentacordes que dans A1/A2 – et cela vaut également pour les deux unités suivantes (D3/D4 et D5/D6) [exemple 14].

Mais la façon de combiner entre eux les pentacordes entendus simultanément est, quant à elle, modifiée, le sens de déroulement du pentacorde complémentaire, dans la voix secondaire, étant lui-même, au sein de chaque forme, inversé : dans D1 les altos chantent le *rétrograde* de α', suivi, en miroir, de α, etc. Ce nouveau dispositif, mis en place au milieu de la 3e strophe, et qui sera maintenu jusqu'à la fin de la 5e, entraîne une redéfinition des relations harmoniques créées par la superposition des deux voix – changement que rend d'autant plus sensible la proximité qui lie maintenant ces dernières du point de vue du registre et du timbre : des configurations remarquables de tons entiers se détachent ainsi tout au long de la strophe, où dominent le tétracorde (0268) – dès les mes. 45 et 47 : ‹si♮3 do♯4 fa♮4 sol♮4› et ‹la♭3 ré♮4 sol♭4 do♮5›, etc., jusqu'à la mes. 55, ‹do♮4 ré♮4 sol♭4 la♭4› – et le tétracorde (0246) – par exemple, à la mes. 46, ‹do♯4 ré♯4 fa♮4 sol♮4›, et jusqu'à la fin de la strophe : ‹sol♮3 ré♭4 fa♮4 mi♭5› (mes. 56-57) –, tandis qu'à la jonction de ces tétracordes se forment des triades – par exemple, dès la mes. 45, ‹ré♭4 (écrit do♯) fa♮4 si♭4›, etc. – et des structures de quartes, parfois mises nettement en évidence par l'écriture, comme à la mes. 56 : ‹fa♮4 si♭4 mi♭5›. Des liens étroits se tissent également sur le plan mélodique, à la différence de ce qui se passait dans la 1re strophe, entre la voix principale et la voix secondaire : par exemple, la ligne mélodique des altos dans D1 et D2 est identique (une octave plus bas) à celle des sopranos dans D3 et D4.

EXEMPLE 14
Der Wunsch des Liebhabers, 4ᵉ strophe, voix mélodiques,
agencement des pentacordes

EXEMPLE 15
Der Wunsch des Liebhabers, 4ᵉ strophe,
registration de la voix de soprano

La structure du texte entraîne, par ailleurs, une réorganisation interne de la strophe : le premier membre de phrase est étendu à quatre segments (D1 à D4), et la progression vers l'aigu qui, dans A4 et A5, s'accomplissait par la transposition du même dessin mélodique une seconde mineure plus haut est ici réalisée, au sein même de l'unité que forment D5 et D6, par la simple substitution, dans la ligne, de *si*♭5 (D6) à *la*♮5 (D5) [exemple 15].

Il revient à un segment supplémentaire (D7), qui, par son rythme, renvoie explicitement à A6, de boucler la strophe par un nouveau geste cadentiel : comme dans A6, la collection pentatonique y est disposée symétriquement, mais elle est, cette fois, inscrite dans un intervalle de *neuvième majeure*, avec deux *quartes justes* de part et d'autre du pycnon – manière de renchérir sur la disposition antérieure, qui est, quant à elle, adoptée à l'intérieur de la strophe, dans D2 et dans D3. À quoi s'ajoute que dans D6 l'ambitus s'élargit à un intervalle de *dixième*, du *sol*4 au *si*♭5, avec déjà, aux extrémités, deux quartes justes, qui, toutefois, résultent ici d'un éclatement des deux éléments constitutifs du « système » – le *si*♭ du pycnon (β′1) et le *fa* étant tous deux haussés d'une octave. Dans D5 déjà, l'intervalle est agrandi à une neuvième majeure, selon une disposition asymétrique similaire : {*sol*4 *do*5 *ré*5 *fa*5 *la*5} ; la progression s'opère ainsi, non seulement par une extension vers l'aigu, mais aussi par l'élargissement de l'ambitus.

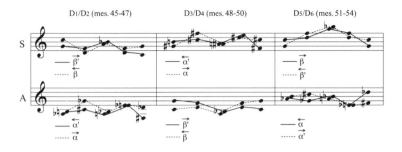

EXEMPLE 16
Der Wunsch des Liebhabers, 4ᵉ strophe,
symétrie des pentacordes (hauteurs réelles)

Le principe de la variation constante s'applique, enfin, à la manière dont se traduit au sein de chaque unité la double symétrie résultant de la mise en relation des formes P1 et I6 (plus leurs rétrogrades) [exemple 16]. Le centre de symétrie est en effet, dans D, plus mobile que dans A, et une progression du grave vers l'aigu se dessine, aussi bien dans la voix secondaire que dans la voix principale, de la première unité (D1/D2) à la troisième (D5/D6) : la dyade faisant office d'axe de référence (par rapport auquel se mesurent les écarts) est, dans D1/D2, *mi*♭4-*mi*♮4 aux sopranos et *la*♭3-*si*♭3 aux altos, dans D3/D4 *la*♮4-*si*♭4 aux sopranos et *mi*♭4-*mi*♮4 aux altos, dans D5/D6 enfin *la*♮4-*si*♭4 aux altos (aux sopranos, l'image en miroir est sacrifiée au « trompe-l'oreille » d'une simple transposition). Paradoxalement, le segment D7, qui reste isolé, peut, lui, être aisément entendu, dans la voix principale, comme l'inversion transposée et variée – en quelque sorte stabilisée – du précédent, avec la même note au centre du pentacorde : *si*♭5 dans D6, *si*♭4 dans D7 ; en même temps, on y perçoit une réminiscence de D1.

Un examen de l'ensemble des strophes montre comment Schönberg y a poussé à ses extrêmes conséquences le principe du « lied strophique varié », en usant de la possibilité qu'offrait l'emploi de la série de contrôler jusque dans le moindre détail le jeu des similitudes et des différences. La deuxième strophe recueille, à titre de *première* variation, un certain nombre d'éléments de la strophe initiale, qui restent aisément repérables bien que transformés [exemple 17].

Ainsi, l'agencement des formes P/I est, de B1 à B4, le même que de A1 à A4, il y a simplement échange entre les voix : les pentacordes successifs de la voix secondaire passent dans la voix principale

EXEMPLE 17

Der Wunsch des Liebhabers, 2ᵉ strophe, voix mélodiques,
agencement des pentacordes

(confiée ici aux ténors) et vice versa (les sopranos, devenant voix secondaire, gardent donc les mêmes notes) ; le profil mélodique de l'une et l'autre voix demeure, lui, inchangé, seul l'intervalle qui connecte entre eux les pentacordes est modifié[34] : dans la voix principale, ‹*sol*♮$_4$ *do*♮$_5$› (quarte juste, mes. 4) devient ‹*sol*♯$_3$ *si*♮$_3$› (tierce mineure, mes. 18) et ‹*ré*♭$_5$ *fa*♯$_5$› (= quarte juste, mes. 7-8) devient ‹*do*♮$_4$ *sol*♮$_4$› (quinte juste, mes. 21-22). À ce couplage des formes de type P/RI se surimpose en outre, comme dans la 1re strophe, un autre découpage, où B$_3$ se trouve rattaché à l'unité formée par B$_1$ et B$_2$ (2 + 1), tandis qu'est réitérée dans ‹B$_4$ B$_5$› la même progression que dans ‹A$_4$ A$_5$› – ce que le compositeur réalise en enchaînant à β' le rétrograde de α (au lieu de α'), car, si l'on maintenait l'enchaînement initial : ‹β' α'› (voir la partie de basses aux mes. 8-11), la ligne baisserait d'intensité. Toutefois – et c'est là une nette divergence avec A –, B$_5$ est ici surnuméraire, et s'enchaîne à lui un nouveau couple P$_1$/RI$_6$, désinentiel, qui porte à quatre (2 + 2) le nombre d'éléments formant la seconde partie de la strophe. Le parallélisme entre A et B se rétablit aussitôt, car les deux formes utilisées pour ‹B$_6$ B$_7$› reprennent à l'envers celles de ‹A$_5$ A$_6$›, ce qui fait que dans les deux strophes la dernière unité renvoie à la première, la reprise étant littérale dans B (β suivi du rétrograde de β') alors qu'elle se fait sous forme rétrograde dans A. Il en résulte que ce que chantent les ténors à la fin de B (mes. 26-28) est, du point de vue des notes, identique à ce que chantaient les sopranos au début de A (mes. 3-6), cependant que la ligne mélodique est variée dans le sens d'une plus grande intensité expressive : ‹*la*♮$_3$ *fa*♮$_4$ *sol*♮$_3$› puis ‹*si*♭$_3$ *fa*♮$_4$ *sol*♮$_3$› (sixte mineure ascendante, puis quinte juste, suivies d'une septième mineure descendante) au lieu du mouvement conjoint ‹*la*♮$_4$ *fa*♮$_4$ *sol*♮$_4$› puis ‹*si*♭$_4$ *fa*♮$_4$ *sol*♮$_4$›. En même temps, le dessin de B$_7$ n'est autre que l'inversion exacte de celui de A$_6$, la même disposition symétrique du pentacorde (où le pycnon est encadré par deux tierces mineures) résultant, cette fois, du déplacement du *fa* vers l'aigu : ‹*sol*♮$_3$ *si*♮$_3$ *do*♮$_4$ *ré*♮$_4$ *fa*♮$_4$› ; ce seul détail donne une idée de la richesse des liens qui se tissent entre les strophes. Il est intéressant de noter que la recherche de telles

---

34 Seule exception, la fin de B$_4$ dans la voix secondaire (mes. 23), pour des raisons qui tiennent à la tessiture des sopranos. Le rythme est, quant à lui, modifié en fonction du texte (les membres de phrase ne comptent pas le même nombre de syllabes que dans A).

EXEMPLE 18

Der Wunsch des Liebhabers, 3ᵉ strophe, voix mélodiques,
agencement des pentacordes

correspondances mélodiques prime, dans la deuxième strophe, sur l'adéquation de la ligne au texte poétique (celui-ci se plie aux contraintes de celle-là).

La 3e strophe, qui marque la fin de la première partie, correspond au tournant du rêve, c'est-à-dire au moment où la jeune fille échoue à rejoindre son amant, qui s'éloigne à mesure qu'elle cherche à s'approcher de lui. À l'opposé de la 1re strophe, c'est ici aux voix médianes que sont confiées la voix principale (altos) et la voix secondaire (ténors) [exemple 18].

Pour la première fois, l'articulation de la phrase musicale épouse strictement, de C1 à C4, l'agencement sériel : les deux couples de formes recoupent exactement les deux membres de phrase parallèles mettant en musique les deux propositions que contient à cet endroit le poème : « *Doch sie wird mich nicht erreichen können / Immer ferner wird ich ihr entschwinden* » – où par deux fois le nombre de syllabes du texte est exactement de dix (5 + 5, puis 6 + 4). La cohésion interne de cette première unité est renforcée par le fait que les altos, dans C3, déroulent exactement à l'envers (en la transposant un demi-ton plus bas) la ligne mélodique de C2, où le pentacorde est présenté sous sa forme la plus resserrée (à l'intérieur d'une sixte majeure), avec le pycnon au sommet : ‹ré♭4 mi♭4 sol♭4 la♭4 si♭4› (C2) puis ‹do♮4 ré♮4 fa♮4 sol♮4 la♮4› (C3) [exemple 19].

EXEMPLE 19
Der Wunsch des Liebhabers, 3e strophe, registration de la voix d'alto

D'autant plus frappante est, dans C_4, l'amplitude de la ligne : le pentacorde s'y inscrit dans un intervalle de onzième (octave + quarte), avec les deux septièmes mineures descendantes à distance de quinte : ‹$do\natural_5$ $ré\natural_4$› puis ‹ $fa\natural_4$ $sol\natural_3$› (*cf.* la chute sur le mot « *entschwinden* »). Comme dans la 2ᵉ strophe, C_5 est surnuméraire, mais la gradation interne observée dans ‹A_4 A_5› et dans ‹B_4 B_5› se décale d'un cran – elle a lieu dans ‹C_5 C_6› –, et elle est bel et bien ici inversée, la déception éprouvée par la jeune fille (« Et ainsi elle pleurera ») se marquant musicalement par l'affaissement de la ligne mélodique : le fait qu'elle soit transposée, cette fois, un demi-ton plus bas. Le lien avec la 1ʳᵉ strophe se restaure *in fine*, avec l'articulation de la phrase en (2 + 1) éléments, mais Schönberg rompt avec le principe du couplage de formes P/RI, en faisant succéder au rétrograde de β le *rétrograde* de β' – sans que l'effet d'image en miroir en soit sensiblement altéré à l'écoute, étant donné la structure quasi symétrique du pentacorde lui-même. Cette entorse à la règle s'explique probablement par la volonté de créer une rime musicale entre la fin de C_7 et celle de C_4, la figure ‹$si\flat_3$ $fa\natural_4$ $sol\natural_3$›, sur « *ihr Herz durchziehen* », faisant directement écho à celle sur laquelle est chanté, à la fin de la première partie de la strophe, le mot « *entschwinden* ». Plus déterminant que l'ordre des notes, pour l'image sonore, est le fait que Schönberg applique une nouvelle fois dans C_7 la disposition symétrique de la gamme pentatonique qui caractérisait aussi bien A_6 que B_7.

Mais le trait le plus remarquable de la 3ᵉ strophe est ce changement de règle, déjà mentionné, en vertu duquel, à partir de C_5, le déroulement simultané des deux pentacordes, au sein de chaque forme, cesse d'être parallèle, et qu'à la présentation rétrograde de l'un est à présent combinée la présentation en sens direct de l'autre. Cette façon de procéder, on l'a vu à propos de la quatrième strophe où elle est généralisée, a une incidence directe sur les relations harmoniques. Car la structure interne de la série fait qu'à chaque pycnon se trouve superposé, de ce fait, le segment de deux notes de l'autre pentacorde, appartenant à la même collection de tons entiers. L'émergence, dans la dimension verticale, de configurations appartenant tantôt à $C2_0$, tantôt à $C2_1$ – et qui sont parfois, elles aussi, pentatoniques – est d'autant plus nettement perceptible que les deux voix, altos et ténors, sont ici fréquemment entremêlées. Dès C_5, où le $la\flat_4$ des altos est amené par la ligne de ténors de la fin de C_4, cette couleur de tons entiers, que contribue à faire

EXEMPLE 20

Der Wunsch des Liebhabers, mes. 37-39, configurations de tons entiers

ressortir la conduite des voix, s'impose à l'attention [exemple 20] ; à l'arrière-plan, la note manquante de chaque collection apparaît dans la pédale des basses et des sopranos, et là encore l'écriture veille à ce que la registration prévienne toute confusion. Des structures de tons entiers affleurent certes ici et là dans les mesures précédentes – il n'y a donc pas de franche rupture –, mais leur présence y reste localisée : il suffit, pour s'en rendre compte, de comparer la structure de sixtes mineures ‹do#₃ la♮₃ fa♮₄› (C41) qui ressort distinctement, mais de façon ponctuelle, sur le 1ᵉʳ temps de la mes. 36, et la manière dont se déploie, à la fin de la strophe (mes. 41 *sq.*), le tétracorde ‹sol♮₃ si♮₃ do#₄ fa♮₄› (0268).

La dernière strophe, enfin, s'apparente étroitement, à la fois, à la précédente (avec laquelle elle forme une unité au sein de la pièce) et à la première. L'attribution des voix s'y fait de manière symétrique à celle de la quatrième strophe : la voix principale passe des sopranos aux basses, la voix secondaire des altos aux ténors. La combinaison simultanée de pentacordes de sens opposé (direct/rétrograde) y est également maintenue de bout en bout, et avec elle la présence généralisée de configurations appartenant alternativement à C20 et à C21 [exemple 21]. Des liens se tissent jusque dans le détail de la formulation : ainsi, les ténors, de E3 à E6 (mes. 63-71), reprennent exactement, en la resserrant rythmiquement, la ligne mélodique chantée par les altos de D3 à D6 (mes. 48-54).

L'articulation interne de la strophe, en revanche, se conforme à nouveau au schéma initial : aux mini-périodes constituées par les couples de formes de type P/RI (3 × 2) se surimpose, comme dans la 1ʳᵉ strophe, deux petites « formes Bar » : 2 × [2 + 1], épousant la structure de la phrase, où se succèdent deux propositions, la principale et une subordonnée (interrogative indirecte) : « *Ich werd es an dem*

EXEMPLE 21
Der Wunsch des Liebhabers, 5ᵉ strophe, voix mélodiques,
agencement des pentacordes

*Feuer ihrer Küsse wohl erkennen können, | ob du ihr die Träume, die
ich wünschte, wirklich in den Schlaf geschüttelt hast.»* – avec, dans
‹E4 E5›, la même progression que dans ‹A4 A5› [exemple 22]. Le
profil rythmique des trois premiers segments est aussi très voisin
dans A et dans E, avec cette différence que, dans E, la ligne mélodique est plus accidentée, avec les deux sauts de septième mineure
‹sol♭3 la♭2› et ‹do♭4 ré♭3›, et à leur jonction la dixième ‹la♭2 do♭4› –
cette angulosité de la ligne étant contrebalancée par la stricte symétrie à laquelle obéit ici le déroulement des deux pentacordes (c'est
l'unique fois où cela se produit dans les cinq strophes) [exemple 23].
La ligne mélodique est, de la même façon, plus tendue dans ‹E4 E5›

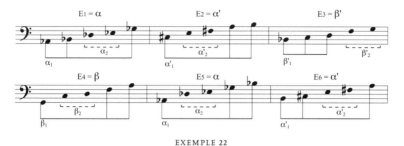

EXEMPLE 22
Der Wunsch des Liebhabers, 5ᵉ strophe, registration de la voix de basse

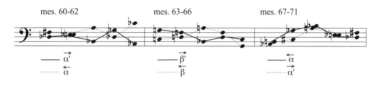

EXEMPLE 23
Der Wunsch des Liebhabers, 5ᵉ strophe,
symétrie des pentacordes (hauteurs réelles)

que dans ‹A4 A5›, du fait que la première note (la note la plus grave du pycnon) est baissée d'une octave – le pycnon se déployant par deux fois à l'intérieur d'un intervalle de neuvième (comme il l'avait fait, plus ponctuellement, dans D5) : ‹sol♮2 fa♮3 la♮3› puis ‹la♭2 sol♭3 si♭3›. La formulation de E6, enfin, renvoie clairement à celle de A6 (à laquelle fait déjà écho, nous l'avons vu, celle de D7), à ceci près que le rythme – sur les mots « (*in*) *den Schlaf ge-schüt-*(*telt hast*) » – y confère un caractère cadentiel très marqué à la quarte ‹mi♮3 la♮3› (avec l'accent sur « *Schlaf* »), le *do*♯3 de la triade appartenant, lui, à la désinence, ce qui tend à faire prendre ici à la note grave du pycnon, *la*♮, la valeur d'une tonique.

4.1 Atonalité et effets de modalité

En choisissant de faire jouer un rôle central au pentatonisme dans *Le Vœu de l'amant*, Schönberg ne pouvait pas ne pas s'intéresser à la question de ce que Helmholtz a nommé la « tonalité » de la gamme pentatonique, à savoir le fait que, dans les mélodies pentatoniques, s'instaure couramment à l'intérieur du « système » une hiérarchie entre les cinq notes, l'une d'elles s'y établissant comme tonique. Si le terme de « tonalité » désigne ici, de façon très générale, le principe même d'une telle subordination à une note définie comme « centre de gravité »[35], assigner à tel ou tel degré particulier le statut de tonique revient à procéder, comme dans le cas de l'échelle hepta-tonique, à une interprétation *modale* de l'échelle[36]. Helmholtz, le premier, a noté que chacun des cinq degrés de l'échelle est a priori susceptible de remplir cette fonction de « tonique », et Brăiloiu parle à ce propos d'une « équipollence fonctionnelle de tous les degrés du système »[37]. L'étude du corpus musical, il est vrai, montre que dans la pratique le mode établi sur la note supérieure du pycnon (le 3e mode de Brăiloiu) se rencontre plus rarement, étant donné que la quinte associée à la tonique fait ici défaut, tandis qu'à l'inverse les

35 « Nous entendons par tonique cette note d'une gamme ou d'une mélodie à laquelle sont rapportées toutes les autres notes, et qui devient par là en quelque sorte le centre de gravité (*Schwerpunkt*) de tout le système. Fétis a nommé ce rapport hiérarchique le principe de la tonalité. » (Otto Abraham et Erich von Hornbostel, « Studien über das Tonsystem und die Musik der Japaner », *Sammelbände der Internationalen Musikgesell-schaft*, 4/3, 1903, p. 331). Helmholtz déjà renvoie sur ce point à Fétis – cf. *Die Lehre von den Tonempfindungen*, 1/1863, p. 367, 3/1870, p. 379 et 4/1877, p. 395 (*Théorie physiologique de la musique*, p. 313).

36 Une énumération des cinq modes, en partant de la note la plus grave du pycnon, se trouve dans James C. Culwick, *The Distinctive Characteristics of Ancient Irish Melody: Scales*, Dublin, Ponsonby, 1897, p. 11-16, et réapparaît chez Brăiloiu – cf. « Sur une mélodie russe », p. 337 *sq.* (*Problèmes d'ethno-musicologie*, p. 351 *sq.*). Annie G. Gilchrist, dans un court texte publié en 1911, présente son tableau de façon différente, en adoptant la disposition de la gamme qui place le pycnon au sommet: « Note on the Modal System of Gaelic Tunes », *Journal of the Folk-Song Society*, 4/16, 1911, p. 150-153 (voir aussi Cecil J. Sharp, *English Folk Songs from the Southern Appalachians*, New York, G. P. Putnam's Sons, 1917, p. xvi-xviii). Helmholtz classe autre-ment encore ce qu'il appelle les cinq « gammes » (*Tonleitern*), en partant, dans la 1re édition de son ouvrage, de celle dont les notes ont entre elles le degré de parenté le plus élevé: {*do ré fa sol si*♭} (*do fa* et *do sol* sont dans le rapport 3/2 et 4/3, *do ré* et *si*♭ *do* dans le rapport 9/8), suivies de celles dont les toniques sont *fa* et *sol*, les deux dernières étant celles dans lesquelles les intervalles sont le plus éloignés des consonances naturelles; par exemple, dans la gamme {*do ré mi sol la*}, le *mi*, note supérieure du pycnon, forme avec la tonique un intervalle de diton (81/64), que Helmholtz propose de corriger en tierce « naturelle » (5/4) (voir le détail des déductions dans *Die Lehre von den Tonempfindungen*, 1/1863, p. 398-400 [*Théorie physiologique de la musique*, p. 339-342]). Dans son édition remaniée de l'ouvrage, Helm-holtz réécrit une bonne partie de ce développement, et propose de partir, cette fois, de la gamme {*do ré fa sol la*}, où *la* est interprété comme tierce « naturelle » de *fa* – cf. 4/1877, p. 427-429 (*Appendice*, p. 579 *sq.*).

37 C. Brăiloiu, « Sur une mélodie russe », p. 347 (*Problèmes d'ethnomusico-logie*, p. 361).

modes établis sur la note grave du pycnon et sur sa sixte (le 1er et le 5e modes) bénéficient de ce que la tonique y est partie intégrante d'une triade complète, majeure dans un cas, mineure dans l'autre. Mais le plus important – et ce point a été souligné aussi bien par Helmholtz que par Riemann et Brăiloiu après lui – est que l'on trouve de nombreuses mélodies pentatoniques où une telle hiérarchie ne s'établit pas clairement, et peut même rester tout à fait indéterminée. Brăiloiu, qui consacre tout un développement à ce qu'il appelle l'«incertitude de la tonique»[38], expose ainsi les données du problème :

> La nécessité d'une «tonique» et de séries analogues aux heptatoniques, pivotant autour d'une fondamentale, a paru une évidence hors de toute controverse même aux chercheurs les plus objectifs et continue d'obnubiler bien des esprits. [...] Toutefois, bon nombre d'érudits se sont rendu compte que la «détermination de la tonique est ici», comme l'écrit Helmholtz, «beaucoup plus incertaine que dans la gamme à 7 sons». Stumpf est, lui aussi, frappé, une fois tout au moins, par cette difficulté, mais ne renonce pas, cependant, à rechercher le «ton principal». Sharp reconnaît, à son tour, que «la position de la tonique» (qu'il juge, néanmoins, «décisive») est parfois affaire de jugement subjectif et se demande si telle chanson anglaise appartient à tel mode («*id D be the tonic*») ou à tel autre («*if C be the tonic*»). Enfin, Abraham et von Hornbostel, tout en maintenant que, pour comparer les lois de formation des échelles, il est indispensable de choisir une «fondamentale» (*Grundton*), sont bien contraints de convenir que cette fondamentale «ne coïncide nécessairement ni avec la tonique (le centre de gravité mélodique), ni avec le son initial ou final». À quel titre, se demandera-t-on, mérite-t-elle alors le titre de «*Grundton*»?[39]

38 *Ibid.*, p. 346-349 et déjà p. 335 *sq.* (*Problèmes d'ethnomusicologie*, p. 360-363 et p. 349 *sq.*).

39 *Ibid.*, p. 335 *sq.* (*Problèmes d'ethnomusicologie*, p. 349 *sq.*). La phrase de Helmholtz – « *Überhaupt ist in diesen fünfstufigen Melodien die Bestimmung der Tonica oft noch viel schwankender als in den siebenstufigen.*» se trouve dans l'édition remaniée : *Die Lehre von den Tonempfindungen*, 4/1877, p. 431 (*Appendice*, p. 581). Mais une autre phrase relative à la question de la tonique apparaît dès la 1re édition, à la suite des exemples de mélodies appartenant aux différentes gammes : «Les exemples donnés ici montrent que l'on trouve des occurrences de chacune des positions possibles de la tonique dans l'échelle pentatonique, pour autant que l'on accorde à ces échelles la possession d'une tonique (*wenn man diesen Leitern überhaupt den*

Riemann, de son côté, met l'accent sur la frappante « oscillation entre les tons parallèles » qui caractérise mainte mélodie écossaise ou irlandaise, suggérant, par le choix même de cette formulation, une analogie avec le rapport qu'entretiennent dans l'idiome tonal un ton majeur donné et son relatif mineur[40].

En l'important dans l'espace « atonal » du *Vœu de l'amant*, Schönberg thématise cette indétermination, et, en même temps, en redéfinit la nature. D'un côté, la structure de l'échelle ne manque pas d'induire, à la faveur de telle ou telle mise en place, des effets de focalisation ou de polarité, et il est significatif, à cet égard, que l'ordre même des notes, dans la série, fasse justement ressortir au centre de chaque pentacorde, tantôt la triade majeure établie sur le 1ᵉʳ degré du « système » (*la*♮ dans α' et *si*♭ dans β'), tantôt la triade mineure établie sur le 5ᵉ (*mi*♭ dans α et *ré*♮ dans β) – ce qui tend à faire de ces deux degrés, en amont du processus d'écriture lui-même, des candidats privilégiés à la fonction de tonique. Le relief donné à ces deux triades, pour autant, ne renvoie pas de

Besitz einer Tonica einräumt. » (1/1863, p. 402 *sq*. [*Théorie physiologique de la musique*, p. 342]).– Ce qu'Abraham et von Hornbostel nomment *Grundton* n'est autre que la note la plus grave du pycnon, qui, soulignent-ils, ne doit pas être confondue avec la tonique (*cf.* « Studien über das Tonsystem und die Musik der Japaner », notamment p. 307, où se trouve le passage cité par Brăiloiu). Riemann se montre lui aussi réservé quant au fait d'attribuer « sans autre justification » à cette note, qui est également la note la plus grave du segment du cycle des quintes à partir duquel est engendrée la gamme, le statut de tonique (*Tonartgrundton*) – comme cela est fréquent dans la littérature –, même si, concède-t-il, un tel cas de figure se rencontre fréquemment (*Folkloristische Tonalitätsstudien*, p. 4). Il incline, pour sa part, à privilégier le modèle selon lequel l'échelle pentatonique s'organise *symétriquement* autour de la note *centrale* de ce segment du cycle des quintes, le *Zentralton*, qui est aussi la note centrale du pycnon – tout en admettant, là encore, que s'il semble logique, dans cette optique, de penser que le *Zentralton* « aura à jouer dans les mélodies le rôle de tonique », cette supposition, sans se révéler tout à fait fausse, « se heurte à des obstacles lors de l'examen des mélodies recensées » (*ibid.*, p. 2 *sq.*).

40 *Ibid.*, p. 11-13, et le commentaire de Brăiloiu : « Lorsqu'une mélodie pentatonique, ainsi qu'il arrive constamment, semble s'appuyer alternativement sur le 1 et sur le 6, il advient ce que Riemann regarde comme une *oscillation entre les tonalités parallèles* (*Schwanken zwischen den Parallel-tonarten*). Dans notre ton de transposition [c'est-à-dire le « système de *sol* » : {*sol la si ré mi*}], ces tonalités seraient *sol* majeur et *mi* mineur. Ce qui les détermine, selon notre éducation acoustique, c'est, avant tout, que *sol* et *mi* sont les seuls degrés pouvant porter des accords parfaits. » (« Sur une mélodie russe », p. 347 [*Problèmes d'ethnomusicologie*, p. 361]).

manière univoque au modèle invoqué par Riemann de la relation entre ton majeur et relatif mineur (modèle dont le souvenir reste encore très présent dans le *Chant de la terre*), car une telle interprétation modale de l'échelle pentatonique se rencontre non moins souvent dans des œuvres où le recours au pentatonisme procède d'une volonté d'émancipation de la tradition tonale : témoin par exemple, chez Debussy, la manière dont la gamme correspondant aux touches noires du piano est établie sur le 1er degré (*fa♯*) au début de *Printemps* et sur le 5e (*mi♭*) dans *Voiles*[41].

D'un autre côté, la tendance de l'échelle pentatonique à favoriser, dans sa mise en œuvre concrète, une forme d'indétermination modale, ne peut que s'accommoder d'un contexte musical où le matériau, devenu amorphe (l'octave étant divisée en douze demitons égaux), rend caduque la notion même de modalité, et où il n'est plus de hiérarchie possible qu'instaurée *par l'écriture* au sein même de la composition. Cette caractéristique, en vérité, fonde entre l'échelle pentatonique et l'échelle dodécatonique, considérées toutes deux du point de vue de leur engendrement à partir du cycle des quintes, une affinité profonde : ce que Perle souligne à propos de la seconde – le fait qu'« en bouclant le cycle des quintes on obtient une collection symétrique de l'ensemble des douze classes de hauteurs qui élimine la fonction structurelle particulière de la quinte juste elle-même, laquelle était au fondement de tous les systèmes musicaux connus jusque-là »[42] – vaut également, *mutatis mutandis*, pour la première. Sans doute l'empreinte de la quinte s'y marque-t-elle de façon plus visible, comme l'indique le poids de cet intervalle dans son vecteur intervallique. Mais non moins que les douze notes qu'ordonne la série, les cinq notes de la collection pentatonique sont en tant que telles – avant que le compositeur ne les mue en éléments de la structure musicale –, « *nur aufeinander bezogen* » : uniquement rapportées les unes aux autres.

---

41 De la même façon, mais à l'intérieur, cette fois, d'une même composition, le thème initial du « Prélude » du *Tombeau de Couperin* de Ravel s'inscrit d'abord dans le 5e mode (‹*mi sol la si ré*›) puis dans le 1er (‹*sol la si ré mi*›, chiffre 4) avant que la tonique ne s'établisse sur le *Zentralton* de Riemann : ‹*mi fa♯ la si ré*› (2e mode, chiffre 11).

42 George Perle, *The Listening Composer*, Berkeley-Los Angeles, University of California Press, 1990, p. 42 (« [...] *the closing of the circle of fifths gives us a symmetrical collection of all twelve pitch classes that eliminates the special structural function of the perfect fifth itself, which has been the basis of every real musical system that we have hitherto known.* »).

4.2 Incidence de l'harmonie sur le mouvement de la phrase musicale

Le lieu privilégié de cette dialectique, dans *Le Vœu de l'amant*, est la relation qui se tisse à l'intérieur de la polyphonie entre la voix principale et les autres voix. Alors même que dans la *Hauptstimme*, considérée de façon isolée – et nous avons vu que Schönberg en avait d'abord écrit le texte séparément –, ne cessent d'affleurer, plus ou moins distinctement, des toniques possibles[43], l'environnement «atonal» – le fait que l'énoncé soit, à chaque instant, sous-tendu par la *twelve-tone scale* – empêche qu'aucune hiérarchie s'établisse, globalement, de façon univoque. L'indécision (*Schwanken*) décrite par Helmholtz et Riemann, ainsi, change de nature, et se fait plus radicale : par delà le doute sur l'identification de telle ou telle note comme tonique au sein d'une ligne mélodique donnée, elle s'étend à la possibilité même de saisir le tout du phénomène sonore, non comme un assemblage hétérogène, presque fortuit, mais comme une combinaison harmonique contrôlée avec précision et finement différenciée[44].

La façon dont sont agencés les pentacordes combinés l'un avec l'autre dans les deux voix mélodiques joue, de ce point de vue, un rôle déterminant : le changement qui, on l'a vu, s'opère au milieu de la 3e strophe (à partir de C5), c'est-à-dire exactement au milieu de la pièce (si on laisse de côté le postlude que constitue le canon final), a pour effet d'articuler le tout en deux parties dont la physionomie, sur le plan harmonique, diffère de manière sensible. Dans la première prédominent largement, entre les deux voix entendues simultanément, les relations «chromatiques», l'*interval*

---

43 Voir déjà, *supra*, les remarques de Michael Cherlin sur les «fugaces réminiscences tonales» qui abondent dans la musique de Schönberg (p. 126, note 172).

44 Dans le chapitre qu'il consacre aux *Chœurs* op. 27 et op. 28, Haimo souligne que l'une des difficultés majeures qu'avait à résoudre Schönberg au moment de leur composition était de parvenir, tout en optant pour le principe d'une superposition polyphonique de formes sérielles, à une harmonie qui fût cohérente et convaincante : «Au lieu de présenter un profil harmonique clair, de nombreux passages des compositions antérieures à cette période ont une apparence opaque, avec une tendance à créer l'harmonie plus par négation – en évitant les octaves, les triades et d'autres références tonales – que par le recours constructif à des principes de composition positifs.» (E. Haimo, *Schoenberg's Serial Odyssey*, p. 138).

class 1 – absent au sein même des pentacordes[45] – se matérialisant presque toujours sous la forme de septièmes majeures et de neuvièmes mineures, elles-mêmes le plus souvent redoublées dans la 1re strophe[46] : ainsi, mes. 14, l'intervalle ‹*ré*$_{b3}$ *do*♮$_5$›, tenu, sur le mot « *Schlaf* » (voir l'exemple 10). Le caractère fortement disjoint de l'intervalle – à quoi s'ajoute la différence de timbre entre les voix – joue ici un rôle essentiel en ce qu'il contribue à ce que ses deux notes constitutives soient perçues comme appartenant à des plans distincts, ou, pour le dire à l'envers, en ce qu'il fait obstacle à cette *fusion* des deux notes en un tout (*Verschmelzung*) par laquelle Carl Stumpf a cherché à expliquer le phénomène acoustique de la « consonance », et dont Ernst Kurth a ensuite étendu le principe à l'*accord dissonant*, tel qu'il en vient à être appréhendé au fil de l'évolution historique[47].

Le choix des sopranos pour la *Hauptstimme* et des basses pour la voix secondaire répond ainsi, dans la 1re strophe, à une intention précise. Les deux voix n'ont pas le même mode de présence : la seconde, à distance et en retrait, est comme l'ombre portée de la première, où, par contrecoup, se manifestent de façon particulièrement franche les effets de modalité induits par les tournures pentatoniques. Le phénomène de l'« incertitude de la tonique » est là clairement observable : ainsi, dans l'unité formée par A1 et A2, la ligne mélodique des sopranos s'organise autour de *ré*♮ et de *sol*♮, balançant entre ces deux pôles[48], tandis que dans A3

45　L'intervalle de seconde mineure n'apparaît dans les voix mélodiques qu'à la faveur de certains enchaînements : par exemple, dans la voix principale, à la jonction des rétrogrades de β' et de α (mes. 5-6, et plus loin mes. 54-55), ou du rétrograde de α et de β (mes. 25-26 – où *do*♯ est traité comme une note de passage –, et de nouveau mes. 33-34), etc.

46　Ces relations de 7e majeure et de 9e mineure sont quasi systématiques dans A1, A2 et A6 : une exception notable, due à un léger décalage rythmique, est la sixte mineure redoublée (‹*la*♮$_2$ *fa*♮$_4$›) qui colore le 1er temps de la mes. 5, sur « -*bäu-(men)* ». Dans A3, A4 et A5, le décalage entre les deux voix est, au départ, nettement marqué, ce qui entraîne l'apparition d'intervalles consonants (notamment sur le 1er temps des mes. 7 et 9), et même, à la jonction des mes. 6-7, celle d'une pure configuration de tons entiers, mais la relation « chromatique » se rétablit toujours sur les dernières notes du double pentacorde.

47　Voir Jean-Louis Leleu, « Debussy selon Ernst Kurth : la mise en perspective du théoricien », dans : *La construction de l'Idée musicale, op. cit.,* p. 104-106.

48　*Sol*♮ doit sa stabilité à la position de « finale » qu'il occupe dans les deux pentacordes – ou, si l'on tient compte du découpage imposé par le texte

l'indécision est entre *mi*♭ (5e mode) et *sol*♭ (1er mode) ; cette dernière note (écrite *fa*♯) s'établit ensuite, sans équivoque, comme la
tonique de A4 : *cf.* la manière dont le *fa*♯$_5$ (sur lequel est chanté
le premier mot de la proposition, le verbe « *Schenk* ») est, à la
fois, amené par l'intervalle de quarte ‹*ré*♭$_5$ (= *do*♯) *fa*♯$_5$› et relié au
do♯$_5$ de « *Mäd-(chen)* », que les voix posent sur le 1er temps de la
mesure suivante. De *fa*♯ on revient à *sol*♮ dans A5, avant que se
rétablisse la polarité initiale *ré*♮/*sol*♮ ; il est particulièrement intéressant de voir comment, dans ‹A5 A6›, l'articulation rythmique
et le contour mélodique permettent à la fois d'actualiser et de
hiérarchiser un choix de possibilités inscrites dans le matériau :
dans A5, *sol*♮ est établi comme « centre de gravité » par l'action
conjuguée du rythme – *cf.* le *sol*♮$_5$ de « *Hol-(de)* », chanté sur le 1er
temps, et sa relation avec le *ré*♮$_5$ de « *Lie-(bes)* » –, et de la registration, qui place la note au sommet du pentacorde : ‹*si*♭$_4$ *do*♮$_5$ *ré*♮$_5$
fa♮$_5$ *sol*♮$_5$›, (disposition déjà appliquée dans A1, A3 et A4). Malgré
la présence de la triade majeure de *si*♭ au centre du pentacorde, le
1er mode ne peut ici s'imposer face au 5e du fait de la conduite de
la ligne, qui, se prolongeant, mène à la première note du pentacorde suivant : le *sol*♮$_4$ de « *-träu-(me)* ». Dans A6, où le rythme revêt
la forme lisse d'une suite de noires pointées, l'indécision entre
sol♮ et *ré*♮ tient à ce que *ré*♮, bien que mis en valeur – plus nettement encore que dans A1 – par la triade centrale du pentacorde,
et malgré l'effet cadentiel de la quinte descendante ‹*la*♮$_4$ *ré*♮$_4$›, est
néanmoins affaibli par le fait qu'il tombe sur le temps faible de la
mesure, en *levée* du *do*♮$_5$ sur lequel est chanté le dernier mot de
la phrase (le monosyllabe, accentué, « *Schlaf* »), alors que *sol*♮, fermement établi comme tonique par ce qui précède, bénéficie, lui,
de sa position centrale au sein de la structure de quartes (symé-
trique) ‹*ré*♮$_4$ *sol*♮$_4$ *do*♮$_5$›[49] ; l'« oscillation » est ici entre le 5e mode
(sur *ré*♮) et le 2e (sur *sol*♮)[50].

(non pas 5 + 5, mais 4 + 6, avec une légère césure après « *-licht* »), à sa position de note initiale et de note finale dans le second syntagme. Les syllabes accentuées du texte, en revanche, mettent en relief les notes de la
triade mineure de *ré*♮ (présente, déjà, au centre du premier pentacorde) :
la♮$_4$ pour « *Mond-(licht)* », *ré*♮$_4$ pour « *Pflau-(men)* », *fa*♮$_4$ pour « *-bäu-(men)* ».

49 On pense à la *Huitième Symphonie* de Mahler, où ne cesse de retentir un
motif de quartes similaire, centré sur *mi*♭ (‹*si*♭ *mi*♭ *la*♭›) ou sur diverses
toniques secondaires.

50 Du fait que les deux voix se déroulent sur des plans différents tout en
présentant la même structure mélodique (le déploiement mélodique des

EXEMPLE 24

Der Wunsch des Liebhabers, mes. 20-23, structures de tons entiers

L'écart entre les voix se resserre dès la 2e strophe, où les relations d'intervalles produites par leur rencontre se spécifient, et deviennent plus déterminantes dans l'articulation de l'énoncé musical. Le centre de B3 et de B4, ainsi, est marqué par la présence de deux configurations de tons entiers appartenant à C20 : ‹*do*♮$_4$ *ré*♮$_4$ *sol*♯$_4$ *la*♯$_4$ *fa*♯$_5$› (mes. 20 *sq.*) puis ‹*si*♭$_3$ *ré*♮$_4$ *fa*♯$_4$ *mi*♮$_5$› (mes. 22 *sq.*) – où le même tricorde (C42) apparaît sous la forme, d'abord, de la structure de sixtes mineures ‹*ré*♮$_4$ *la*♯$_4$ *fa*♯$_5$›, puis de la structure de tierces majeures ‹*si*♭$_3$ *ré*♮$_4$ *fa*♯$_4$› –, tandis qu'à la jonction de B3 et de B4 se détache le dessin mélodique de tons entiers – appartenant, lui, à C21 – ‹*ré*♯$_5$ *do*♯$_5$ *sol*♮$_4$ *fa*♮$_4$›[51] ; clairement perceptible est en outre, dans B4, la figure de quintes ‹*ré*♮$_4$ *la*♮$_4$ *mi*♮$_5$› qui émerge, avec le *ré*♮$_5$ et le *mi*♮$_4$ comme pivots, de la structure précédente [exemple 24].

À partir de la 3e strophe, la proximité des registres devient la règle, à quoi s'ajoute, dans les deux dernières, celle des timbres : voix de femmes dans la 4e strophe, voix d'hommes dans la 5e.

pentacordes induit, dans la voix secondaire, les mêmes effets de modalité que dans la voix principale), Schönberg n'est jamais plus proche qu'ici d'une forme d'écriture « bitonale ». Dans son essai de 1924 sur les « nouveaux principes formels », où sont exposés pour la première fois les principes de la composition sérielle, Erwin Stein mentionnait la « polytonalité » comme l'un des « phénomènes de transition » ayant permis de répondre à l'évolution du langage musical – *cf.* « Neue Formprinzipien », *Musikblätter des Anbruch*, 6, 1924, p. 288 [repris dans : Heinrich Gruss, Eigel Kruttge et Else Thalheimer (éds.), *Von neuer Musik. Beiträge zur Erkenntnis der neuzeitlichen Tonkunst*, Köln, Marcan-Verlag, 1925, p. 61]. Le *Cinquième Quatuor à cordes* de Darius Milhaud, composé en 1920 et dédié à Schönberg, cultive ce type de relations « chromatiques » entre les parties foncièrement diatoniques des quatre instruments : ainsi, au début du 1er mouvement, les mélodies du 1er violon et du violoncelle ont pour toniques respectives *la* et *si*♭, et la même relation s'établit ensuite entre l'alto et le 2nd violon (respectivement *do* et *ré*♭).

51 Notons aussi, à la mes. 22, la seconde mineure ‹*fa*♮$_4$ *fa*♯$_4$› entre les ténors et les sopranos.

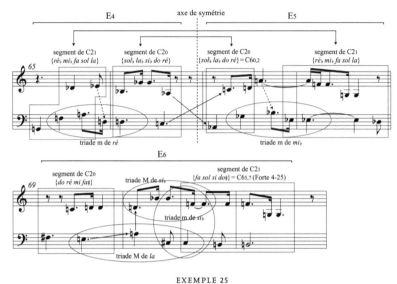

EXEMPLE 25
Der Wunsch des Liebhabers, mes. 65-71,
agencement des structures de tons entiers

La seconde moitié de la 5ᵉ strophe illustre bien la manière dont les structures d'intervalles résultant de la combinaison des deux voix mélodiques participent à l'organisation de l'énoncé [exemple 25].

Dans E4 et E5, le jeu croisé des symétries et des transpositions crée un dense réseau de relations : dans la voix principale, la progression induite par l'enchaînement, à βʳᵉᵗʳ, de αʳᵉᵗʳ – qui en est l'exacte transposition un demi-ton plus haut – est explicitée par la présence, au centre de l'un puis de l'autre pentacordes, des triades mineures de *ré* et de *mi♭*, dont la fondamentale est, dans les deux cas, fortement mise en relief par le rythme ; en même temps, l'unité tout entière consiste, du point de vue des hauteurs, en un canon par mouvement rétrograde à l'octave : les basses déroulent dans E5, à l'envers, la ligne mélodique chantée dans E4 par les ténors, et vice versa (seul le *si♭* des basses est haussé d'une octave). Il résulte de cet agencement que les complexes de tons entiers engendrés par la superposition des pentacordes se répondent symétriquement d'une unité à l'autre (l'alternance ‹C21 C20› se renversant, dans E5, en ‹C20 C21›), formant une arche qui charpente solidement la phrase musicale. Une exploitation différente des mêmes éléments permet de conférer à E6, après cela, un caractère conclusif : si, dans la *Hauptstimme*, le rythme met plus nettement que jamais en évidence la triade – majeure, cette fois – de *la*, l'imitation par mouvement rétrograde à la 9ᵉ mineure qui règle ici, de façon interne, le déroulement des deux voix fait ressortir à l'intersection des triades centrales – ‹*mi*♮₃ *la*♮₃ *do*♯₃› et symétriquement ‹*ré*♮₄ *si*♭₄ *fa*♮₄› – une structure d'intervalles qui, à la fois, contraste avec les figures de tons entiers entendues aux extrémités et ménage une transition entre elles (l'une appartient à C2₀, l'autre – où se reconnaît le tétracorde 4-25 de Forte – à C2₁) : s'y détachent, sur le 1ᵉʳ temps de la mes. 70, la quarte ‹*la*♮₃ *ré*♮₄› (amenée par le mouvement *mélodique* de quarte ‹*mi*♮₃ *la*♮₃›), et au centre de la mesure la triade mineure de *si*♭[52] ; l'effet de cadence est renforcé par la rime que crée, dans la voix secondaire, le retour à la fin de E₆ de la figure mélodique ‹*fa*♮₄ *sol*♮₃› de E₅ (dont le rythme est également conservé) – avec la chute sur *sol*♮₃ au lieu du *sol*♮₄ qu'appellerait la symétrie.

5. Canon final et coda instrumentale

Adorno notait en 1928, à propos du dernier des *Chœurs* op. 27, qu'il se déroulait de façon fluide, sans aucune césure, et se singularisait ainsi dans la production de Schönberg par le fait qu'il renonce à ce qui est d'ordinaire un agent déterminant de la forme : la présence de «caractères contrastants»[53]. Schönberg use pourtant d'un procédé de cette nature pour donner à la coda de la pièce sa physionomie propre. Le contraste, il est vrai peu prononcé, se situe sur le plan du type d'écriture employé pour le chœur : la reprise *in fine* du premier vers – « *Süßes Mondlicht auf den Pflaumenbäumen!* » – donne lieu en effet à un bref *canon* dans lequel les quatre parties ont toutes, pour la première fois, le statut de voix mélodiques ; seuls y sont présents les pentacordes (α, β, α' et β'), les deux notes centrales de la série (γ et γ') n'apparaissent pas [exemple 26]. En même temps, la hiérarchie qui était établie entre ces voix à l'intérieur des cinq strophes est implicitement maintenue : il est aisé de

---

52 La relation «chromatique» refait ici surface l'espace d'un instant, entre le *la* de la triade établie au centre de α'ʳᵉᵗʳ et le *si*♭ de celle qui se forme «verticalement» dans la rencontre des voix.

53 Th. W. Adorno, «Schönberg : Chöre op. 27 und op. 28», p. 356 (*Es ist unter Schönbergs Kompositionen insofern singulär, als es auf kontrastierende Charaktere, das sonst entscheidende Mittel der Formbildung verzichtet, undurchbrochen dahinfließt.*)

EXEMPLE 26
Der Wunsch des Liebhabers, canon final, agencement des pentacordes

reconnaître dans les parties de sopranos et de ténors l'équivalent de «voix principales», auxquelles sont associées à titre de «voix secondaires», selon le mode de couplage adopté à partir du milieu de la 3ᵉ strophe, les parties d'altos et de basses (qui sont ici, pour s'adapter à la logique du canon, légèrement décalées rythmiquement) – les entrées rapprochées de ces voix produisant l'effet d'une strette; le couple sopranos/altos ne fait même que reprendre, à la lettre, l'agencement des pentacordes qui était celui des deux voix mélodiques (basses et ténors) au début de la dernière strophe: α suivi de α'ʳᵉᵗʳ (sopranos) / βʳᵉᵗʳ suivi de β' (altos).

Toutefois, ce qui se *donne à entendre* comme un canon – l'imitation de la voix des sopranos par celle des ténors une 9ᵉ mineure plus bas – est une nouvelle fois, structurellement, un «trompe-l'oreille»: cette imitation est certes réelle sur le plan du rythme (jusqu'à la septième note: le *ré*♮₄ des ténors), mais non sur celui des hauteurs, car ce qu'énoncent les ténors au départ est, non une transposition du 1ᵉʳ pentacorde de P1 (α), mais le rétrograde du 2ⁿᵈ pentacorde de l'inversion I6 (β'), et inversement, quand à α s'enchaîne, aux sopranos, le rétrograde du 1ᵉʳ pentacorde de I6 (α'), les ténors continuent, eux, avec le 2ⁿᵈ pentacorde de P1 (β). Il en va de même pour les deux voix «secondaires»: l'illusion repose ainsi sur la quasi identité (à une note près) des pentacordes appartenant à P1 et à I6. Un canon bien réel, cela dit, se met en place entre les voix, mais de façon beaucoup plus secrète: du point de vue des hauteurs, ou plus exactement des *classes* de hauteurs, sopranos et basses d'un côté, altos et ténors de l'autre, forment en effet un canon par mouvement contraire à la quinte, qui est également (chaque voix étant en elle-même *RI-symmetrical*) un canon par mouvement semblable et rétrograde à l'unisson[54]. Cette symétrie est soulignée par le fait que, grâce à la manière dont sont agencées rythmiquement les différentes voix, toute la séquence s'organise, du point de vue des notes, autour d'un axe central situé au milieu de la mes. 75.

Notons, par ailleurs, que la registration, au sein des différentes voix, se conforme une fois sur deux au schéma de référence (où le pentacorde s'inscrit dans l'intervalle de sixte majeure) : dans la partie de soprano – dont la ligne calque exactement celle de ‹A1 A2› –, seul le *do*♯ est baissé d'une octave (*do*♯$_4$ au lieu de *do*♯$_5$), et il en va de même dans la partie d'alto pour le *la*♮ (*la*♮$_3$ au lieu de *la*♮$_4$), ainsi que dans la partie de basse pour le *la*♯ (*la*♯$_2$ au lieu de *la*♯$_3$) ; l'écart le plus significatif affecte le second pentacorde des ténors – au moment où cette voix passe au premier plan (elle est alors doublée par la clarinette) –, où le *ré*♮ est baissé et la *fa*♮ haussé d'une octave : la ligne, très expressive, se distingue alors par son caractère fortement disjoint et l'élargissement de l'ambitus à un intervalle de dixième : ‹*ré*♮$_4$ (*la*♮$_4$) *fa*♮$_5$›. Du point de vue de la symétrie interne à chaque voix, cela signifie que la grande majorité des dyades s'ordonnent autour d'un même axe : aux sopranos *la*♮$_4$-*si*♭$_4$, aux altos *mi*♭$_4$-*mi*♮$_4$, aux basses *ré*♯$_3$-*mi*♮$_3$ – seule une dyade faisant exception dans les trois cas –, alors qu'aux ténors trois dyades ont pour axe *la*♮$_3$-*si*♭$_3$, une *ré*♯$_4$-*mi*♮$_4$, et une autre, symétriquement, *ré*♯$_3$-*mi*♮$_3$ [exemple 27].

L'extrême densité de la polyphonie se traduit, dans ces quelques mesures, par une richesse du tissu harmonique sans précédent dans la pièce. La *double* superposition des pentacordes a d'abord pour effet d'accentuer la présence des mêmes relations d'intervalles qui innervaient la partie de chœur depuis le milieu de la 3e strophe [exemple 28] : y prédominent nettement les configurations de tons entiers, qui, du fait de la symétrie globale du canon, s'ordonnent une nouvelle fois ici de façon à former une arche, dont le centre (situé au milieu de la mes. 75) est marqué par la sonorité on ne peut plus caractéristique du tétracorde (0268) (la collection 4-25 de l'inventaire de Forte), en l'occurrence C6$_{5,7}$ – appartenant, donc, à C2$_1$ – présent sous la forme de deux accords consécutifs

---

54 «Quinte» et «unisson» s'entendent bien sûr ici comme classes d'intervalles.

EXEMPLE 27
Der Wunsch des Liebhabers, canon final,
symétrie des pentacordes (hauteurs réelles)

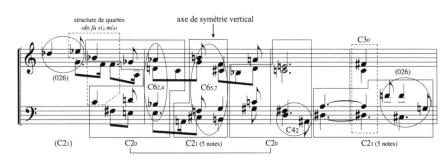

EXEMPLE 28
Der Wunsch des Liebhabers, canon final,
agencement des structures de hauteurs

dont les voix s'échangent les éléments, si bien qu'il se déploie aussi horizontalement à la fois dans les voix de femmes et dans les voix d'hommes : respectivement ‹si♮$_4$ sol♮$_4$ | fa♮$_4$ do♯$_4$› (deux tierces majeures à distance de triton) et ‹do♯$_3$ fa♮$_3$ | si♮$_2$ sol♮$_3$›. Une transposition du même accord, exprimé sous la forme de deux tritons séparés par une tierce majeure, signale clairement, sur le 1er temps de la même mesure, le déploiement à cet endroit de C2$_0$: ‹mi♮$_3$ si♭$_3$ ré♮$_4$ la♭$_4$› (C62,4), tandis que symétriquement, sur le 1er temps de la mesure suivante, C2$_0$ est représenté par la configuration en quelque sorte inverse, plus resserrée : deux tierces majeures séparées par un triton, ‹ré♮$_3$ fa♯$_3$ do♮$_4$ mi♮$_4$› (0246).

Non moins remarquable, cependant, est l'apparition inattendue, au centre du dernier complexe – qui marque le retour de C2$_1$ – de la « 7e diminuée » ‹ré♯$_3$ la♮$_3$/do♮$_4$ fa♮$_4$› (C3$_0$) : deux tritons séparés par une tierce *mineure* ; cette harmonie, dont la couleur est elle aussi très caractéristique, est subtilement amenée comme une forme de résolution *tonale* de l'agrégat de la mesure précédente, ‹*ré*♯₃ *la*♮₃ *do*♮₄ *mi*♮₄›, où le *mi*♮₄, formant dissonance avec le *ré*♯₃, est traité comme un retard du *fa*♯₄, c'est-à-dire comme une «note étrangère». Le rétablissement de C21, et de la couleur de tons entiers, s'opère alors par le biais du *fa*♮₄ des ténors, traité, lui, comme une anticipation, et qui se résout sur la tierce majeure (redoublée) ‹*do*♯₃ *fa*♮₄›, avant de descendre au *sol*♮₃; la séquence se suspend, *in fine*, sur ce triton ‹*do*♯₃ *sol*♮₃›, qui en même temps ramène à son point de départ[55]. Notons enfin que le «pendant» (asymétrique) de la «7e diminuée» est, au début du canon, la structure de quartes qui se forme très fugitivement, mais de façon perceptible, à l'entrée des voix d'altos et de ténors : ‹*do*♮₄ *fa*♮₄ *si*♭₄ *mi*♭₅›, et dont participe également, de façon indirecte, le *sol*♮₄.

Le quatuor instrumental fait lui-même l'objet, dans le postlude formé par le canon et la brève coda qui suit, d'un traitement particulier. Les deux mesures qui font la jonction entre la 5e strophe et le canon (mes. 72-73) offrent déjà un condensé des interventions antérieures des quatre instruments. On y trouve, d'une part, une nouvelle variante du procédé utilisé dès l'introduction, consistant, on l'a vu, à dérouler au sein d'une courte phrase musicale les pentacordes présents dans les différentes formes de la série[56]. Dans cette «mini-période» liminaire, l'enchaînement ‹P1 RI6› s'inscrit dans un rythme explicite de barcarolle, avec un repos bien marqué sur la 3e croche de chaque temps, sur laquelle se pose la dernière note du pentacorde; celle-ci, de plus, forme avec les deux notes centrales de P1 (γ), dans l'antécédent, deux accords parfaits (d'abord la triade majeure, puis la triade mineure de *mi*) [exemple 29].

Dès la première incise, entre les 1re et 2e strophes (mes. 15-16), cette formule est variée : les pentacordes (déroulés cette fois dans l'ordre ‹RI6 P1›) s'imbriquent l'un dans l'autre, formant un mouvement continu de doubles croches au sein d'une mesure notée comme un 3/4, tandis que l'adjonction d'un troisième membre de phrase (I6) transforme la «mini-période» en une petite forme Bar (AAB) [exemple 30].

---

55 C21 est ainsi représenté au début et à la fin du canon par le tricorde (026), commun aux deux tétracordes mis en relief harmoniquement en son centre : (0246) et (0268); ses réalisations sont, en outre, symétriques : {*ré*♭ *mi*♭ *sol*♮} au début, {*sol*♯ *fa*♮ *do*♯} à la fin.

56 Voir *supra*, p. 136 *sq.*

EXEMPLE 29
Der Wunsch des Liebhabers, mes. 2-3, agencement interne

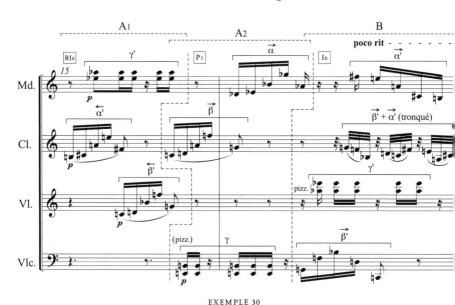

EXEMPLE 30
Der Wunsch des Liebhabers, mes. 15-16, agencement interne

Les mes. 72-73 se conforment, globalement, à ce second schéma, à ceci près qu'y est rétabli l'ordre de succession initial des deux formes sérielles, ‹P1 RI6›, dont les pentacordes constitutifs sont, par ailleurs, permutés. Mais la partie B de la forme Bar – l'« *Abgesang* » – suit un autre chemin, qu'explorait déjà la fin de la transition instrumentale menant de la 4e à la 5e strophe (mes. 59) : elle fait entendre une seconde fois le même couple de formes, en l'occurrence ‹P1 I6›,

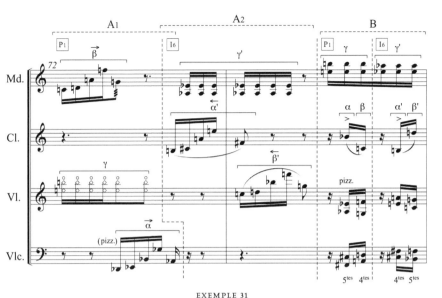

EXEMPLE 31

Der Wunsch des Liebhabers, mes. 72-73, agencement interne

dont les pentacordes, verticalisés, sont déployés sous la forme d'une suite d'accords de quartes et de quintes, dans laquelle la clarinette inscrit, au milieu des pizzicati du violon et du violoncelle, de brefs mélismes expressifs [exemple 31]. Cette présentation est remarquable à un double titre : en masquant l'ordre de succession des cinq notes, elle met à jour l'origine même de l'échelle pentatonique (sa dérivation du cycle des quintes), tout en établissant une connexion avec les accords de quartes de la *Symphonie de chambre* op. 9 – l'un des signes avant-coureurs les plus frappants de la rupture avec l'idiome tonal, dont l'une des règles centrales est la construction des accords par superposition de tierces.

Pendant le déroulement du canon (mes. 74-77), les instruments reçoivent pour mission de doubler les voix, selon un procédé déjà employé, notamment, dans la version avec orchestre de chambre de *Friede auf Erden* (réalisée en 1911) et dans *La Main heureuse*. Mais seule la clarinette, à partir de la mes. 75, soutient, et, ce faisant, colore la ligne vocale des ténors, passant alors, comme elle, au premier plan. Partout ailleurs, soit la doublure se fait sous la forme de notes répétées en valeurs brèves (*spiccato* pour le violon, *pizzicato* pour le violoncelle), soit même l'instrument ne fait que marquer l'attaque de la note chantée dans le chœur, qu'il fait suivre

EXEMPLE 32
Der Wunsch des Liebhabers, mes. 74-75,
agencement des parties instrumentales

aussitôt des notes, ou de l'une des notes de γ ou de γ', lorsqu'elles sont absentes de la partie de chœur ; celles-ci sont alors jouées dans un autre registre[57], et le violon les différencie en outre par le timbre, en les produisant sous la forme de sons harmoniques («naturels» – c'est-à-dire obtenus sur les cordes à vide), mode de jeu que le compositeur avait jusque-là évité dans la pièce [exemple 32].

C'est dans la brève coda qui suit (mes. 78-81) que le traitement du quatuor instrumental, à qui il revient de conclure, est le plus remarquable. Si l'on se fonde sur les formes sérielles employées, l'unité comporte quatre segments : les deux premiers (**a** et **b**) font revenir le même enchaînement qu'au départ, ‹P1 RI6›, tandis que les deux derniers (**c** et **d**) réalisent des combinaisons inédites de P1 et de I6, décomposant ces deux formes en leurs éléments constitutifs

57 Fait exception, à la mes. 74, la figure de triples croches de la clarinette, qui brode avec les notes de γ' le *mi*♮3 des basses. Le *mi*♭5 des sopranos est brodé, dans le même esprit, par la figure *legato* du violon, qui déroule les notes suivantes du pentacorde α en diminution rythmique, selon le schéma adopté au fil des cinq strophes.

EXEMPLE 33

Der Wunsch des Liebhabers, coda instrumentale,
articulation de la phrase musicale

et mettant en commun ceux qu'elles partagent[58] [exemple 33]. Un
examen attentif montre cependant que le rythme joue ici un rôle
déterminant dans l'articulation de la phrase musicale, la logique
étant celle d'un raccourcissement progressif des éléments : on a

58 Le troisième segment se subdivise lui-même en deux éléments, dont le
second est la transposition du premier à l'octave (la partie de violoncelle
restant stable).

d'abord 3×6 valeurs (trois noires pointées), puis 2×5, et enfin 2×4 (deux fois), l'unité mélodique passant du pentacorde au tétracorde (*cf.* déjà les figures de triples croches de la clarinette aux mes. 78-79). Le bref segment **b** remplit dans cette séquence la fonction de « pont » entre **a**, où le violon fait entendre, en sons harmoniques et transposé à la double octave supérieure, un écho du début de la voix principale de la 1re strophe (le pentacorde β), et l'unité formée par **c** et **d**, où se désagrège le matériau d'où toute la pièce a été tirée, et qui, à ce titre, offre une belle illustration de ce que Schönberg a nommé la technique de la « liquidation »[59].

L'harmonie concourt également à cet effet de dissolution par une redistribution, dans l'énoncé, des constituants ultimes de la série. Dans **a**, la quinte ‹*mi*♮$_4$ *si*♮$_4$› (γ) du violoncelle, à laquelle viennent s'ajouter à la fois le *la*♭$_5$ (= *sol*♯) de la mandoline (dernière note de α) et le *sol*♮$_6$ du violon (dernière note de β), installe une perspective stable – réminiscence des triades (majeure/mineure) qui, à la mes. 1, ponctuaient le déroulement des pentacordes[60] ; les mélismes de la clarinette et de la mandoline d'une part, et d'autre part, dans le registre suraigu, la ligne mélodique du violon forment ici avec γ, respectivement, l'échelle du mode de *fa* et celle du mode de *mi* sur *mi* : <u>*mi*</u> *fa*♯ *sol*♯ *la*♯ <u>*si*</u> *do*♯ *ré*♯ / <u>*mi*</u> *fa* *sol* *la* <u>*si*</u> *do* *ré* – exemple extrême de cette possibilité d'engendrer le total chromatique par la combinaison de structures modales que Bartók présentera comme une façon de concilier diatonisme et échelle dodécatonique[61]. Une cassure se produit dans **b**, où l'on passe de la perspective de *mi*♮ à celle de *la*♭, avec d'abord la tierce majeure *do*♮$_4$ puis la tierce mineure *si*♮$_4$ = *do*♭ au violoncelle : ce décrochement entraîne avec lui un glissement de tout le complexe.

À l'inverse du modèle tonal, où la cadence est le lieu d'une résolution des tensions, la dynamique engagée dans **a** et **b** par le mouvement des fondamentales conduit dans **c** à une tension harmonique

---

59 « La liquidation consiste en l'élimination graduelle d'éléments caractéristiques, jusqu'à ce que seuls subsistent des éléments non caractéristiques, qui ne demandent plus de continuation. Il ne subsiste souvent que des restes ayant peu de chose en commun avec le motif de base. » (Arnold Schoenberg, *Fundamentals of Musical Composition* [Gerald Strang et Leonard Stein, éd.], London, Faber & Faber, 1967, p. 58).

60 Voir *supra*, p. 175.

61 Bartók a développé sa théorie du « chromatisme modal », ou « polymodal », lors des conférences qu'il donna à Harvard en 1943 (*Harvard Lectures*, p. 367-377 ; trad. fr. : *Écrits*, p. 300-304).

EXEMPLE 34
Der Wunsch des Liebhabers,
dernière mesure (structures symétriques)

accrue – marquée par le balancement rapide entre deux accords complexes, établis dans le grave sur l'accord parfait, tantôt majeur, tantôt mineur, de *sol♭/fa♯* –, suivie, dans **d**, d'une désintégration de la texture, qu'envahissent les relations « chromatiques » : à la fois verticalement, avec l'alternance des agrégats symétriques ‹*la♭₃ mi♭₄ la♮₄ si♭₅*› et ‹*mi♮₂ si♮₂ si♭₃ la♮₄*› – se ramenant à la *prime form* (0127) –, et horizontalement, avec le déploiement des tétracordes établis sur *do♮* (clarinette), sur *ré♭* (mandoline) et sur *si♮* (violoncelle). Le plus frappant est que cet éclatement est réalisé au moyen d'une structure soigneusement organisée, où impose ses effets à la surface de l'énoncé musical, pour la première fois dans la pièce, le principe de symétrie : les tétracordes α' (violoncelle) et α (mandoline) sont en effet symétriques l'un par rapport à l'autre autour de l'axe constitué par la dyade *mi♭₄-mi♮₄* – exprimée au violon sous la forme de la 7ᵉ majeure ‹*si♭₃ la♮₄*› (notes qui, on l'a vu, constituent l'axe de symétrie autour duquel s'inversent les deux formes P1 et I6) –, tandis que la figure répétée de la clarinette – le tétracorde ‹*do♮₄ ré♮₄ fa♮₄ sol♮₄*›, commun, lui, à β et à β' – est *en elle-même* symétrique autour de ce même axe [exemple 34].

6.1 À l'autre extrémité du recueil : *Unentrinnbar*

Nous savons par des lettres qu'il échangea en avril 1926 avec le directeur des Éditions Universal, Alfred Kalmus, que Schönberg s'est opposé à ce que l'on éditât séparément *Der Wunsch des Liebhabers* en raison du fait que la pièce comportait un accompagnement instrumental. Jugeant que, vu leur brièveté, les trois autres chœurs ne modifieraient pas beaucoup l'épaisseur du volume, il demanda que, « dans un premier temps au moins », on publie ensemble « tout l'opus », sans exclure qu'à l'avenir, si l'expérience montrait qu'il y avait là un problème, soit retenu le principe d'une édition séparée[62]. Malgré cela, on a parfois mis en doute que l'op. 27 ait la cohérence d'un véritable recueil, en arguant du caractère disparate des textes, ainsi que de l'absence supposée, entre les quatre chœurs, de liens « inhérents au matériau »[63] ; du fait même que, dans les op. 27 et 28, Schönberg utilise pour chaque mouvement une série différente, le musicologue Robert Falck va jusqu'à conclure que ces opus « ne doivent pas être considérés comme des cycles unifiés, mais comme des recueils de pièces individuelles, qui ne demandent pas à être jouées ensemble ou dans un ordre particulier »[64]. Or, un examen attentif des pièces montre que de tels liens existent bel et bien entre elles, fût-ce sur le mode du contraste : la diversité même des séries utilisées, si l'on en saisit la rationalité, se révèle propre à créer une cohérence d'une nature plus dialectique, mais non moins effective, que celle que garantit l'emploi d'une même série dans l'œuvre tout entière. Les enjeux liés à la conception musicale du *Vœu de l'amant*, en particulier, ne ressortent que plus clairement si on la met en regard de celle des trois autres chœurs, en sorte qu'apparaisse la logique de leur succession à l'intérieur du recueil.

Le 1er chœur, *Unentrinnbar* (Inéluctable), apparaît, à maints égards, comme l'opposé du dernier : il se présente comme un canon tout à fait strict, dans lequel le texte est chanté tour à tour par les quatre voix, en commençant par les sopranos et en finissant par les basses, chaque voix déroulant les quatre formes de la série ; seule la dernière phrase, comme dans *Le Vœu de l'amant*, fait l'objet d'un traitement particulier[65], mais le schéma s'inverse : l'écriture y devient, pour l'essentiel, homorythmique. La série elle-même offre

---

62 Voir *SW 18-2*, p. xxiv et p. xxxviii.

63 C'est ce qu'écrit Lütteken, qui, se fondant sur la remarque d'Erwin Stein selon laquelle « *Mond und Menschen* est en quelque sorte l'adagio de l'œuvre », évoque ensuite la possibilité d'une conception « symphonique » du recueil, non sans reconnaître que rien ne vient étayer cette hypothèse (« *Vier Stücke für gemischten Chor op. 27* », p. 415 ; voir le texte de Stein dans *SW 18-2*, p. xl-xli).

64 Robert Falck, « Schoenberg in Shirtleeves. The Male Choruses, Op. 35 », dans : Charlotte M. Cross et Russell A. Berman (éds.), *Political and Religious Ideas in the Works of Arnold Schoenberg*, New York, Garland, 2000, p. 115.

65 Le texte écrit par Schönberg est en prose. En voici une traduction : « Héroïques sont ceux qui accomplissent des actes qui sont au-dessus de leur courage. Ils ne possèdent que la force de concevoir la mission et le caractère de ne pas pouvoir s'y soustraire. Si de surcroît un Dieu a été

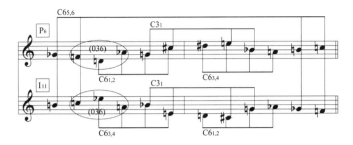

EXEMPLE 35
Unentrinnbar, propriétés de la série et relations entre les hexacordes

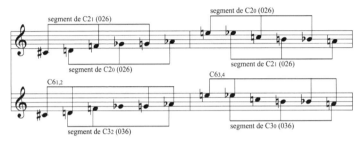

EXEMPLE 36
Unentrinnbar, structure interne des hexacordes de la série

un contraste absolu avec celle du *Vœu de l'amant* en ce qu'elle s'organise autour du tétracorde (0167), où jouent un rôle déterminant le triton et la seconde mineure, qui sont précisément les deux intervalles absents de la collection pentatonique [exemple 35]. Ses deux hexacordes, considérés en tant qu'ensembles de classes de hauteurs non ordonnés, sont également ici équivalents par inversion (cette propriété, on le verra, est commune aux quatre séries de l'opus 27), et possèdent donc le même vecteur intervallique, en l'occurrence [422232][66] [exemple 36] ; or, il est aisé de voir que l'ordre des notes choisi par le compositeur parmi toutes les possibilités qui s'offraient à lui fait délibérément ressortir ces intervalles de triton et de seconde mineure : aucune des trois quartes (ou quintes), en particulier, n'apparaît entre deux notes consécutives, et si la seconde majeure est présente une fois dans le second hexacorde – ‹la♮ si♭› –,

assez cruel pour leur accorder la connaissance de leur situation, alors ils ne sont pas à envier. Et c'est pourquoi on les envie ! »

66 En d'autres termes, cet hexacorde (la collection 6-5 de l'inventaire de Forte) comporte 4 secondes mineures, 2 secondes majeures, 2 tierces mineures, 2 tierces majeures, 3 quartes et 2 tritons.

les structures de tons entiers – deux tricordes (026) – sont neutralisées au profit, soit des tétracordes (0167), soit de structures de tierces mineures, c'est-à-dire de configurations d'intervalles symétriques.

La structure du canon impliquant une forte prédominance de la dimension horizontale, ces caractéristiques de la série se traduisent directement dans la réalité concrète de l'énoncé musical, avec d'autant plus de force que Schönberg choisit bien ici de coupler avec la forme première, P6, l'inversion dont les hexacordes sont complémentaires des siens, I11, n'utilisant dans la pièce que ces deux formes et leurs rétrogrades [tableau 2].

Sopranos	$\overrightarrow{P6}$	$\overleftarrow{P6}$	$\overrightarrow{I11}$	$\overleftarrow{I11}$
Altos	$\overrightarrow{I11}$	$\overleftarrow{I11}$	$\overrightarrow{P6}$	$\overleftarrow{P6}$
Ténors	$\overrightarrow{P6}$	$\overleftarrow{P6}$	$\overrightarrow{I11}$	$\overleftarrow{I11}$
Basses	$\overrightarrow{I11}$	$\overleftarrow{I11}$	$\overrightarrow{P6}$	$\overleftarrow{P6}$

TABLEAU 2
Unentrinnbar, agencement des formes sérielles

L'axe de symétrie autour duquel s'inversent les deux formes étant identique à celui autour duquel s'inversent au sein même de la série les deux hexacordes (en l'occurrence les dyades *ré♮-mi♭ / la♭-la♮*), il en résulte que s'enchaînent toujours, au centre des quatre formes que déroulent l'une après l'autre les quatre voix, les mêmes tétracordes {*do♯ ré♮ sol♮ la♭*} (C61,2) et {*ré♯ mi♮ la♮ si♭*} (C63,4) – dont les notes sont simplement permutées dans I11 et RI11. Le phénomène est souligné par la registration, les douze hauteurs par lesquelles se traduisent concrètement les notes de la série étant disposées symétriquement autour des deux dyades qui composent le troisième des tétracordes (0167) possibles : C65,6, qui se forme au même endroit dans P6 et dans I11 (notes 1-2 et 11-12) [exemple 37]. Ainsi les douze hauteurs sont-elles centrées, dans la voix de soprano, sur la dyade *si♮4-do♮5*, et dans la voix d'alto, symétriquement, sur la dyade *fa♮4-sol♭4*, l'autre dyade, énoncée d'entrée de jeu, enserrant toute la gamme : *sol♭5-fa♮4* aux sopranos, et *si♭3-do♮5* aux altos (les deux notes s'échangent à la fin du rétrograde : *fa♮5-fa♯4* aux sopranos [mes. 8-9], et *do♮4-si♮4* aux altos [mes. 10-11])[67]. Le même

---

67 Seules deux hauteurs changent de registre, et font exception à la règle : le *fa♮5* des mes. 12-13 et le *mi♮4* des mes. 14-15 aux sopranos, et symétriquement, aux altos, le *do♮4* des mes. 14-15 et le *ré♭5* des mes. 16-17.

EXEMPLE 37

Unentrinnbar, registration des douze hauteurs

dispositif se retrouve évidemment dans les voix d'hommes, transposé à l'octave inférieure[68].

Le tétracorde C65,6, investi de ce rôle axial, fait lui-même une apparition notable dans chacune des voix, au centre de la séquence qui y est déroulée : il se forme ainsi, dans la partie de sopranos [exemple 38], lorsqu'au rétrograde de P6 s'enchaîne I11 (mes. 8-10), et qu'à la jonction des deux formes les deux secondes mineures situées aux extrémités de la série sont, pour une fois, en contact direct l'une avec l'autre. Toute la deuxième phrase du texte – « Ils ne possèdent que la force de concevoir la mission et le caractère de ne pas pouvoir s'y soustraire » (*Sie besitzen nur die Kraft, den Auftrag zu konzipieren, und den Charakter, ihn nicht abweisen zu können*) –, de la mes. 6 jusqu'au début de la mes. 12, est de ce fait chantée sur une pure succession de tétracordes (0167) – C65,6, au centre, étant exprimé sous une forme différente, où, au lieu du triton, se détache, sur les deux dernières syllabes du mot « *(kon-zi)-pie-ren* », l'intervalle de quarte juste (qui apparaît là pour la seule et unique fois dans toute la séquence) : ‹*fa*♮5 *fa*♯4 *si*♮4 *do*♮5›.

Une autre structure symétrique joue un rôle important dans le dispositif qui gouverne le canon : il s'agit de la « 7e diminuée » {*do*♯ *mi*♮ *sol*♮ *si*♭} (C31) présente elle aussi au centre des deux formes P6 et I11, en position serrée, sous la forme des deux tritons {*do*♯ *sol*♮} et {*mi*♮ *si*♭}, qu'elle partage avec les tétracordes C61,2 et C63,4.

Cette particularité de la registration des douze hauteurs dans *Unentrinnbar* a été relevée par Stephen Peles, qui note, en outre, que si l'on se fonde sur la durée des valeurs rythmiques on obtient deux sous-ensembles également symétriques autour du même axe – dans le cas des sopranos (où l'axe est la dyade *si*♮4-*do*♮5) : ‹*fa*♮4 *la*♭4 *si*♮4 / *do*♯5 *ré*♮5 *sol*♭5› pour les valeurs longues (allant de la noire à la durée de cinq croches) et ‹*sol*♮4 *la*♭4 *si*♮4 / *do*♯5 *ré*♯5 *mi*♮5› pour les valeurs brèves (des croches successives toujours associées à l'intervalle de seconde mineure) (Stephen Peles, « "Ist Alles Eins" : Schoenberg and Symmetry », *Music Theory Spectrum*, 26/1, 2004, p. 61-64).

EXEMPLE 38

Unentrinnbar, succession des tétracordes (0167) dans la voix de soprano

Une note vient certes s'insérer en son milieu (*ré♯* dans P6, *ré♮* dans I11), mais celle-ci est le plus souvent traitée, dans la ligne mélodique, comme une «note étrangère» (de la valeur d'une croche), qui ne compromet en rien l'unité de la figure où se détachent les deux tritons : dans P6 (sopranos, mes. 2-3) ‹*sol♮4 do♯5 mi♭5 si♭4*› (*x*) et dans I11 (altos, mes. 4-5) ‹*si♭4 mi♮4 do♯4 sol♮4*› (*x'*) [exemple 39].

La façon dont le texte est découpé contribue, de plus, à l'autonomie de cette figure : le segment de C32, au départ, est déjà isolé sur « *sind sol-che* », le *la♭* étant séparé du *sol♮* par une virgule, ce qui fait que le syntagme suivant, « *die Ta-ten voll-brin-gen* », coïncide exactement avec le tétracorde *x* : les deux syllabes accentuées, « *Ta-(ten)* » et « *-brin-(gen)* » sont amenées par l'intervalle (ascendant puis descendant) de quarte augmentée – *sol♮4* en levée de *do♯5*, *mi♭5* en levée de *si♭4* –, et seules les notes correspondant aux syllabes atones venant en désinence sont étrangères à C31. Qu'il n'y ait rien là de fortuit, le montre le passage suivant (mes. 6-7) : « *Sie besitzen nur die Kraft* », où, de la même façon, le *ré*♯₅ est traité comme une simple note de passage à l'intérieur du mélisme sur « (*be-sit*)-*zen* », tandis qu'une nouvelle fois le syntagme qui suit, «*den Auf-trag*», coïncide avec le segment de C3₂ ‹*la*♭₄ *ré*♯₅ *fa*♮₅›, le *sol*♮₄ de «*Kraft*» (mot accentué) étant, comme à la mes. 2, séparé du *la*♭₄. Il en va de même encore aux mes. 11-12, où les syllabes accentuées de «*ab-wei-sen zu kön-nen*» sont amenées l'une et l'autre par l'intervalle de quarte augmentée. Seules font exception les mes. 14-15, où la priorité est donnée nettement aux deux tétracordes (0167)[69].

C'est toutefois dans la superposition des voix que la présence immuable de cette figure de deux tritons à distance de tierce mineure, au centre des quatre formes de la série, produit ses effets les plus sensibles[70], unifiant la texture de plus en plus fortement à mesure que celle-ci se densifie : à partir de l'entrée des ténors, et jusqu'à la disparition des sopranos – qui marque le début de la raréfaction progressive (en miroir) du tissu polyphonique –, *x* et *x'* ne cessent d'être superposés l'un à l'autre dans les couples de voix (sopranos-ténors et altos-basses), toujours déroulés, l'un à l'endroit, l'autre à l'envers. Au centre du canon (mes. 10-14), le jeu des imitations est si serré qu'il n'est pas un temps de la mesure sur lequel ne retentisse, dans une voix au moins, *x* ou *x'* [exemple 40].

---

69 On a peine à croire que l'apparition *in fine* du motif BACH (mes. 15-17) soit purement fortuite, d'autant que le *mi*♭ qui s'y insère (en désinence) forme avec le *la*♮ qui précède les initiales du nom de Schönberg lui-même, A Es (prononcé S).

70 Schönberg usera du même procédé dans le thème des *Variations pour orchestre*, dont la série, obtenue à partir du même hexacorde 6-5, est construite de manière à faire remplir à la «7ᵉ diminuée» {*do*♯ *mi*♮ *sol*♮ *si*♭} (C31), exprimée là aussi sous la forme des deux tritons {*do*♯ *sol*♮} et {*mi*♮ *si*♭}, la même action unificatrice au sein de la mélodie. Voir également *infra*, la note 90.

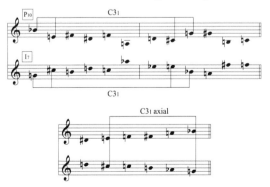

EXEMPLE 39
Unentrinnbar, agencement sériel du canon

EXEMPLE 39

(suite)

EXEMPLE 40
Unentrinnbar, mes. 10-14, imbrication des tétracordes *x* et *x'*

La prédominance de l'écriture linéaire, à laquelle doivent de prendre tant d'importance, dans le canon, ces configurations mélodiques de tritons (à distance de tierce mineure et de demi-ton) avec lesquelles viendra contraster, à l'autre extrémité du recueil, la couleur pentatonique du *Vœu de l'amant*[71], a pour contrepartie que la dimension verticale est ici reléguée au second plan : si un contrôle strict y est exercé, c'est avant tout pour éviter qu'une même note soit présente simultanément dans deux voix distinctes ; mais le mouvement à la fois saccadé et soutenu des parties[72], dans le tempo très rapide de la pièce (la noire à 120), ne permet à telle ou telle couleur harmonique d'émerger que fugitivement[73]. C'est ce qui a conduit Schönberg à traiter de façon homophonique, par contraste et pour l'équilibre, le dernier vers : « et voilà, voilà pourquoi on les envie » (*und darum, darum werden sie beneidet*), chanté dans un tempo plus lent. La phrase musicale, articulée en deux propositions – *und darum, darum* (mes. 24-27) | *werden sie beneidet* (mes. 28-31) –, superpose deux fois P6 et I11 : aux sopranos et aux basses d'une part, et, en commençant par le second hexacorde, aux ténors et aux

---

71 Participent de ce contraste les demi-tons eux-mêmes, aux extrémités de la série et, partant, à la jonction des formes (ainsi aux mes. 6-7, dans la 1re voix, sur les mots « *an die ihr Mut nicht heranreicht* »).

72 Schönberg avait noté au départ l'indication « Alla marcia », qu'il a remplacée par « *Durchaus kräftig in Tempo und in Tongebung* ».

73 Dans le développement de la *Philosophie der neuen Musik* consacré à l'harmonie, Adorno a justement choisi un passage d'*Unentrinnbar* – à savoir les mes. 11 (sopranos, altos) et 15 (ténors, basses) – pour illustrer la manière dont « la dissonance la plus âpre » (*die schärfste Dissonanz*) : l'intervalle de seconde mineure, qui, durant la période atonale libre, « était employé avec la plus grande circonspection », est, dans les compositions dodécaphoniques, « manié comme s'il était dépourvu de toute signification » (*hantiert wird, als bedeute sie gar nichts*), et cela, dans les chœurs, « au détriment manifeste de l'écriture » (*zum offenen Schaden des Satzes*) – *cf.* Th. W. Adorno, *Philosophie der neuen Musik*, p. 84 (trad. fr. : *Philosophie de la nouvelle musique*, p. 94).

EXEMPLE 41

Unentrinnbar, séquence finale (analyse du point de vue harmonique)

altos d'autre part[74] ; il découle de cette combinaison qu'aussi bien dans les voix de femmes que dans les voix d'hommes les mêmes notes apparaissent deux fois à l'intérieur des deux membres de phrase, dans un ordre différent sauf pour la 4ᵉ note de chaque hexacorde, le *la♭* et le *la♮* : cela seul suffisait à motiver, à l'endroit où ces notes apparaissent, le décalage des entrées et le retour d'un embryon de canon par mouvement contraire – dans les parties intermédiaires aux mes. 26-27 et finalement dans toutes les voix aux mes. 30-31 [exemple 41].

L'examen de l'enchaînement d'accords initial (*und darum*) permet de saisir à quelle logique obéit la réalisation harmonique : les accords sont tous trois constitués de tierces majeures superposées, mais à distance d'intervalles toujours différents : d'abord la tierce mineure (redoublée) : ‹*si♭₂ ré♯₃ / ré♮₄ sol♮₄*› (0347), puis la seconde mineure (deux fois redoublée) : ‹*do♮₂ mi♮₃ / do♯₄ fa♮₅*› (0145), enfin la quinte juste : ‹*mi♭₃ sol♮₃ / si♭₃ ré♮₄*› (0158) ; la sonorité propre

74 Haimo a fait remarquer que, dans le canon lui-même, Schönberg ne super-pose pas l'un à l'autre les hexacordes complémentaires comme il le fera régu-lièrement par la suite : ainsi, aux mes. 3-4, le 2ⁿᵈ hexacorde de P6 est combiné avec le 1ᵉʳ hexacorde de I11, qui contient les mêmes notes – d'où l'effet d'imi-tation en miroir qui se produit à cet endroit : ‹*mi♮₅ si♭₄ la♮₄*› (sopranos) / ‹*la♮₄ si♭₄ mi♮₄*› (altos) (E. Haimo, *Schoenberg's Serial Odyssey*, p. 137).

à chaque agrégat est, de plus, modulée par la disposition plus ou moins large dans laquelle il est présenté : l'accord le plus compact, le dernier, est également celui au sein duquel le coefficient de tension des intervalles est le plus faible, du fait que s'y trouvent imbriquées deux quintes justes, composant la triade majeure de *mi*♭ et la triade mineure de *sol*♮. À la mes. 28, chaque noire porte un accord de structure, et donc de couleur différente : la ligne, aux sopranos et aux basses, y est en effet augmentée de la dernière note du 1er hexacorde (*do*♯ aux sopranos, *mi*♮ aux basses)[75]. Les deux accords (0347) et (0145) – où sont échangées les deux tierces de la présentation initiale des mes. 24-25 : ‹*ré*♮$_3$ *sol*♭$_3$ / *si*♮$_3$ *ré*♯$_4$› et ‹*do*♯$_3$ *fa*♮$_3$ / *do*♮$_4$ *mi*♮$_4$› – sont ainsi précédés chacun d'un accord dont la sonorité est déterminée par la présence d'autres intervalles : le premier déploie verticalement un segment du cycle des quintes, {*mi*♮ *si*♮ *fa*♯ *do*♯}, sous la forme de deux neuvièmes majeures superposées et séparées par une quarte juste : ‹*mi*♮$_2$ *sol*♭$_3$ / *si*♮$_3$ *do*♯$_5$›, le deuxième exprime une autre configuration diatonique, {*do*♮ *ré*♮ *mi*♭ *fa*♮}, sous la forme de deux tierces mineures séparées par une quinte juste : ‹*ré*♮$_3$ *fa*♮$_3$ / *do*♮$_4$ *mi*♭$_4$›. Quant à l'accord qui se détache au centre de la mesure suivante, et qui est l'homologue de celui du deuxième temps de la mes. 25, il est ici largement déployé du *sol*♮$_2$ au *si*♭$_4$ – les deux quintes s'établissant à distance l'une de l'autre, l'une dans le registre grave, l'autre dans le médium –, disposition qui lui confère une plénitude sonore particulière, après quoi – sur le mot « *beneidet* » – les voix s'autonomisent à nouveau au sein d'une texture redevenue polyphonique.

L'importance qu'acquiert la dimension verticale à la fin d'*Unentrinnbar*, cependant, n'empêche pas la dimension mélodique, et avec elle les intervalles qui donnent à la pièce sa couleur spécifique, d'y garder un rôle significatif. De fait, les accords ont essentiellement pour fonction d'harmoniser la ligne des sopranos, que rend particulièrement expressive une série d'intervalles disjoints : d'abord le dessin ‹*sol*♭$_4$ *fa*♮$_5$ *ré*♮$_4$› – la tierce mineure redoublée ‹*fa*♮$_5$ *ré*♮$_4$› réalisant, avec la quinte diminuée ‹*ré*♮$_4$ *la*♭$_4$› qui suit, le segment de C32 contenu dans le 1er hexacorde de P6 –, puis, dans le second membre

---

75 Ce découpage en 5 + 7 notes tient sans doute au fait que le texte du 1er membre de phrase ne contient (et cela en redoublant « *darum* ») que cinq syllabes. La solution consistant à différer l'apparition de la dernière note de l'hexacorde permet, on va le voir, d'enrichir significativement la ligne des sopranos aux mes. 28-29.

de phrase, les deux septièmes mineures descendantes ‹*do*♯$_5$ *ré*♯$_4$›
puis ‹*la*♮$_5$ *si*♮$_4$› – la première lançant le mouvement mélodique qui
aboutit au *si*♭$_4$ («*werden sie*») et où se déploie le segment de C3ı
(faisant partie de *x*) ‹*do*♯$_5$ *mi*♮$_4$ *si*♭$_4$›, la seconde amorçant le mouvement cadentiel qui conclut la pièce, avec, d'une part, l'accord de
quarte-et-sixte qui se forme distinctement, dans le diminuendo,
à la dernière mesure : ‹*do*♮$_5$ *mi*♮$_4$ *sol*♮$_3$›, et, d'autre part, la figure de
tritons, écho de *x/x'*, dans laquelle s'éteignent les voix de ténor et
d'alto : ‹*si*♭$_3$ *mi*♮$_4$ / *sol*♮$_3$ *do*♯$_3$›.

6.2 *Du sollst nicht, du musst* : un nouvel équilibre entre polyphonie et harmonie

On peut, dans le cadre de ce travail, faire l'économie d'une étude
détaillée du deuxième chœur, *Du sollst nicht, du mußt*, que
Schönberg a commencé en même temps que le troisième mais terminé après lui (le jour suivant)[76], et qui, à l'évidence, répond à un
besoin d'équilibre au sein du recueil : en raison de sa brièveté mais
aussi de la nature du texte qui y est mis en musique, *Unentrinnbar*
avait besoin d'un double, fût-il lui-même conçu de manière spécifique. Les quatre chœurs de l'opus 27, de fait, s'articulent en trois
volets : celui que forment les deux premières pièces, brèves et au
tempo rapide (dans les deux cas, la noire à 120) – Adorno parle, à
leur propos, de «maximes musicales» (*Spruchkompositionen*)[77] –,
le «mouvement lent» constitué par *Mond und Menschen*[78], et le

---

76 Voir *supra* la note 2.

77 Th. W. Adorno, «Schönberg : Chöre op. 27 und op. 28», p. 354 : «des
    maximes musicales, telles que les a engendrées la solitude du dernier
    Beethoven, monologues de la connaissance, lapidaires, dépourvus de tout
    lyrisme, coupés du moi privé, fermés à l'expression immédiate du chant,
    axés sur la seule vérité.» (*Spruchkompositionen, wie sie aus der Einsamkeit
    des späten Beethoven kamen, Monologe der Erkenntnis, hart, unlyrisch, abge-
    schieden vom privaten Ich, verschlossen der singenden Unmittelbarkeit, auf
    Wahrheit allein gerichtet.*)

78 *Cf.* le propos déjà cité d'Erwin Stein assimilant *Mond und Menschen* à
    «l'adagio de l'œuvre» (*supra*, note 63). Dans la version gravée par Rupert
    Huper en 1991 avec le Südfunk-Chor Stuttgart, où les tempi indiqués par
    Schönberg sont respectés, les deux premiers chœurs, réunis, durent 2'15,
    Mond und Menschen 3' et *Der Wunsch des Liebhabers* 3'15. Les proportions
    sont globalement les mêmes dans l'enregistrement réalisé par Pierre
    Boulez en 1982 avec les BBC Singers, dont les tempi sont nettement plus
    lents : environ 3' pour I et II, 3'12 pour III et 4'23 pour IV, ainsi que dans

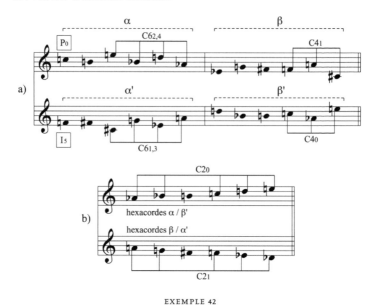

EXEMPLE 42
Du sollst nicht, du mußt,
a) formes de la série ; b) collections auxquelles se ramènent les hexacordes

« finale » de forme strophique, renvoyant au modèle du « thème avec variations ». Quelques remarques s'imposent néanmoins, concernant la série utilisée dans la pièce, la spécificité du dispositif dans lequel elle est mise en jeu, et l'incidence de celui-ci sur l'harmonie.

La série de *Du sollst nicht, du mußt* est complémentaire de celle d'*Unentrinnbar* en ce qu'elle privilégie les structures de tons entiers : ses deux hexacordes – qui, ramenés à un ensemble non ordonné, en l'occurrence le *pitch-class set* 6-21 de l'inventaire de Forte, sont une nouvelle fois équivalents par inversion – contiennent chacun cinq notes appartenant, dans un cas, à C20, dans l'autre à C21, l'un des intervalles du cycle étant rempli chromatiquement [exemple 42].

la version plus récente de Robert Craft (2006, avec le Simon Joly Chorale de Londres) : 2'45 pour I et II, 3'29 pour III et 4'24 pour IV ; lors du concert donné le 12 mars 2010 à la Cité de la musique de Paris, avec les BBC Singers toujours, Boulez a encore ralenti les tempi : 3'15/3'40/4'50. Reinbert de Leeuw, qui a enregistré l'œuvre avec le Netherlands Chamber Choir en 1981, a étiré *Mond und Menschen* au point d'en faire le mouvement le plus long, ce que rien ne justifie (même si Schönberg précise que les tempi indiqués dans la partition ne sont qu'indicatifs) : 2'15/3'40/3'20.

De manière significative, au tétracorde de type (0167) de la série d'*Unentrinnbar* se substitue, au même endroit du premier hexacorde, une configuration de tritons à distance, cette fois, de seconde majeure (0268) ; mais plutôt que de la dupliquer dans le second hexacorde, Schönberg préfère caractériser ce dernier par une structure de tierces majeures – en l'occurrence, dans P0, C41 –, placée dans la continuité du segment chromatique, ici exprimé comme tel[79]. Le choix de l'inversion, comme dans *Unentrinnbar*, obéit au principe de l'*hexacordal combinatoriality* : à P0 correspond ainsi I5 ; en d'autres termes, α et β' d'une part, β et α' de l'autre, énoncent dans un ordre différent le même ensemble de six notes. Le contraste avec la série du *Vœu de l'amant* réside dans la faible représentation de l'intervalle de quarte au sein du vecteur intervallique propre au *pitch-class set* 6-21 : [242412] ; cet intervalle est néanmoins mis en évidence dans le 1er hexacorde, ainsi qu'au centre de la série (à la jonction des hexacordes).

Une particularité du tableau des formes sérielles noté par Schönberg, que *Du sollst nicht, du mußt* partage avec *Mond und Menschen*, révèle la nature de l'enjeu spécifique auquel se confronte ici la composition : aux deux formes principales, P0 et I5 (avec leurs rétrogrades), y sont adjointes celles de la « série secondaire » obtenue en intervertissant les hexacordes[80] [illustration 3]. Une telle superposition des quatre hexacordes dans le texte musical lui-même, à laquelle s'essayait déjà la séquence finale d'*Unentrinnbar*, contraint, on l'a vu, à un contrôle harmonique particulièrement strict, du fait que les douze notes sont, dans chaque combinaison, présentes deux

79 Schönberg procèdera exactement de la même façon en 1949 pour la série de la *Fantaisie pour violon avec accompagnement de piano* op. 47, construite elle aussi à partir de la collection 6-21 : le 1er hexacorde met en évidence le tétracorde (0268), le 2nd la structure de tierces majeures (048).

80 Ms. 535r (partie supérieure). Sur la notion de « série secondaire » (*secondary set*), voir Milton Babbitt, « Some Aspects of Twelve-Tone Composition », *op. cit.*, p. 41. La transcription du tableau que proposent les éditeurs du volume des *Œuvres complètes* ne fait pas apparaître, curieusement, la différence de grosseur des têtes de notes par laquelle Schönberg marque la différence entre série principale et série secondaire (*SW 18-2*, p. 38).

ILLUSTRATION 3
Du sollst nicht, du mußt, tableau des formes sérielles (ASC, Ms. 535^r)
© Copyright 1926, 1953 by Universal Edition A.G., Wien

fois. En généralisant l'application de ce procédé dans *Du sollst nicht, du mußt* et dans *Mond und Menschen*, le compositeur a manifestement cherché à voir comment une utilisation de la série plus fine, et plus souple dans la rigueur, pouvait permettre de concilier, au sein d'un tissu polyphonique d'une extrême densité, le souci de l'écriture harmonique avec l'exigence de plasticité et d'expressivité des lignes mélodiques.

Les dernières mesures de la pièce, où est chantée selon un agencement polyphonique très libre, dans la nuance *forte*, la phrase « *Du mußt, Auserwählter, mußt, willst du's bleiben* »[81], sont une parfaite illustration du parti qui peut être tiré mélodiquement des configurations d'intervalles présentes dans la série [exemple 43].

Les deux tétracordes C62,4 et C61,3 (α et α') sont clairement isolés, d'abord dans les parties de sopranos et de basses, puis dans les parties de ténors et d'altos[82], où ils coïncident, respectivement, avec le mot « *Auserwählter* » (mes. 21) et avec la proposition « *willst du's bleiben* » (mes. 24) ; C62,4, aux sopranos, est nettement mis en relief sous la forme d'une succession de quintes diminuées prises dans un ample mouvement ascendant, au rythme irrégulier, allant du registre grave au registre aigu : ‹*mi*♮4 *si*♭4 / *ré*♮5 *la*♭5› – tandis qu'aux basses C61,3 est ramassé à l'intérieur d'une simple figure de croches,

---

81 Littéralement : C'est un devoir pour toi l'Élu, un devoir, si tu veux le rester.
82 Dans les voix de ténors et d'altos, qui énoncent elles aussi les formes P0 et I5 (et non les rétrogrades), l'ordre des deux hexacordes est interverti, ce qui fait que les deux tétracordes (0268) viennent à la fin de la séquence.

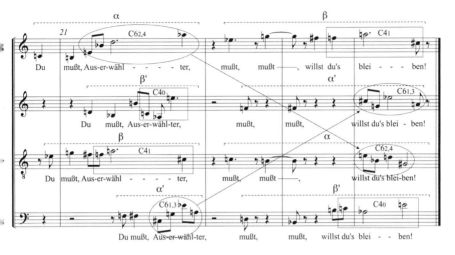

EXEMPLE 43
Du sollst nicht, du mußt, dernières mesures,
agencement des structures de tons entiers

inscrite dans un intervalle de 9ᵉ majeure : ‹$do\sharp_3$ $sol\natural_3$ / $mi\flat_4$ $la\natural_3$› ;
aux ténors et aux altos, où le tétracorde apparaît en position serrée,
le déploiement mélodique des deux tritons se fait parallèlement
et de manière quasiment synchrone, à distance de sixte majeure
d'abord, puis de neuvième mineure – ce qui donne, respective-
ment, la « 7ᵉ diminuée » ‹$do\sharp_5$ $sol\natural_4$ / $mi\natural_4$ $si\flat_3$› et le tétracorde (0167)
‹$mi\flat_5$ $la\natural_4$ / $ré\natural_4$ $sol\sharp_3$ ›. Les structures de tierces majeures (C41 dans β,
C40 dans β'), amenées par un mouvement chromatique, ressortent,
symétriquement, sur les mêmes mots, « *Auserwählter* » puis « *willst
du's bleiben* » ; aux ténors et aux sopranos, le mouvement mélodique
s'inscrit dans l'ambitus le plus restreint possible – celui d'une sixte
mineure (‹$do\natural_4$ $la\natural_4$› pour les ténors, ‹$do\natural_5$ $la\natural_5$› pour les sopranos) –,
alors qu'aux altos la ligne est écartelée entre les différents registres
– *cf.* en particulier la sixte mineure *redoublée* ‹$la\flat_3$ $mi\natural_5$›.

L'intérêt de cette séquence finale de *Du sollst nicht, du mußt*
tient avant tout, cependant, à l'équilibre qui y est recherché entre la
dimension horizontale (mélodique) et la dimension verticale (harmonique) : elle se distingue, en cela, de la fin d'*Unentrinnbar*. La
condition de cet équilibre est, paradoxalement, le poids égal accordé
ici aux quatre voix. Bien qu'aucun canon ne soit mis en place,
le mouvement de la phrase musicale doit beaucoup à des effets
d'imitation ponctuels, qui ont lieu, non entre les voix associées

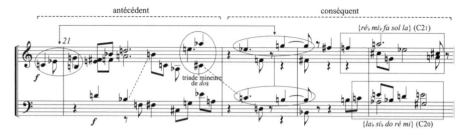

EXEMPLE 44
Du sollst nicht, du mußt, dernières mesures,
mouvement de la phrase musicale

l'une à l'autre sériellement (à commencer par le couple sopranos-
basses : P0/I5), mais entre les voix de femmes d'un côté et les voix
d'hommes de l'autre : au rythme de noires commun aux premières
s'oppose, sur « *Du mußt* », la levée de croche des seconds : ∪ –, d'où
se détache une nouvelle anacrouse (de deux croches, cette fois),
conduisant à la note sur laquelle tombe la syllabe accentuée du mot
« *Auserwählter* » : ∪∪ – ∪. Mais la logique à laquelle obéit la conduite
des voix contredit aussitôt celle de l'imitation canonique : les quatre
voix s'interrompent *ensemble* à la fin de la mes. 21 en sorte de marquer le terme d'un premier membre de phrase : à savoir l'antécédent de ce qui va constituer une petite « période » [exemple 44].

Deux détails sont, de ce point de vue, déterminants : d'une part
la triade mineure de *do*♯ à laquelle viennent aboutir les trois voix
supérieures, d'autre part la présence au début des deux membres de
phrase de la même configuration de 2 × 2 notes, ‹*do*♮ *mi*♭ / *sol*♮ *si*♭›,
qui se forme à la faveur de la superposition des hexacordes α et β
dans les voix de sopranos et de ténors ; même si la présentation
du motif diffère beaucoup dans les deux cas, c'est bien son retour,
aisément repérable à l'écoute, qui fonde la relation entre « antécédent » et « conséquent » caractéristique de la « période ». Notons
que pour expliciter ce lien, en mettant en évidence dès le départ la
tierce ‹*mi*♭4 *sol*♮4› chantée ici par les ténors, Schönberg fait passer
ces derniers au-dessus des sopranos[83]. À la fin du conséquent, le
léger décalage des voix entre ténors et altos permet de faire ressortir,

---

83 Dans la version dirigée par Boulez, l'unité du motif est sacrifiée au profit
du relief donné à la partie de ténors, traitée comme *Hauptstimme* : à l'inverse, le *do*♮4 des sopranos – qui ont certes moins d'éclat dans le grave du
registre, mais à qui n'en est pas moins prescrite également, ici, la nuance
forte – est étrangement détimbré, presque atone.

sur le 3e temps, la sixte ‹*sol*♯₃ *mi*♮₄›, et la triade mineure de *do*♯ perce une nouvelle fois quand les sopranos descendent au *do*♯₅. Le trait le plus remarquable, sur le plan harmonique, est toutefois l'enchevêtrement des structures au moyen duquel s'organise la masse amorphe du total chromatique : les voix de femmes et les voix d'hommes font entendre, séparément, des configurations de tons entiers, appartenant, dans le premier cas à C21 (hexacordes α/β'), dans le second à C20 (hexacordes β/α'), la connexion entre les deux strates étant assurée, dans les voix intermédiaires, par les deux tétracordes déjà mentionnés : la « 7e diminuée » ‹*si*♭₃ *mi*♮₄ / *sol*♮₄ *do*♯₅› et le tétracorde (0167) ‹*sol*♯₃ *ré*♮₄ / *la*♮₄ *mi*♭₅›. L'harmonie est à l'évidence pensée ici comme la résultante de sous-ensembles nettement différenciés – organisés par strates, et *fusionnant* entre eux à un niveau supérieur –, qu'il est possible d'entendre clairement en isolant les couples de voix, et dans lesquels chaque voix possède, en même temps, sa propre conduite mélodique.

7.1 Mond und Menschen (1) : série, structure strophique et rôle de la symétrie

Le troisième chœur, *Mond und Menschen* (La lune et les humains), remplit à plusieurs égards, dans l'économie du recueil, une fonction de trait d'union. Par-delà la provenance du texte (la référence à la Chine), il partage avec *Le Vœu de l'amant* un caractère essentiellement lyrique, à l'opposé de l'objectivité épique commune à *Unentrinnbar* et à *Du sollst nicht, du mußt* – à quoi s'ajoute, du point de vue formel, la construction strophique. Adorno a vu dans la teneur expressive de *Mond und Menschen* la transposition d'un affect central de *La Main heureuse* : la souffrance et la plainte relatives à la condition misérable de l'homme s'y muent, écrit-il, en « douce mélancolie » ; seule la dernière strophe – dont le texte appelait un changement de ton radical[84] – est traitée comme une amère

---

84 Le poème oppose à la trajectoire calme et régulière de la lune, qui « jamais ne s'interrompt dans sa course, ni ne se retourne pour faire un petit pas en arrière », l'instabilité et l'agitation qui caractérise nos pensées et nos actions à nous, les humains, « êtres perturbés » (*Dagegen wir, verwirrte Menschen : unstet ist | und ruhlos, alles was wir denken, was wir tun*). *Ruhelos* est le dernier mot que chante le chœur lorsqu'il s'adresse à l'Homme à la fin de la *Main heureuse* (« *Du bist ruhelos* »).

protestation, contrastant avec le calme et la retenue des trois strophes qui précèdent[85]. Encore s'agit-il, cependant, de ce que Nietzsche a appelé un «lyrisme objectif»: la voix qui s'exprime le fait à la 1re personne du pluriel, et la communauté qui parle à travers ce «nous» est ici l'humanité tout entière: «*Solange wir auf der Erde sind*», «*Wir verwirrte Menschen*». Le pronom «je» n'apparaît que dans *Le Vœu de l'amant*, où celui qui l'emploie se berce de l'espoir d'avoir à sa portée (mais ce n'est peut-être qu'un rêve) ce bonheur terrestre, tangible, qui était précisément refusé à l'Homme de *La Main heureuse*.

Techniquement aussi, le traitement du chœur annonce la dernière pièce: une voix principale, expressément désignée comme telle (*Hauptstimme*), et chantée *molto p*, passe des ténors aux altos puis aux sopranos, tandis que les trois autres voix, en retrait (*ppp*), sont presque murmurées; seule fait exception la dernière strophe, subitement *forte*, où les quatre voix ont un poids égal. L'agencement sériel préfigure, en outre, celui du *Vœu de l'amant* en ce que l'enchaînement des formes, au sein de chaque voix, est régi par le principe d'une double symétrie, selon un axe horizontal et un axe vertical: dans la *Hauptstimme* de la 1re strophe, par exemple, à la forme première (P) s'enchaîne le rétrograde de l'inversion (RI).

Avant de préciser ce point, il nous faut considérer la série elle-même, dont la construction s'oppose en tout point, quant à elle, à celle du dernier chœur. Chaque hexacorde s'y ramène en effet à un pur segment *chromatique*: l'intervalle absent des pentatonismes du *Vœu de l'amant*, la seconde mineure, est donc, ici, le plus fortement représenté au sein du *pitch-class set*[86]. L'ordre des notes choisi par Schönberg fait toutefois ressortir les secondes et les tierces *majeures* qui y sont également contenues, ce que vient encore souligner l'homologie de structure entre les deux hexacordes, où l'une des gammes par tons entiers – dans P11, par exemple, C20 – apparaît sous la forme de deux tricordes similaires (encadrés par les deux secondes mineures présentes dans le segment), tandis que

85 Th. W. Adorno, «Schönberg: Chöre op. 27 und op. 28», p. 355 («*Mond und Menschen» transponiert ein Grundgefühl der «Glücklichen Hand» aus dem klagenden Schmerz in die leise Melancholie; der tiefe Kontrast, der das»Dagegen wir» der rhythmischen Ruhe des ersten Teiles entgegenstellt, könnte als Symbol der sprengenden Humanität genommen werden, die in Schönbergs Musik alle naturale Ruhe zerbricht.*)

86 Le vecteur intervallique de cette collection – 6-1 dans la nomenclature de Forte – est [543210].

EXEMPLE 45

Mond und Menschen, formes de la série

EXEMPLE 46

Mond und Menschen, mes. 1-2, partie de ténors

l'autre enserre toute la série dodécaphonique, avec, au centre, le triton (absent des hexacordes eux-mêmes) [exemple 45].

Cette particularité se marque d'entrée de jeu dans le texte musical (ténors, mes. 1-2) : le tricorde de C20 y revêt l'aspect d'une anacrouse – ‹do♮4 la♭3 si♭3› – conduisant au la♮3, tandis que l'ossature de la phrase est constituée par le tricorde complémentaire (appartenant à C21), dont les notes – ‹si♮3 la♮3 do♯3› – portent les syllabes accentuées du texte : « So-<u>lang</u> (*wir auf der*) <u>Er</u>-de sind »[87]. Le caractère chromatique de la mélodie est néanmoins, au total, nettement prononcé [exemple 46].

Le trait le plus marquant de la conception de *Mond und Menschen* est la rigueur avec laquelle y est mise en œuvre, au sein

---

87 Dans la longue étude qu'il a consacrée à *Mond und Menschen*, Richard Kurth, mentionnant la série utilisée dans la pièce, souligne certes l'importance du rôle qu'y joue la propriété de l'*hexachordal combinatoriality*, mais traite ensuite cette donnée sur le mode de la généralité : sa démonstration resterait inchangée si l'on prenait n'importe quelle autre série offrant la même propriété (par exemple, celle d'*Unentrinnbar*, ou de *Du sollst nicht, du mußt*, etc.). Cette façon de procéder est symptomatique d'une indifférence, extrêmement répandue dans la littérature schönbergienne, envers les enjeux musicaux liés au choix – «mûrement réfléchi», selon l'expression même du compositeur (*cf. supra*, p. 134) – des structures d'intervalles d'où chaque série tire sa spécificité, et se différencie de toutes les autres (R. Kurth, «Twelve-Tone Compositional Strategies and Poetic Signification in Schönberg's Vier Stücke, op. 27», p. 164-186).

EXEMPLE 47

Mond und Menschen, strophes 1 et 2 (*Hauptstimme*), jeu des symétries

de la voix principale, l'idée d'un agencement (doublement) symétrique. L'unité formée par les deux premières strophes atteint, à cet égard, à un degré extrême de connexion entre les éléments, et, par là, de cohésion interne. D'une part, à l'enchaînement ‹P11 RI4› des ténors (1ʳᵉ strophe) répond, aux altos, l'enchaînement ‹I4 R11› (2ᵉ strophe) : il en découle que toute la structure est symétrique, la ligne des altos n'étant autre que le rétrograde – c'est-à-dire l'image en miroir autour d'un axe *vertical* situé au centre de l'unité – de celle des ténors. D'autre part, l'inversion des hauteurs s'effectue de manière stricte autour de l'axe *horizontal* formé par la dyade *sol♮-la♭*, non seulement au sein de la partie de ténors (qui est *en elle-même* symétrique), mais aussi – les altos déroulant à l'envers la même suite de hauteurs, simplement transposée à l'octave supérieure – au sein de l'unité formée par les deux strophes : la symétrie interne à chacune des deux lignes mélodiques (ténors, altos) s'étend ainsi à la succession de 48 hauteurs que constitue tout l'enchaînement (en d'autres termes, cette succession forme un vaste palindrome)[88] [exemple 47].

Qu'on en ait conscience ou non, cette symétrie des hauteurs, qui marque fortement le phénomène musical, ne peut manquer d'être perçue dans l'écoute, et cela même si son centre *idéel* (les dyades *sol♮₃-la♭₃* pour la partie de ténors, *sol♮₄-la♭₄* pour la partie d'altos, et *do♯₄-ré♮₄* pour l'ensemble) n'est pas ici matérialisé par le retour d'une configuration de hauteurs donnée qui lui donnerait une

88 Seule fait exception, au sein de la partie de ténors, la dyade *do♯-ré♮* ; on peut penser que, si l'expressivité du mélisme sur « (*er*)-*blik*-(*ken*) », à la mes. 3, requiert le *ré♮₄*, il n'y a aucune raison d'avoir, symétriquement, le *do♯₃* sur « *Mär*-(*chen*) ») la mes. 4. L'écart étant reproduit à l'identique dans la partie d'altos (*do♯₄* dans le mélisme sur « *Flus*-(*ses*) » à la mes. 10, et *ré♮₄* sur « *er* » à la mes. 11), la stricte symétrie globale des 48 hauteurs (2×24) est respectée.

réalité concrète[89], comme ce sera le cas dans le thème des *Variations pour orchestre* op. 31, où une même « 7ᵉ diminuée » se maintient au même endroit dans toutes les formes utilisées sous la forme des deux tritons complémentaires ‹*si♭ mi♮*› et ‹*do♯ sol♮*›[90]. Le procédé utilisé dans ce thème, consistant à associer un profil rythmique bien défini à chacun des trois segments – de 5, 4 et 3 notes – dans lesquels y est scindée la série (forme droite et inversion) est du reste préfiguré dans *Mond und Menschen*, où la *Hauptsimme* de la 2ᵉ strophe conserve, à quelques détails près, le rythme de celle de la 1ʳᵉ, ce qui rend d'autant plus facilement saisissable la stricte inversion des hauteurs qui y est opérée[91] [exemples 48a/b et 49].

Si l'on considère l'agencement sériel en lui-même, de façon abstraite, *Mond und Menschen* s'articule en deux volets, dont le second ne fait que redistribuer les éléments du premier en sorte que s'instaure à nouveau, dans chaque strophe et de façon globale, la même double symétrie interne [tableau 3].

	Strophe I		Strophe II		Strophe III		Strophe IV	
Hauptstimme	Ténors		Altos		Sopranos		(Basses)	
	→		←		→		←	
	P₁₁	I₄	I₄	P₁₁	P₁₁	I₄	I₄	P₁₁

TABLEAU 3
Mond und Menschen, agencement des formes sérielles
dans la *Hauptstimme*

Mais l'interprétation musicale qui est faite de cet agencement dans les 3ᵉ et 4ᵉ strophes diffère radicalement de celle qui caractérisait le début de la pièce. Loin que les deux strophes soient traitées à leur tour comme une unité cohérente, une rupture se produit entre elles, du fait du changement de ton qu'appelle l'opposition marquée par

89 Sur cette notion d'un centre de symétrie idéel se matérialisant dans une hauteur ou une configuration de hauteurs données, voir J.-L. Leleu, « Enoncé musical et mode(s) de structuration de l'espace sonore », p. 197-199, où est décrit un dispositif analogue mis en place dans le 1ᵉʳ mouvement du *Quatuor* op. 28 de Webern.

90 Voir déjà, à ce propos, la note 70 (*supra*, p. 187), où est reproduite la série de l'op. 31 (les formes P10 et I7 sont celles qui sont utilisées dans le thème). Une seule hauteur, dans la partie de violons, est déplacée (baissée) d'une octave par rapport à la stricte symétrie : le *mi♭₅* de la mes. 53 (au lieu de *mi♭₆*) ; cet écart a manifestement pour but de donner un maximum de relief et de force expressive, en l'isolant, au triton ‹*mi♮₆ si♭₅*› (l'intervalle de 9ᵉ mineure ‹*mi♭₅ mi♮₆*›, au lieu de la seconde mineure ‹*mi♭₆ mi♮₆*›, participe, lui aussi, de cette expressivité de la ligne).

91 Ce point est relevé par Haimo (*Schoenberg's Serial Odyssey*, p. 140).

EXEMPLE 48A

Mond und Menschen, 1ᵉ strophe, *Hauptstimme* (ténors)

EXEMPLE 48B

Mond und Menschen, 2ᵉ strophe, *Hauptstimme* (altos)

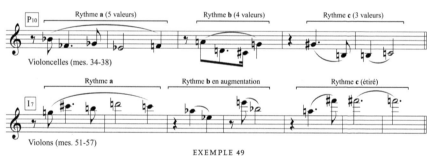

EXEMPLE 49

Variations pour orchestre op. 31, début et fin du Thème (*Hauptstimme*)

« *Dagegen wir* » (« Nous, par contre »). Et bien que, dans une première rédaction de la voix de basses (seule) des mes. 21-29, celle-ci soit encore désignée, selon le schéma appliqué jusque-là, comme *Hauptstimme*[92], cette indication disparaît du texte final, où nulle hiérarchie ne s'établit plus entre les voix (elles ont toutes, ici, la nuance *forte*). À l'inverse, la troisième strophe s'inscrit strictement,

---

92 Voir la transcription de ce premier jet – dont le début (jusqu'à *ruhlos*) est noté à la suite du brouillon des strophes 2 et 3, au bas du Ms. 538 (recto), et qui continue au verso du Ms. 536 –, dans *SW 18-2*, p. 50.

EXEMPLE 50A

Mond und Menschen, 3ᵉ strophe, *Hauptstimme* (sopranos)

EXEMPLE 50B

Mond und Menschen, dernière strophe, voix de basse

par son caractère et son mode d'écriture, dans le prolongement des deux premières : les sopranos s'y détachent au sein du tissu polyphonique, en tant que voix principale, exactement comme le faisaient auparavant les ténors puis les altos. Le lien qui unit les trois strophes est, de plus, renforcé par le fait que cette nouvelle *Hauptstimme*, dégagée du type de logique que fondait précédemment l'agencement sériel, reproduit aussi exactement que possible le profil mélodique de celle la 1ʳᵉ strophe ; bien que, dans le détail, le calque reste approximatif – la forme déroulée par les sopranos est en effet ici le *rétrograde* de P11 –, la ressemblance prime[93], et l'effet

---

93 Outre que le triton central reste en place (‹*do*♯₃ *sol*♮₃› devient ‹*sol*♮₄ *do*♯₅›), on notera que Schönberg a retouché la suite de la ligne de façon à conserver, pour le mélisme qui orne la syllabe accentuée de « *Wandrung* », la sixte mineure ascendante de « *(er)-blik-(ken)* » : ‹*fa*♯₃ *ré*♮₄› (mes. 3) devient ‹*do*♯₅ *la*♮₅› (mes. 17).

Sopranos mes. 15-20

Basses mes. 22-29

EXEMPLE 51

Mond und Menschen, strophes 3 et 4 (*Hauptstimme*), jeu des symétries

produit, à l'écoute, est celui d'une reprise variée, s'inscrivant dans un schéma tripartite de type ABA' [exemple 50a]. Dans la strophe finale, au contraire, la ligne des basses se fait extrêmement accidentée et tourmentée, les sauts d'intervalles et les rythmes syncopés – image musicale de l'agitation que le texte décrit comme le lot des humains – y devenant la norme [exemple 50b].

Ainsi, le palindrome de 48 notes que forme ici encore, sur le papier, la succession des parties de sopranos et de basses n'a, cette fois, aucune réalité musicale concrète : aucune symétrie ne se marque dans le phénomène sonore de manière – fût-ce lointainement – perceptible [exemple 51].

7.2 MOND UND MENSCHEN (2) : INTERACTION DE L'HORIZONTAL ET DU VERTICAL

Considéré sous l'angle de la polyphonie, et de la manière dont les formes de la série innervent le tissu contrapuntique, *Mond und Menschen* s'apparente beaucoup à *Du sollst nicht, du mußt* : les voix y sont, de la même façon, traitées par paires. Dans la 1re strophe, par exemple, la *Hauptstimme* est couplée avec la voix de basses : l'une déroule les formes P11 puis RI4, l'autre, inversement, enchaîne à I4 le rétrograde de P11 ; et les voix de femmes suivent le même schéma, à ceci près qu'y est utilisée, suivant le principe déjà décrit, la « série secondaire » dans laquelle l'ordre des deux hexacordes est inversé [exemple 52].

Si l'on s'en tient aux seules hauteurs, l'ensemble forme donc un double canon par mouvement rétrograde (tantôt à l'unisson, tantôt à l'octave), dont les voix se croisent au milieu de la séquence, sur le 2e temps de la mes. 4. L'inversion autour de l'axe formé par la

EXEMPLE 52

Mond und Menschen, 1ʳᵉ strophe, agencement sériel

dyade *do♯-ré♮ / sol♮-la♭*, s'effectue, quant à elle, de manière globalement stricte : les déplacements d'octaves restent exceptionnels, et la
symétrie est même tout à fait exacte entre le déroulement de I4 dans
la voix de basses et celui de RI4 aux ténors (à ceci près que tout β',
dans les basses, est chanté une octave plus bas), et, de la même
façon, entre les altos (β' + α) et ensuite les sopranos, – alors que les
rythmes sont, eux, on ne peut plus asymétriques[94] [exemple 53].

Comme dans *Du sollst nicht, du mußt*, l'enjeu principal de la
composition, auquel doit permettre de répondre cet agencement
sériel particulier, est d'explorer les possibilités d'une interaction

---

94 Des effets d'imitation intégrant le rythme se rencontrent çà et là : le plus
remarquable est celui qui met en relation le début de la *Hauptstimme*
(« So lang auf der Er-(de) ») et la ligne des altos à la mes. 3, sur « *erblicken
wir den Mond* », où seule la diminution rythmique crée une différence.

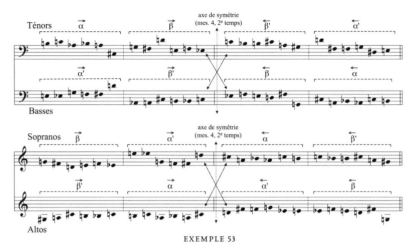

EXEMPLE 53

Mond und Menschen, 1re strophe, symétrie des hauteurs
au sein des deux canons

optimale entre l'expression mélodique et les ressources propres de
l'harmonie. Dans son livre sur l'«odyssée sérielle» de Schönberg,
Ethan Haimo fait remarquer qu'en superposant de façon réitérée
les quatre hexacordes, comme c'est le cas dans *Mond und Menschen*
– où ils passent tour à tour d'une voix dans une autre au fil de la
composition, en étant toujours déroulés tous dans le même sens
(direct ou rétrograde) –, on fait revenir à intervalles réguliers les
mêmes configurations verticales[95]. Cela vaut, en particulier, pour
le tétracorde {*mi♮ sol♮ sol♯ si♮*} (0347) – où s'imbriquent les triades
majeure et mineure de *mi♮*[96] – qui se forme si l'on aligne en colonne
les notes initiales desdits hexacordes. Ces configurations verticales,
de fait, apparaissent clairement sur le tableau sériel utilisé par
Schönberg pour *Mond und Menschen*, où les quatre formes – à
la différence de ce qui se passait dans *Du sollst nicht, du mußt* –
sont notées de la même façon, et mises sur un pied d'égalité (les
deux formes de la série principale embrassent ici celles de la série
secondaire)[97] [illustration 4].

L'observation de Haimo demande toutefois à être complétée
et précisée, étant donné que dans *Mond und Menschen* l'écriture

95 E. Haimo, *Schoenberg's Serial Odyssey*, p. 140.

96 Il s'agit bien sûr de la collection 4-17 de Forte, dont il a déjà été question
    dans le chapitre sur *La Main heureuse* (voir *supra*, p. 40).

97 Ce tableau a été collé au bas de la page où est noté le brouillon de la
    1re strophe (ASC, Ms. 539^v); voir sa transcription dans *SW 18-2*, p. 46.

ILLUSTRATION 4
Mond und Menschen, tableau des formes sérielles (ASC, Ms. 539ᵛ)
© Copyright 1926, 1953 by Universal Edition A.G., Wien

n'est à aucun moment homorythmique – comme elle l'est dans la séquence finale d'*Unentrinnbar*, où, du reste, se forme déjà avec les notes initiales des quatre hexacordes la même structure d'intervalles (0347)[98] –, et que des décalages incessants entre les voix (dus aussi bien à l'espacement des entrées qu'à l'articulation rythmique propre à chaque ligne mélodique) ont justement pour effet de brouiller, le plus souvent, ces relations d'intervalles que suggère, dans sa présentation par colonnes, le tableau des formes sérielles.

Au sein de la 1ʳᵉ strophe, la triade majeure/mineure de *mi*♮ ne se détache clairement qu'*in fine*, dans ce qui sonne comme l'aboutissement cadentiel de toute la séquence, avec, en levée, l'accord de septième sur le IIᵉ degré, précédé lui-même de la quinte diminuée ‹*ré*♯ *la*♮› – ressort essentiel de l'accord de dominante –, qui est résolue comme le veut la logique tonale : *ré*♯ monte à *mi*♮, *la*♮ descend à *sol*♯ [exemple 54].

Plus tôt, sur le mot « *Glanz* » (mes. 5), le *si*♮ est combiné avec les *avant*-dernières notes de α' et de β (rétrogrades), *ré*♯ (écrit *mi*♭) et *fa*♯, en levée du 3ᵉ temps de la mesure, sur lequel se posent, le temps d'une croche, le *mi*♮ des altos et le *sol*♮ des basses (le *sol*♯ était déjà en place aux ténors), si bien qu'émerge à cet endroit aussi, mais de façon beaucoup plus discrète, une cadence V–I, marquant la fin du membre de phrase correspondant à la proposition principale : « *erblicken wir den Mond in seinem Märchenglanz* ». Ces deux gestes cadentiels, l'un fugitif, l'autre bien affirmé, sont essentiels à l'articulation interne de ce qui, une fois encore, forme le conséquent d'une « période », le début de cette section (mes. 4) étant, à

---

98 Voir *supra*, p. 191 *sq.* (et l'exemple 41).

EXEMPLE 54

Mond und Menschen, 1ʳᵉ strophe, structures de hauteurs (triade M/m de *mi♮*)

l'inverse, caractérisé par une couleur prononcée de tons entiers, d'où se détache, sur la dernière croche de la mesure, un pur accord de « 7ᵉ diminuée » : ‹*mi♮₃ do♯₄ sol♮₄ si♭₄*›.

Dans l'antécédent, au contraire, le flux de la polyphonie ne se stabilise à aucun moment, même si de semblables gestes cadentiels accompagnent le mouvement des voix à l'arrivée sur les mots « *Er-(de)* » (où s'ébauche un vague *ré* mineur) et « *Mond* ». L'effet global est celui d'un kaléidoscope dans lequel se font et se défont, de manière fugace, des harmonies qui sont autant de réminiscences de vocables familiers : accords de septième, triades rehaussées de notes étrangères (retards, appoggiatures, etc.). Alors même que, par sa rationalité, la méthode de composition fondée sur la série offre le moyen de contrôler très précisément le jeu de ces sonorités, l'écriture harmonique n'est en rien bridée, dans un tel cadre, par le schéma qu'induirait une interprétation littérale et mécanique du tableau sériel. Il est aisé de voir, en particulier, comment le tétracorde {*mi*♮ *sol*♮ *sol*♯ *si*♮}, qui, dans l'antécédent, se forme *au début* des unités correspondant aux hexacordes, se dissout dans des configurations que ne prescrit aucune règle fixée par la série elle-même : si, dans la levée initiale, retentit bien à découvert la tierce mineure (redoublée) ‹*mi*♮$_3$ *sol*♮$_4$› suivie du *sol*♯$_3$, le *si*♮$_3$ qu'entonnent les ténors appartient déjà à une autre constellation d'intervalles, où affleurent les triades majeures de *si*♮ et de *sol*♮ (voir, dans l'exemple 54, les notes encerclées) ; et la situation est analogue au début de l'unité suivante, où le *mi*♮ des sopranos, sur «*er-blik-(ken)*», subit l'attraction du mélisme qui, dans la *Hauptstimme*, s'inscrit à nouveau (avec le *la*♮ des basses) dans la perspective de *ré*♮.

La fin de la pièce a également fait l'objet dans *Mond und Menschen* d'un traitement spécifique. Les toutes dernières mesures (mes. 30-32) ne sont autres, ici, qu'un prolongement de la 4e strophe, qu'a rendu nécessaire la répétition de « *alles, was wir denken, was wir tun* » («tout ce que nous pensons, tout ce que nous faisons») ; plus exactement, il fallait répéter « *alles, was wir denken* » pour aller jusqu'au bout de l'unité formée par le dernier ensemble de 2×4 formes sérielles (mes. 28-29), et «*was wir tun*» offrait alors la possibilité d'une extension qui ferait office, en même temps, de bref épilogue [exemple 55]. Structurellement, ces trois mesures ajoutées sont la simple duplication du dernier des quatre segments qui constituent la 4e strophe ; elles restent étrangères, par conséquent, au vaste édifice formé par les deux couples de strophes, que régit de façon stricte, on l'a vu, le principe de symétrie. Comme dans la dernière strophe, les voix y ont un poids égal, mais l'articulation rythmique permet de distinguer clairement ici deux strates, à l'intérieur desquelles sont mis en relation les hexacordes symétriques : α (ténors) et α' (altos) d'une part, β (basses) et β' (sopranos) d'autre part. À l'image de ce qui se passait à la fin d'*Unentrinnbar*, l'écriture se fait dans ces dernières mesures, par contraste avec ce qui précède, largement homorythmique, mais plutôt, cette fois, dans le caractère d'un choral (les grands intervalles mélodiques y sont évités, à l'exception notable du double mélisme des basses à l'extrême fin) ; la dimension harmonique acquiert, de ce fait, une primauté qu'elle n'avait eue nulle part auparavant dans la pièce. Mais surtout : à aucun moment l'ambivalence du rapport avec l'idiome

EXEMPLE 55
Mond und Menschen, dernières mesures, agencement sériel

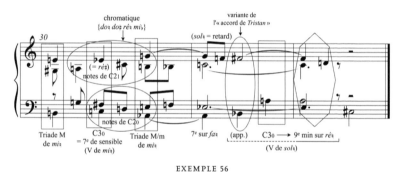

EXEMPLE 56
Mond und Menschen, dernières mesures, réalisation harmonique

tonal n'y avait été poussée aussi loin, et il est frappant de voir comment Schönberg exploite en ce sens les propriétés de la série dont il s'est doté [exemple 56].

La première mesure (mes. 30) s'établit de manière non équivoque dans le ton de *mi♮*; mais si l'accord initial (la triade majeure de *mi♮*) est en quelque sorte fourni par le tableau sériel, l'accord parfait majeur/mineur qui retentit sur le 3ᵉ temps est obtenu, lui, grâce à un léger décalage des voix (*sol♮* et *sol♯* sont les 3ᵉ notes, *mi♮* et *si♮* les 4ᵉ notes des hexacordes concernés); quant à la «7ᵉ diminuée» formée, sur le 2ᵉ temps, par la superposition des tritons ‹*do♮₃ fa♯₃*› et ‹*la♮₃ mi♭₄*› – qui, à son tour, provient directement de l'alignement des quatre formes sérielles –, elle est interprétée tonalement

comme un accord de 9e mineure sans fondamentale à l'intérieur de
ce qui sonne, sans équivoque, comme un enchaînement V–I, dans
le ton de *mi* mineur, non seulement en raison de l'accord diminué,
mais parce que le *la*♭ = *sol*♯ n'a pas, dans les basses, la même prégnance que le *sol*♮ des sopranos – auquel donne un relief particulier, de surcroît, l'intervalle de quarte diminuée par lequel il est
atteint. Comme pour brouiller les pistes, le compositeur évite à cet
endroit d'expliciter par la notation la référence à la logique tonale,
en écrivant, à la voix supérieure, *mi*♭ et non *ré*♯.

La conduite des voix, dans les parties intermédiaires, mérite
également qu'on s'y arrête : le *si*♮, aux altos, et le *mi*♮, aux ténors,
sont amenés par des mouvements de tons entiers qui s'agrègent
aux deux tierces majeures contiguës de telle sorte que la cadence,
au total, procède de la superposition de deux structures de tons
entiers *symétriques* de cinq notes. À quoi s'ajoute, sur le temps
faible du 2e temps, l'accord de passage, lui aussi symétrique,
formé de la combinaison des deux secondes majeures ‹*do*♮$_3$ *ré*♮$_3$›
et ‹*do*♯$_4$ *mi*♭$_4$›, déployant le segment chromatique {*do*♮ *do*♯ *ré*♮ *mi*♭}.
Rarement il est donné de voir coïncider aussi exactement en un
point précis les contraires que sont, pour le dire grossièrement,
l'univers tonal et l'univers atonal – fondés, l'un, sur l'échelle diatonique (par nature asymétrique), l'autre sur l'échelle dodécatonique
(par nature symétrique).

L'accord parfait de *mi*♮, toutefois, est moins affirmé, sur le
3e temps de la mesure, comme un aboutissement (et *mi*♮ comme
une véritable tonique) qu'il n'ouvre sur ce qui revêt certes l'apparence d'une résolution, mais dont le sens est brouillé et comme obli-
téré. Le seul appui véritable se situe au début de la toute dernière
mesure, où émerge de ce qui précède un accord de 9e mineure sur
ré♮. Cet accord fixe rétroactivement le sens tonal de la « 7e diminuée » – formée, une nouvelle fois, par la superposition des tritons
‹*mi*♭$_3$ *la*♮$_3$› et ‹*do*♮$_4$ *fa*♯$_4$› – qui se construit à l'intérieur de la mes.
31[99], et il est également possible d'entendre le *si*♭$_2$ auquel montent
les basses sur le 2e temps de cette mesure, selon la même logique,
comme une appoggiature du *la*♮$_3$ – atteint par un intervalle expressif
de septième majeure, au lieu de la simple seconde mineure qu'exi-
gerait une conduite des voix « régulière ». L'accord de 7e diminuée

---

99 L'accord n'est plus obtenu ici, notons-le, à l'aide de notes appartenant à la
   même colonne dans le tableau des formes de la série.

étant par nature ambivalent, l'interpréter ainsi successivement de deux manières différentes, en sous-entendant comme fondamentale d'abord *si*♮, puis *ré*♮, n'a rien, en soi, de déroutant. Le flottement vient de ce que l'accord de 7ᵉ sur *fa*♮ qui retentit sur le 1ᵉʳ temps de la mes. 31 (le *sol*♮$_4$ des sopranos sonne en effet comme un retard) : {*fa*♮ *la*♭, *do*♮ *mi*♭}, n'a pas de signification claire en lui-même, et conduit, d'autre part, à ce qui n'est autre qu'une variante, transposée sur *do*♮, de l'« accord de *Tristan* » (où sont échangées la quarte juste – réécrite enharmoniquement – et la quarte augmentée : ‹*si*♭$_2$ *mi*♭$_3$ *do*♮$_4$ *fa*♯$_4$› au lieu de ‹*do*♮$_3$ *fa*♯$_3$ *la*♯$_3$ *ré*♯$_4$›), exemple même de ce à quoi Schönberg, dans son *Traité d'harmonie*, donne le nom de « *vagierende Akkorde* » : des accords dont on ne sait où ils vont[100].

Mais le plus surprenant est la manière dont la pièce se suspend *in fine* sur cette note du segment chromatique donné par la dernière colonne du tableau sériel qui ne pouvait entrer dans l'accord de 9ᵉ mineure : un énigmatique *do*♯ – tenu, seul, par les basses durant la valeur d'une blanche[101] –, qui ouvre sur une suite non inférable de ce qui précède : à la fois point d'interrogation et points de suspension. L'énigme est encore renforcée par l'absence, à la fin de *Mond und Menschen*, de toute indication de nuance. On peut certes en conclure que le *forte* prescrit pour la 4ᵉ strophe doit être maintenu jusqu'à la fin, mais tous les interprètes ne jugent pas cette solution musicalement satisfaisante : ainsi Pierre Boulez, dans la version enregistrée à Londres en 1982, fait-il chanter les trois dernières mesures *pianissimo*, avec un *diminuendo* (*morendo*)

---

100 Voir notamment le passage où Schönberg emploie le terme pour la première fois dans l'ouvrage, à propos de la question de savoir s'il est encore nécessaire, dans la musique actuelle, de conclure les phrases ou les pièces par des cadences harmoniques pour affirmer un ton donné (*Harmonielehre*, p. 157). Notons que le *fa*♯$_4$ sur lequel se pose ici la voix supérieure (mes. 31, 2ᵉ temps) pourrait, tout aussi bien, être entendu comme un *sol*♭ dans l'accord de septième {*do*♮ *mi*♭ *sol*♭ *si*♭}, éventuellement établi sur *la*♭, conformément à la réécriture de l'« accord de *Tristan* » que propose Jadassohn en l'interprétant comme accord de septième de sensible (*cf.* Jean-Louis Leleu, « La notion de *Background Structure* chez George Perle », dans : *La construction de l'Idée musicale, op. cit.*, p. 68-70).

101 Ce *do*♯ prolonge mélodiquement le *ré*♮ des sopranos (formant avec lui un intervalle de 9ᵉ mineure) : les altos et les ténors ne tiennent leurs propres notes que durant une noire pointée. Dans la partition manuscrite de la pièce (Ms. 539ʳ), le compositeur avait d'abord noté, dans ces parties, de simples noires : il a ensuite ajouté le point et substitué un demi-soupir au soupir initial.

sur l'ultime *do♯*[102]. L'effet produit rend d'autant plus saisissant l'enchaînement avec *Le Vœu de l'amant*, dont la première note est le même *do♯* (écrit *ré♭*) joué par la clarinette une octave plus haut, et dont cette forme de transition, si ténue soit-elle, fait ressortir vivement, par contraste, le ton plaisant, presque frivole.

L'étrange conciliation qui, dans le dernier chœur, s'opère, *au moyen de la série*, entre pentatonisme et atonalité incite à risquer une analogie entre la nature du projet musical qui y est poursuivi et le contenu du poème mis en musique. Le motif littéraire du rêve – ce rêve par le truchement duquel l'amant voudrait faire du bonheur auquel il aspire une réalité – trouve en effet son équivalent musical dans le caractère onirique de la partition elle-même. Si *Mond und Menschen* renoue, comme l'écrivait Adorno, avec le sentiment mêlé de révolte et de pitié que suscitait, dans *La Main heureuse*, le destin misérable de l'Homme – la sérénité des strophes évoquant la course paisible de la lune n'est, en tant que telle, que l'envers de la plainte à laquelle donne lieu la comparaison avec l'errance humaine (l'antithèse donnant ici tout son sens à la pièce) –, *Le Vœu de l'amant*, au contraire, tente une issue dans la vision stylisée d'un bonheur « à portée de main » où s'inverse le *mauvais rêve* du drame expressionniste : une image, certes, mais à laquelle le détour par le rêve permet justement de tourner l'interdit frappant les représentations, objets d'idôlatrie, que proclame *Du sollst nicht, du mußt*. On voit ainsi se tisser entre les chœurs de l'opus 27 un lien où les préoccupations d'ordre technique – les enjeux propres à l'exploration du nouveau langage musical que s'emploie à formaliser Schönberg – sont intimement entrelacées à l'interrogation philosophique et religieuse.

---

102 Boulez a encore fait ce même choix lors du concert donné le 12 mars 2010 à la Cité de la musique de Paris, avec les BBC Singers. L'option inverse (*forte* jusqu'à la fin) est celle qu'a retenue Rupert Huper dans sa version enregistrée en 1991 avec le Südfunk-Chor Stuttgart, où les dernières mesures sont, au demeurant, très confuses sur le plan harmonique.

TROIS VOLKSLIEDER (1928), VERBUNDENHEIT (1929), DREIMAL TAUSEND JAHRE (1949): MUTATIONS DE LA TECHNIQUE SÉRIELLE

> De là vient que j'écris parfois de la musique tonale.
> Des différences stylistiques de cette nature n'ont pour moi
> aucune importance particulière. J'ignore lesquelles de mes
> compositions sont les meilleures; je les aime toutes,
> car je les ai aimées quand je les ai écrites.[1]

1. Les *VOLKSLIEDER* pour chœur de 1928: diatonisme, polyphonie et trame motivique

À la fin du chapitre de la *Philosophie der neuen Musik* consacré à Schönberg, Adorno attire l'attention sur une forme d'indifférence à l'égard du matériau (*Vergleichgültigung des Materials*) qui se fait sentir dans la production du compositeur après l'adoption de la technique dodécaphonique, et souligne, à ce propos, la place qu'occupe chez lui à partir des années 1920, en marge des compositions sérielles solidement « cuirassées » (*gepanzert*) dont le *Quintette à vent* op. 26 offre chronologiquement le premier exemple, tout un ensemble d'« œuvres secondaires » (*Nebenwerke*), utilisant ou non la nouvelle méthode de composition, et destinées ou adaptées à des usages divers[2]. Au nombre de ces *Parerga* figurent, et sont particulièrement dignes d'intérêt – bien qu'on les prenne rarement en considération et qu'on les joue peu[3] –, les trois *Volkslieder* pour chœur mixte a cappella commandés à Schönberg en avril 1928 par la *Staatliche Kommission für das Volksliederbuch* en tant que contribution au *Recueil de chants populaires pour la jeunesse* dont

---

1 Arnold Schoenberg, « On revient toujours », dans *Style and Idea* 1950, p. 213 (*Style and Idea* 1975, p. 110), et dans *Stile herrschen, Gedanken siegen*, p. 483; 1re publication (en allemand) dans *Stimmen*, 2/16, septembre 1949.
2 Th. W. Adorno, *Philosophie der neuen Musik*, p. 115 (trad. fr., p. 129 *sq.*).
3 Laurenz Lütteken ne leur accorde ainsi qu'une rapide recension dans l'article sur les « petites œuvres pour chœur sans numéro d'opus » (*Kleinere Chorwerke o. O.*) que contient l'ouvrage l'ouvrage *Arnold Schönberg. Interpretationen seiner Werke* (Gerold W. Gruber, éd.), Laaber, Laaber-Verlag, 2002, vol. II, p. 285-287.

elle préparait la réalisation depuis plusieurs années[4], et qui furent écrits dans la période qui va de l'achèvement des *Variations pour orchestre* à la composition de l'opéra en un acte *Du jour au lende-main* (*Von heute auf morgen*)[5].

Qu'il faille considérer ces *Chants populaires* comme des œuvres à part entière, non moins significatives, par leur degré d'accomplis-sement artistique[6], que celles qui portent un numéro d'opus, en

4 *Cf.* l'article de Nils Grosch « Das Volksliederbuch für die Jugend. Volks-lied und Moderne in der Weimarer Republik», dans: *Jahrbuch des Staat-lichen Instituts für Musikforschung Preußischer Kulturbesitz* (Günther Wagner, éd.), Mainz, Schott, 2004, p. 323-351, où est retracé avec préci-sion l'historique du projet ayant abouti à la publication en 1930, chez l'édi-teur leipzigois C. F. Peters, du *Volksliederbuch für die Jugend*, qui se fixait pour objectif de «constituer le centre de toute la vie musicale de la jeu-nesse», et de «faire le lien entre la musique pratiquée dans les écoles et dans les foyers» (*ibid.*, p. 334). Outre Schönberg – qui écrivit pour cette anthologie, non seulement les trois *Volkslieder* pour chœur mixte, mais aussi quatre *Volkslieder* pour voix et piano –, de nombreux compositeurs alors en vue furent sollicités, parmi lesquels Hans Gál, Siegmund von Hausegger, Paul Hindemith, Philip Jarnach, Heinrich Kaminski, Ernst Krenek, Emil von Reznicek, Heinz Tiessen, Ernst Toch, etc. Voir aussi, à ce sujet, Arnold Schönberg, *Chorwerke I. Kritischer Bericht zu Band 18A, Teil 1 · Skizzen* (Tadeusz Okuljar et Martina Sichardt, éds.), Série B, vol. 18/1, Mainz-Wien, Schott-Universal Edition, 1991 [à partir d'ici *SW 18-1*], p. xxix-xxxi.

5 La particelle des *Variations* op. 31 porte, à la fin, la date du 21 août 1928 (le manuscrit proprement dit ne fut terminé, lui, que le 20 septembre), celle de *Von heute auf morgen*, en haut de la 1re page, la date du 25 octobre. Rien ne permet de dater précisément la composition des trois *Volkslieder*. On sait seulement que Schönberg envoya à Carl Lütge (le membre de la Commission avec lequel il était en contact) la partition de *Herzlieblich Lieb, durch Scheiden* et de *Schein uns, du liebe Sonne* le 22 décembre 1928. S'agissant de *Es gingen zwei Gespielen gut*, une lettre adressée à Lütge le 30 mai indique que la pièce était, à cette date déjà, en bonne partie écrite, mais Schönberg n'en compléta le texte qu'en février, voire en mars 1929 : voir sa lettre du 4 février 1929 – où il dit n'avoir besoin que de quelques jours pour mener le travail à son terme – et les réponses que lui fit à ce sujet Lütge le 8 février puis le 14 mars, et la lettre, enfin, du 21 mars attes-tant qu'il avait alors la partition en main (*SW 18-1*, p. xxx-xxxi).

6 Dans sa lettre à Carl Lütge du 4 février 1929, le compositeur prit soin de préciser qu'il tenait les partitions qu'il lui envoyait, «non pour des *Volkslieder*, mais pour des *Kunstlieder*» (*SW 18-1*, p. xxxi). Cette notion de *Kunstlied* est apparue au milieu du xixe siècle pour marquer la diffé-rence entre la tradition savante du lied et les chants populaires propre-ment dits, relevant d'un mode de transmission essentiellement oral. Les nombreux arrangements réalisés par Brahms à partir des années 1850 témoignent de l'intérêt qu'a alors suscité l'idée d'une conciliation des deux sphères : voir notamment les deux recueils de *Deutsche Volkslieder* pour

porte témoignage la lettre adressée par Berg à Schönberg peu après le concert de novembre 1929 où Webern avait dirigé la création de deux d'entre eux, *Herzlieblich Lieb* et *Schein uns, du liebe Sonne* : évoquant la « mystérieuse beauté » de ces pièces, sur laquelle, écrit-il, en disent beaucoup plus que toute parole « les larmes de profonde émotion que ces merveilles du cœur et de l'esprit humains [lui] ont fait venir aux yeux », Berg insiste, à leur propos, sur le caractère réducteur (*verkleinernd*) du terme de « *Bearbeitung* » utilisé pour les désigner[7]. Ce mot allemand s'applique de façon générique, dans le domaine artistique, à toute transformation d'une matière déjà mise en forme, comme dans le cas de l'adaptation d'un livre au cinéma, ou de la transcription d'une composition musicale pour d'autres instruments que ceux auxquels elle était initialement destinée ; entrent dans cette catégorie les orchestrations par Schönberg de pièces pour orgue de Bach – les deux *Choralvorspiele* de 1922-1923, et surtout le *Prélude et fugue* en *mi* bémol majeur (1928) (joué lui aussi lors du concert auquel Berg fait référence) –, ou encore du *Quatuor avec piano* op. 25 de Brahms (1937). Or, si dans de telles réécritures la texture est éclairée et enrichie par l'exploitation des ressources du grand orchestre sans qu'il ait fallu retoucher beaucoup le texte original (ce qui vaut également pour l'orchestration par Webern du *Ricercare* de *L'Offrande musicale*), l'adaptation pour chœur mixte

voix et piano composés respectivement en 1857 (WoO 32) et en 1893-1894 (WoO 33), ainsi que les *Deutsche Volkslieder* pour chœur, avec ou sans piano, WoO 34 et WoO 35 (composés autour de 1860).

7 Lettre de Berg à Schönberg du 5 décembre 1929 (*Briefwechsel Arnold Schönberg – Alban Berg* [Juliane Brand, Christopher Hailey et Andreas Meyer, éds.], Mainz, Schott, 2007, *Teilband II : 1918-1935*, p. 370) : « *Über die* Schönheit *Deiner 2 Chorlieder (ich unterdrücke das verkleinernde Wort „Bearbeitungen") u. über die völlige Räthselhaftigkeit, wie sie (diese Schönheit) zustande kommt, will ich keine Worte – verlieren (sie wären es tätsächlich) ; mehr als solche, sprachen die Thränen tiefster Ergriffenheit, die diese Wunderwerke menschlichen Herzens und Geistes mir – und nicht nur mir – in die Augen trieben.* » (le mot « *Schönheit* » est souligné par Berg). Le concert, lors duquel Webern dirigeait le Singverein, avait eu lieu dans la grande salle du Wiener Musikverein le 10 novembre. Le dernier des trois lieder, *Es gingen zwei Gespielen gut*, ne put y être donné en raison du manque de temps nécessaire pour les répétitions. Webern dirigea de nouveau les deux pièces le 14 décembre. Un disque, produit par Ultraphon, fut en outre enregistré le 2 juillet 1931 dans le Kasino Zögernitz à Mödling : y figurait, outre *Schein uns, du liebe Sonne*, l'un des *Deutsche Volkslieder* pour chœur mixte de Brahms publiés en 1864, l'*Abschiedslied* (« Ich fahr' dahin ») – *cf.* Hans et Rosaleen Moldenhauer, *Anton von Webern. A Chronicle of His Life and Work*, London, Victor Gollancz, 1978, p. 334 *sq.* et p. 364.

des mélodies tirées du fonds populaire des xv-xvie siècles laissait à l'invention du compositeur, de ce dernier point de vue, un champ d'action considérable – le principe adopté par les éditeurs ayant été de soumettre aux auteurs une simple mélodie à une voix, y compris lorsqu'il existait du chant une version polyphonique, qui ne leur a pas été communiquée[8].

Il convient de distinguer ici entre ce qu'Adorno a à l'esprit en parlant de « matériau » : un certain idiome musical – défini par tel ou tel mode d'organisation de l'espace sonore, d'où découle une grammaire propre (morphologie et syntaxe) –, et les moyens spécifiques, relevant d'une écriture éminemment personnelle, par lesquels le compositeur, s'appropriant l'idiome, le plie à la réalisation de ce que Schönberg a appelé l'*Idée* musicale. Un trait majeur de cette écriture, intimement lié à l'idéal polyphonique visé par le compositeur, ressort dans les *Chants populaires* de 1928 – sans qu'y constitue un obstacle le langage diatonique, essentiellement modal, auquel conduisait à s'en tenir la nature du projet –, à savoir le soin apporté, au sein d'un tissu contrapuntique très dense, à la création d'un riche réseau de relations motiviques, ayant pour double effet d'unifier la texture et d'en assurer la transparence par une claire individualisation des voix. Schönberg s'est lui-même expliqué sur ce sujet dans une lettre de juillet 1930 adressée au chef d'orchestre Franz Stiedry, où il précise les intentions qui l'ont guidé dans ses orchestrations des pièces pour orgue de Bach. Il y insiste sur la nécessité qui s'impose au compositeur d'aujourd'hui – compte tenu de la façon dont s'est affinée, au fil du temps, l'écoute musicale – de mettre en évidence le processus motivique « dans les dimensions horizontale aussi bien que verticale »[9], de façon à ce que soit

---

8 N. Grosch, « Das Volksliederbuch für die Jugend », p. 336 *sq*. Relèvent d'un cas de figure encore différent les deux œuvres de Schönberg qui, prenant pour point de départ des concertos baroques, en réinterprètent librement le texte : le *Concerto pour violoncelle et orchestre* en *ré* majeur d'après le *Concerto per Clavicembalo* de Matthias Georg Monn (novembre 1932-janvier 1933) et le *Concerto pour quatuor à cordes et orchestre* en *si* bémol majeur d'après le *Concerto grosso* op. 6 n° 7 de Händel (avril-septembre 1933) – voir, sur cette dernière œuvre, l'étude très fouillée de Joseph H. Auner, « Schoenberg's Handel Concerto and the Ruins of Tradition », *Journal of the American Musicological Society*, 49/2, 1996, p. 264-313.

9 « *Unser heutiges musikalisches Auffassen verlangt Verdeutlichung des motivischen Verlaufs in der Horizontalen, sowie in der Vertikalen.* » (Lettre à Fritz Stiedry du 31 juillet 1930, cité dans : Josef Rufer, *Das Werk Arnold Schönbergs*, Kassel, Bärenreiter, 1959, p. 79) ; voir également Arnold Schönberg,

rendue parfaitement lisible la combinatoire des motifs à l'intérieur de la polyphonie :

> L'homophonie nous a appris à suivre [ces liens motiviques] dans une voix supérieure, l'étape intermédiaire de l'« homophonie à plusieurs voix » de Mendelssohn-Brahms-Wagner nous a appris à écouter ainsi plusieurs voix : notre oreille et notre capacité d'assimilation (*Auffassungsvermögen*) ne sont pas satisfaites aujourd'hui si nous n'appliquons pas ces critères également à Bach. Un effet « agréable » produit par le seul concert de voix savamment conduites ne nous suffit plus. Nous avons besoin de transparence (*Durchsichtigkeit*) pour pouvoir tout distinguer (*durchschauen*).[10]

L'enjeu lié à la composition des *Chants populaires* se déduit aisément de ces propos : le réseau de relations motiviques que le compositeur a pour tâche d'expliciter au moyen du timbre dans le cas de l'orchestration, ici, ne préexiste pas, mais doit être créé de toutes pièces au sein de l'entrelacs polyphonique où va s'insérer la mélodie. Et aucune palette de timbres comparable à celle de l'orchestre n'aidera, par sa richesse, à en garantir la transparence : le but doit être atteint avec les seuls moyens qu'offre le chœur a cappella.

2.1 *Schein uns, du liebe Sonne* (1) : technique sérielle et matériau diatonique

Dans un texte de 1963 intitulé « Sur quelques travaux d'Arnold Schönberg », dont un développement est consacré aux deux cahiers de *Volkslieder* écrits par le compositeur à l'intention du *Recueil de chants populaires pour la jeunesse* – les trois chœurs auxquels sont venus s'ajouter quatre lieder pour voix et piano –, Adorno a souligné

Bearbeitungen I/II. Kritischer Bericht (Rudolf Stephan et Tadeusz Okuljar, éds.), Série B, vol. 25/26, Mainz-Wien, Schott-Universal Edition, 1988, p. xxvii.

10 *Id.*– Schönberg reviendra sur cette question de la « transparence » requise dans la musique polyphonique, et de la fonction que peut remplir à cet égard la couleur instrumentale, dans un texte manuscrit de novembre 1931 intitulé *Instrumentation* (ASC, *Schriften*, T 35.23 ; trad. anglaise : *Style and Idea* 1975, p. 334 *sq.*). Voir également, à ce sujet, Jeffrey Dethorne, « Colorful Plasticity and Equalized Transparency : Schoenberg's Orchestrations of Bach and Brahms », *Music Theory Spectrum*, 36/1, 2014, p. 121-145.

l'«exceptionnelle densité» des liens qui se tissent sur le plan motivique dès le début de *Schein uns, du liebe Sonne*:

> Le cantus firmus, la mélodie préalablement donnée, se trouve durant la première strophe dans la partie de ténor. Le contrepoint des sopranos est aussitôt imité dans la deuxième mesure, tandis que la basse est, dans les deux premières mesures, l'augmentation du motif de tête de ce contrepoint.[11]

On pourrait ajouter qu'à la mes. 4 la ligne des sopranos imite, en l'inversant, le début du *cantus firmus* des ténors (dont elle conserve le rythme): ⟨*fa sol la do la*⟩ devient ⟨*fa mi♭ ré si♭ ré*⟩[12] (mes. 4). Ces remarques ne lèvent cependant qu'un coin du voile sur le réseau de relations extrêmement serré qui irrigue la polyphonie: une analyse de l'ensemble de la 1re strophe montre que l'intrication des éléments motiviques n'y est guère moins poussée, en vérité, que dans une composition dodécaphonique [exemple 1]. Mais si l'esprit est celui de la technique sérielle, la méthode de composition est ici repensée en fonction du matériau purement diatonique employé dans la pièce. La façon dont procède pour cela Schönberg mérite d'être examinée attentivement.

Notons, tout d'abord, que le déploiement de la mélodie originelle[13] est contenu tout entier dans l'ambitus de la quinte ⟨*fa do*⟩

11 Theodor W. Adorno, «Über einige Arbeiten Arnold Schönbergs», dans: *Impromptus*, Frankfurt am Main, Suhrkamp, 1968, p. 179 (*Gesammelte Schriften*, vol. 17 [à partir d'ici *GS* 17], Frankfurt am Main, Suhrkamp, 1982, p. 340).

12 Bien qu'on la perçoive clairement comme telle (ce qui tient pour beaucoup au rythme), l'inversion, sur le plan des intervalles, n'est pas littérale: si la symétrie était stricte, on aurait ⟨*fa mi♭ ré♭ si♭ ré♭*⟩; comme dans le cas d'une «réponse tonale», le dessin mélodique s'adapte à la structure de l'échelle. L'inversion est stricte, en revanche, dans l'imitation qui s'ébauche à la mes. 2 dans les basses, où ⟨*fa sol la*⟩ devient bien ⟨*mi ré do*⟩, mais cette ligne des basses s'affranchit aussitôt ensuite du «modèle», et suit son propre chemin.

13 La source donnée dans le *Volksliederbuch für die Jugend* est, pour la mélodie, le recueil d'Antonio Scandello *Newe und lustige Weltliche Deudsche Liedlein*, publié pour la 1re fois à Dresde en 1570 (*cf. SW 18-1*, p. 45). *Schein uns, du liebe Sonne* y est écrit pour chœur à 4 voix, la mélodie principale (au ténor) donnant lieu à de nombreuses imitations dans les autres voix. Schönberg semble n'avoir eu sous les yeux, toutefois, que le «cantus firmus». Brahms déjà avait noté le texte de ce chant, mais ne l'a jamais exploité – voir Virginia Hancock, «Brahms's links with Renaissance music», dans: Michael Musgrave (éd.), *Brahms 2, biographical, documentary and analytical studies*, Cambridge, Cambridge University Press, 1987, p. 102 *sq.*

EXEMPLE 1

Schein uns, du liebe Sonne, strophe 1, analyse de la trame motivique (dans le cas des ténors ‹*fa₃ do₄*›) : ses notes sont, de la première à la dernière, celles du pentacorde ‹*fa sol la si♭ do*› (02357). Les éléments de la trame motivique ne sont cependant qu'indirectement tirés de cette mélodie[14], qui, en tant que telle, ne donne lieu qu'à un petit nombre d'imitations très ponctuelles : la plus explicite est celle des mes. 8-10, où le pentacorde initial (*x*) est transposé à la quarte supérieure (*y*) dans la voix d'alto, elle-même doublée à la dixième par la basse. C'est en fait d'un segment mélodique dont l'apparition dans le *cantus firmus* reste très discrète, à savoir le mélisme ‹*fa sol la si♭*› qui, aux mes. 9-10 – sur « (*zu*)-*sam-men* » –, prolonge le pentacorde *x*, que Schönberg tire ce qui va être l'élément motivique de base (la matrice), qu'expose dès la 1ʳᵉ mesure le contrepoint des sopranos, sous la forme du tétracorde ‹*fa mi ré do*› (α). Or – et c'est là le point essentiel –, ce motif est, dans tout ce qui suit, traité à la façon d'une *Grundgestalt*. De la forme de départ sont, conformément au concept sériel, dérivées deux transpositions à la quinte : ‹*si♭ la sol fa*› = β, et ‹*mi♭ ré do si♭*› = γ, ainsi que l'inversion δ – ‹*la si♭ do ré*› – elle-même transposée à la quinte : ‹*mi fa sol la*› (ε), toutes ces formes pouvant être énoncées en sens rétrograde[15] [exemple 2].

On pourrait être tenté de considérer que les tétracordes α et β constituent une « série » de huit notes (se confondant avec ce qui peut être décrit, indifféremment, comme la gamme de *fa* majeur ou comme celle du mode de *do* sur *fa*). Mais ce serait forcer l'analogie avec la technique dodécaphonique : dans la pratique, le tétracorde est toujours traité de façon indépendante, et demeure le module de référence ; raison pour laquelle la note (*fa* ou *si♭*) située, tantôt

14 À la réception des mélodies qui lui étaient soumises, en mai 1928, Schönberg écrivit à Lütge : « Des trois chants que vous m'avez envoyés, un seul tout au plus m'a paru intéressant, alors que les deux autres ne présentent pas de traits mélodiques remarquables – l'un d'eux est même franchement banal. » (lettre à Lütge du 30 mai 1928, citée dans *SW 18-1*, p. xxx). Il serait tentant de voir là l'explication de la dissociation opérée dans *Schein uns, du liebe Sonne* entre la mélodie principale et le matériau motivique. Rien ne dit, cependant, que cette mélodie ait fait partie du premier envoi. Car Schönberg, dans sa lettre, ajoutait aussitôt qu'il allait renvoyer « par le même courrier » les deux chants qu'il jugeait inintéressants. Le troisième, sur lequel il a commencé tout de suite de travailler, est *Es gingen zwei Gespielen gut*, dont il sera question plus loin.

15 On notera que l'inversion δ se confond avec le rétrograde du tétracorde situé à l'enjambement de α et de β. De tels recoupements entre les formes sont bien sûr fréquents dans la technique dodécaphonique.

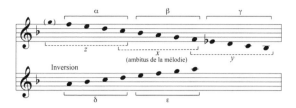

EXEMPLE 2
Schein uns, du liebe Sonne, formes de la *Grundgestalt*

au sommet, tantôt à la base du tétracorde, possède, selon le cas de figure considéré, un statut différent. Par ailleurs, les notes constitutives des tétracordes ne sont pas ici de simples classes de hauteurs pouvant changer de registre *séparément* : seul peut le faire, *en bloc*, le tétracorde tout entier, invariablement contenu à l'intérieur de l'intervalle de quarte. En revanche, l'ordre des notes 2 à 4 peut, lui, être modifié – on obtient alors, par exemple, ces *variantes* de δ qui apparaissent dès les mes. 2-3 dans les voix de sopranos et de basses : ‹*la si♭ ré do*›, et en sens rétrograde ‹*ré si♭ do la*›[16] –, mobilité (interversion) dont le principe est exclu dans le cas de la série dodécaphonique, où l'un des ordres de succession possibles des notes du *pitch-class set* auquel elle se ramène est fixé une fois pour toutes.

La *Grundgestalt*, sous ses différentes formes, est omniprésente dans la trame polyphonique qui enserre le *cantus firmus*, et s'y inscrit dans des combinaisons sans cesse changeantes. Le contrechant très expressif qui se détache dans la partie de soprano au moment où les ténors entonnent le dernier membre de phrase (**d**, mes. 12-17) témoigne de la maîtrise avec laquelle Schönberg tire parti de ce principe d'agencement : montant au *fa*₅ par un intervalle d'octave qui contraste avec l'ambitus restreint du *cantus firmus*, les voix reviennent ensuite, par étapes, au *fa*₄ d'où elles étaient parties, en déployant par deux fois un segment symétrique de six notes où s'imbriquent l'un dans l'autre les tétracordes contenus dans la gamme majeure de *fa* : d'abord α et le rétrograde de δ : ‹(*fa mi* [*ré do*) *si♭ la*]›, puis, en repartant du *ré*₅ – atteint par un saut de quinte qui fait écho à l'octave initiale –, le rétrograde de δ suivi, à

16 Une « variante » de ce type (appliquée à β) est présente au sein même du *cantus firmus* (en deçà, donc, du processus de composition) aux mes. 10-11 : ‹*si♭ sol la fa*›.

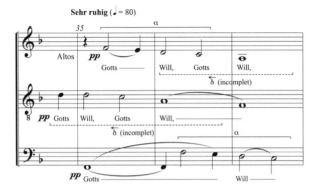

EXEMPLE 3
Schein uns, du liebe Sonne, mes. 35-37,
combinaison des tétracordes α et δ

son tour, de β : ‹[*ré do (si♭, la] sol fa)*›[17] (voir l'exemple 1). Mais c'est dans deux séquences additionnelles – commentaires greffés sur le déroulement de la mélodie originale – que l'importance dévolue à la *Grundgestalt* ressort le plus nettement.

La première est l'incise dont Schönberg a fait précéder la 3ᵉ et dernière strophe (mes. 35-37) [exemple 3]. À cet instant où se suspend durant quelques secondes le mouvement de la phrase musicale, en même temps que s'établit le tempo plus lent qui sera celui de la 3ᵉ strophe (la noire, selon l'indication notée dans la partition, passe de 96 à 80), l'expression se fait tout à coup déchirante à l'évocation de la « volonté de Dieu » (*Gott's Will*) – cette volonté qui, en s'accomplissant, prive pour toujours de revoir ses deux parents celui qui, à la fin du chant, va s'exprimer pour la seule et unique fois à la 1ʳᵉ personne[18] :

La volonté de Dieu s'est accomplie,
La neige [qui recouvrait la montagne] a fondu,
Dieu vous bénisse, père et mère,
Je ne vous verrai jamais plus.

17 Le même passage revient dans la 2ᵉ strophe, où s'échangent les voix de sopranos (qui ont ici le *cantus firmus*) et de ténors (mes. 29-34). Notons, par ailleurs, que le geste vocal décrit ici reprend et développe, à distance, celui de l'entrée des basses (mes. 1-3), où le rétrograde de δ *s'enchaîne* à α.

18 Adorno note, à juste titre, que l'effet produit par la 3ᵉ strophe, avec sa respiration plus large, est celui de l'*Abgesang* d'une « forme Bar » (« Über einige Arbeiten Arnold Schönbergs », p. 179 [*GS* 17, p. 341]). Voir déjà, à propos de ce schéma formel, *supra*, p. 83 et p. 147.

C'est précisément ce passage que mentionne Webern dans la lettre où il rend compte à Schönberg du concert qu'il a donné à Vienne avec le Singverein :

> Les Chœurs ont sonné *de façon inouïe* ! Assurément, ce que j'ai fait là était bon, je le sais. Si seulement tu avais pu entendre les deux mesures d'introduction à la 3ᵉ strophe : « *Gott's Will, Gott's Will* ». Le plus piano possible et de plus en plus piano, et puis l'entrée des sopranos...[19]

Or, l'intensité expressive du passage est obtenue avec une extrême économie de moyens, par le simple retour, au premier plan cette fois, de la *Grundgestalt* : les mots « *Gott's Will* » sont chantés par les altos – aussitôt imités par les basses – sur les notes du tétracorde α, une fois encore combiné avec le rétrograde de δ, réduit ici à trois notes – l'absence du *si♭* prévenant le risque que la relation de triton avec *mi* vienne brouiller le caractère plagal de l'enchaînement.

La seconde séquence que la *Grundgestalt* marque fortement de son empreinte en y structurant tout l'énoncé est la coda par laquelle Schönberg prolonge la 3ᵉ strophe, où le chœur reprend le texte des deux derniers vers : « *Vater und Mutter, ich seh euch nimmermehr* » (mes. 53-57) [exemple 4a]. Le rôle joué par le motif de référence dans l'engendrement des lignes mélodiques (ici encore déliées de la mélodie originelle) est on ne peut plus évident dans la voix de ténors, qui redevient dans ces mesures (comme au début) *Hauptstimme*, après que dans la 3ᵉ strophe le *cantus firmus* a été entièrement confié aux sopranos : toute la courbe qu'y décrit la

---

19 Lettre de Webern à Schönberg du 13 novembre 1929, citée par Moldenhauer dans sa monographie ; voir l'original dans la version allemande de l'ouvrage : Hans und Rosaleen Moldenhauer, *Anton von Webern. Chronik seines Lebens und Werkes*, Zürich, Atlantis, 1980, p. 304 (c'est le compositeur qui souligne). Dans la version enregistrée par Boulez pour EMI en 1986 (avec les BBC Singers), aucun contraste sensible ne s'établit entre les deux premières strophes et la troisième, du fait que le chef adopte dès le départ un tempo très retenu (la noire à 66-69), qui ne permet pas de faire ressortir ensuite le changement de caractère (l'assombrissement du ton). Laurence Équilbey fait le même choix dans la version qu'elle a réalisée en 2002, pour Naïve, avec l'ensemble Accentus. En prescrivant un tempo allant pour les deux premières strophes, Schönberg souhaitait pourtant, selon toute apparence, que les interprètes y observent un certain détachement, avec lequel contrasterait l'expressivité marquée de la dernière strophe. La version de Reinbert de Leeuw (1983), dont les tempi sont plus rapides (la noire à 76 puis à 66), est plus conforme à une telle intention.

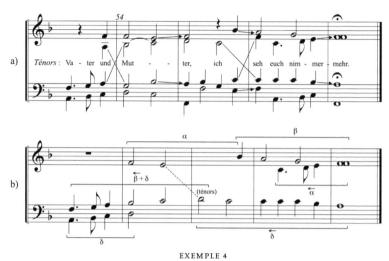

EXEMPLE 4
Schein uns, du liebe Sonne, coda : a) texte ;
b) combinaison des tétracordes α, β et δ

mélodie se construit à partir des tétracordes β et δ [exemple 4b].
Non moins frappante est la manière dont se superposent *in fine*,
dans les voix de sopranos et d'altos, deux formes pures du motif
– en l'occurrence α et β.

Mais le plus remarquable est que se configure ici dans la combinaison des tétracordes – si l'on considère l'ensemble des voix –
une authentique *cadence tonale* : la relation de triton entre *mi* et
si♭, soigneusement évitée dans l'incise des mes. 35-37, est maintenant exploitée en tant que telle au sein d'un accord de 7e de dominante, qui se résout de la façon la plus régulière dans l'accord de
tonique – le *mi* montant au *fa* en même temps que le *si*♭ descend
au *la*. Cette logique tonale régit, en vérité, toute la séquence : l'ultime cadence parfaite est en effet préparée par la cadence évitée qui
clôt le premier membre de phrase – établie fermement déjà par la
quinte ‹*do₃ fa₂*› à la basse, avec le mouvement mélodique portant
de la sensible à la tonique dans la voix supérieure –, et un nouveau geste cadentiel, dans lequel sont échangées les deux secondes
mineures (‹*si*♭₄ *la₄*› aux sopranos, ‹*mi₃ fa₃*› dans les basses), lance
la seconde proposition.

2.2 SCHEIN UNS, DU LIEBE SONNE (2):
MODALITÉ ET TONALITÉ (DÉCONSTRUITE/RECONSTRUITE)

L'un des aspects les plus fascinants des *Chants populaires* pour chœur a cappella de 1928, et de *Schein uns, du liebe Sonne* en particulier, est la façon dont Schönberg y aborde la question de l'harmonie. Adorno fait, sur ce point encore, des remarques éclairantes :

> Harmoniquement, et surtout dans le traitement de la dissonance non préparée, l'écriture va pour le moins aussi loin que Bach, mais l'effet produit, en l'absence de tout archaïsme, évoque, conformément aux modèles proposés, un passé plus ancien. Cela tient peut-être à ce que, du point de vue du compositeur Schönberg – celui d'une écriture post-tonale –, le discours musical n'est plus du tout pensé selon le schéma de la basse chiffrée (*generalbaßmäßig*), mais reste, sur le plan harmonique, flottant (*schwebend*) ; les différentes voix sont si indépendantes que l'on n'a plus guère le sentiment d'un fondement (*Fundamentsgefühl*), pas plus que ce sentiment n'existait dans la musique savante de la fin du Moyen Âge.[20]

Plus haut déjà dans le même texte, Adorno parlait de la difficulté qu'avait à résoudre Schönberg de devoir « marier la conscience harmonique moderne (c'est-à-dire bachienne) d'une basse chiffrée avec l'esprit plus ancien d'une pure polyphonie, non pensée en termes de degrés (*stufenlos*) »[21].

Toutes ces réflexions renvoient, sans que le philosophe le formule de cette manière, à la distinction entre modalité et tonalité harmonique. Revenons à la première strophe de *Schein uns, du liebe Sonne*. Le caractère modal y domine nettement : l'interprétation tonale de la relation de triton – c'est-à-dire son intégration dans un accord « classé », en tant que dissonance appelant sa résolution – est, de manière frappante, quasiment absente des deux premiers membres de phrase (**a** et **b**) ; ainsi, dans **a**, la ligne de basse déploie-t-elle mélodiquement, en partant de *fa*, le segment de tons entiers inscrit dans le mode de *do* (‹*mi ré do si♭*›) sans que le *si♭*, lorsqu'au terme de ce déploiement il aboutit au *la*, soit alors combiné harmoniquement avec le *mi* en tant que septième de l'accord

---

20 Th. W. Adorno, « Über einige Arbeiten Arnold Schönbergs », p. 179 (*GS* 17, p. 340).

21 *Ibid.*, p. 177 (*GS* 17, p. 339).

de dominante : dans l'enchaînement II – V – I qui se dessine au début de la mes. 3, V est exprimé sous la forme d'une triade, et et l'apparition du *mi* – la sensible – y est, de surcroît, retardée. Seul le triton ‹*ré*$_4$ *sol*$\sharp_4$› de l'extrême fin de la mes. 5 (voix supérieures), qui se résout sur la sixte ‹*do*$_4$ *la*$_4$›, pourrait, en soi, être assimilé à une dissonance structurelle (s'inscrivant dans l'accord de dominante), mais sa fugace apparition, à l'intérieur d'un enchaînement où *la* ne s'affirme nullement comme tonique, sert plus ici à colorer qu'elle n'a de véritable fonction harmonique. Dans les deux cas, le jeu des motifs au sein de la conduite mélodique des voix l'emporte sur ce qu'impliquerait la présence d'une basse chiffrée : la prégnance de la dimension verticale.

Dans **c** et dans **d**, l'interprétation tonale du triton est présente de manière plus franche (voir, dans l'exemple 1, les endroits encerclés), mais Schönberg en use néanmoins avec parcimonie et de façon extrêmement contrôlée : aux mes. 8-11, notamment, les trois occurrences du double mouvement de seconde mineure – ‹*mi fa* / *si*♭ *la*› et au centre ‹*la si*♭ / *mi*♭ *ré*› (dans le ton de *si*♭) – ont pour mission de renforcer l'articulation interne de la phrase musicale, sans qu'aucune d'elles s'inscrive dans un véritable geste cadentiel. Et si, dans **d**, la ligne de basse tend incontestablement à être « pensée en termes de degrés », la relation de triton est, ici déjà, évitée avec soin dans la cadence finale, d'où *si*♭ est absent, et où, de plus, *fa* est atteint, dans la voix supérieure, à partir de *sol* (au sein du motif β), et non de la sensible, tandis que les altos, de *mi*, descendent au *la* grave ; quant au geste cadentiel de la mes. 15, où s'annonce la cadence finale, il est à tout le moins, tonalement parlant, ambigu, du fait que le *si*♭ des sopranos, dans le mouvement mélodique ‹*do*$_5$ *si*♭$_4$ *la*$_4$›, peut être entendu aussi bien comme note de passage (non constitutive de l'harmonie) que comme la septième de l'accord établi sur *do* : là encore, le déploiement *horizontal* du motif (en l'occurrence le rétrograde de δ) prime sur l'individualisation d'entités harmoniques s'enchaînant selon une logique bien codifiée.

Que dans toute cette page l'écriture harmonique s'apparente plus à l'univers sonore des polyphonistes de la Renaissance qu'à celui de Bach, en témoigne aussi le fait que n'y sont employées, quasi exclusivement, que les notes de l'échelle diatonique – celle de la gamme de *fa* majeur, avec des inflexions vers les tons voisins : *si*♭ aux mes. 4 et 9 et *do* aux mes. 6-7 –, à quoi s'ajoute le *sol*♯

de l'accord, déjà mentionné, de la fin de la mes. 5. Cette question
du matériau utilisé et de son extension est abordée par Schönberg
dans *New Music, Outmoded Music, Style and Idea*, texte d'une conférence tenue en mai 1946 à l'Université de Chicago, qui fut publié
en 1950 dans *Style and Idea*, mais dont une première mouture en
allemand date du tout début des années 1930 :

> Les secrets des Néerlandais [...] étaient basés sur une parfaite
> connaissance des relations contrapuntiques possibles entre les
> sept notes de l'échelle diatonique. Cela permettait aux initiés de
> produire des combinaisons admettant toutes sortes de déplace-
> ments verticaux et horizontaux (*many types of vertical and hori-
> zontal shifts*), et d'autres transformations de ce type. Mais les cinq
> notes restantes n'étaient pas comprises dans ces règles, et s'il leur
> arrivait d'apparaître elles le faisaient en dehors de la combinaison
> contrapuntique et à titre de substituts occasionnels.
>
> Par contre, Bach, qui connaissait plus de secrets que n'en avaient
> jamais possédé les Néerlandais, a étendu ces règles jusqu'à leur
> faire inclure la totalité des douze notes de l'échelle chromatique.
> Bach travaillait parfois avec les douze notes d'une telle manière
> qu'on serait enclin à voir en lui le premier compositeur dodéca-
> phonique (*twelve-tone composer*).[22]

Dans la 1ʳᵉ strophe de *Schein uns, du liebe Sonne*, seules apparaissent
trois des cinq notes étrangères à la gamme de *fa* majeur, et ces
apparitions restent, de plus, extrêmement isolées (*mi*♭ deux fois, *si*♮
deux fois, *sol*♯ une fois) ; la situation est similaire dans la 2ᵉ strophe

22 *New Music, Outmoded Music, Style and Idea*, dans *Style and Idea* 1950,
p. 42 (*Style and Idea* 1975, p. 117), et dans *Stile herrschen, Gedanken siegen*,
p. 204. La formulation est un peu différente dans la version initiale,
rédigée en 1930 et retouchée en 1932-1933 : *Neue und veraltete Musik, oder
Stil und Gedanke* – texte donné en annexe dans *Stil und Gedanke, op. cit.*,
p. 468 pour le passage cité ici. Il est intéressant de noter que la précision « *vertical and horizontal shifts* », qui évoque la terminologie à laquelle
recourt Schönberg pour la technique sérielle, n'apparaît pas encore dans
le texte allemand, où il est simplement question de la « capacité inouïe
de déplacement spatial et de transformation » (*von einer unerhörten räum-
lichen Versetzungs- und Verwandlungsfähigkeit*) dont font preuve, chez les
Néerlandais, les structures musicales.– Une brève note manuscrite datée
du 23 juillet 1932 reviendra sur cette extension aux douze notes, chez
Bach – « *der erste Zwölfton-Komponist* » –, des « secrets du contrepoint
néerlandais » (*Stile herrschen, Gedanken siegen*, p. 424).

(qui se présente, pour l'essentiel, comme une variante de la 1re), où s'ajoute seulement une occurrence du *fa*$\sharp$, le dessin ⟨*la*$_4$ *sol*$\sharp_4$ (*la*$_4$)⟩ de la mes. 5 (sopranos), étant, à la mes. 22 (basses), développé en ⟨*la*$_2$ *fa*$\sharp_2$ *sol*$\sharp_2$ (*la*$_2$)⟩. La dernière strophe, en revanche, rompt avec cette tendance : le changement de caractère qui lui donne sa physionomie propre est accentué par une interpénétration nettement plus marquée du modal et du tonal, à la faveur de laquelle s'opère de manière franche cet élargissement aux douze notes de l'échelle chromatique que le texte de *Style and Idea* présente comme l'apport historique de Bach[23] [exemple 5]. Non seulement les accords de 7e de dominante de la fin des mes. 46, 49 et 52 sont ici clairement formulés comme tels – au sein de deux cadences évitées d'abord, puis dans la cadence finale –, mais surtout, le déroulement des 2e et 3e membres de phrase (**b** et **c**) est rehaussé par la présence de divers accords caractéristiques de l'idiome tonal parvenu au faîte de son évolution. En particulier des accords *altérés*, se confondant, morphologiquement, avec des structures de tons entiers : ainsi l'accord de sixte augmentée par lequel est amenée, à la fin de **b** (mes. 43 *sq.*), la dominante de *fa*[24] – accord établi sur le IIe degré en tant que dominante de la dominante, et caractérisé, tonalement parlant, par l'altération descendante de la quinte (*sol si*$\natural$ *ré*$\flat$ *fa*), mais qui peut être décrit également, de façon neutre, comme la superposition de deux tritons à distance de seconde majeure (0268), en l'occurrence C65,7[25]. De la même façon, l'aboutissement de **c** est renforcé par la présence, sur le temps fort de la mes. 48, d'un accord de *quinte* augmentée, en position serrée : ⟨*fa*$_3$ *la*$_3$ *do*$\sharp_4$⟩

23 Cette extension aux douze notes (correspondant à un segment continu de douze notes du cycle des quintes) a été, en vérité, réalisée dès le milieu du XVIe siècle : l'œuvre emblématique, à cet égard, est le cycle des douze *Prophetiae Sybillarum* de Roland de Lassus, où, dans chaque pièce, les douze notes apparaissent dès les premières mesures du fait de brusques déplacements à l'intérieur du cycle des quintes, sans toutefois qu'aucun accord, dans chaque bloc, ne soit jamais, en lui-même, dissonant (il s'agit toujours de triades). Voir par exemple le célèbre ouvrage d'Edward E. Lowinsky *Tonality and Atonality in Sixteenth-Century Music* (Berkeley, University of California Press, 1961), où est forgée, à propos du Prologue (*Carmina chromatico*), l'expression de «*triadic atonality*».

24 Voir la série des «transformations du second degré» notée par Schönberg dans ses *Structural Functions of Harmony*, London, Faber & Faber, 2/1969, p. 35 (ex. 50c) ; sur l'appellation d'«accord de sixte augmentée» pour désigner le 2e renversement de cet accord, voir par exemple Georges Caussade, *Technique de l'harmonie*, Paris, Henry Lemoine, 1931, p. 156 (§ 225).

25 Voir déjà *supra*, p. 150, 159 et 173 et 195.

EXEMPLE 5
Schein uns, du liebe Sonne, dernière strophe, enchaînements harmoniques

(*la* est redoublé dans la partie supérieure) – équivalent, lui, à une structure de tierces majeures (C41) –, d'autant plus saisissant qu'à la tonique de *ré* (mineur) à laquelle il devrait conduire se substitue le sixième degré *si♭*.

L'accord de 7e diminuée vient également enrichir l'harmonie. Il apparaît deux fois, notamment, dans l'enchaînement qui, à la fin de **b**, mène à l'accord de sixte augmentée déjà mentionné : d'abord sur le 1er temps de la mesure, où, de façon surprenante, il se substitue, sous la forme d'une superposition de sixtes majeures : ⟨*la*$_2$ *fa*♯$_3$ *mi*♭$_4$ *do*$_5$⟩ (C30), à la triade mineure de *la* que laisserait attendre l'accord précédent (qui est ici, plus franchement que dans la 1re strophe, exprimé comme 7e de dominante : ⟨*mi*$_3$ *sol*♯$_3$ *ré*$_4$ *si*$_4$⟩), puis brièvement, transposé un ton plus bas, sur la 4e croche : ⟨*sol*$_2$ *mi*$_3$ *do*♯$_4$ *si*♭$_4$⟩ (C31), où il amène, de façon régulière cette fois, la triade mineure de *ré*. Dans un espace extrêmement resserré, c'est le segment du cycle des quintes ⟨*mi la ré sol* (*do*)⟩ qui se trouve ainsi décrit, de façon à la fois rapide et irrégulière, par les fondamentales (exprimées ou non) de tout l'enchaînement, de la levée de la mes. 43 au 1er temps de la mes. 45. La réalisation très élaborée, harmoniquement, du passage – à la force duquel contribue la tension inhérente aux accords de 7e diminuée – ressort d'autant plus vivement qu'elle contraste ici avec le traitement du 1er membre de phrase (**a**), resté conforme, lui, à ce qu'il était dans les deux strophes précédentes[26].

Un enchaînement de fondamentales similaire se met en place à la fin de la strophe (à partir de la levée de la mes. 51), où il décrit le segment du cycle des quintes allant, cette fois, de *la* à *fa*, la tonique qu'établit la dernière cadence[27]. À la différence de ce qui se passait dans **b**, le 1er temps de la mes. 51 est ici marqué par la présence d'un nouvel accord de tons entiers ⟨*si*♭$_3$ *ré*$_4$ *fa*♯$_4$ *do*$_5$⟩ (0248), qui, comme celui de la mes. 48, contient une structure de tierces majeures (C42), mais dont la complexion est plus difficile à percer à jour : sa fonction est, sans ambiguïté, celle d'un accord de dominante établi sur *ré* (avec le *do* comme septième), à l'intérieur d'un enchaînement II–V–I qui aboutit, sur le 2e temps de la mesure, à la triade mineure de *sol*, et dont le point de départ est, en levée, l'accord de septième sur le deuxième degré de *sol* mineur ⟨*la*$_3$ *mi*♭$_4$ *sol*$_4$ *do*$_5$⟩ ;

---

26 Une harmonie de 7e diminuée colore également la levée de la mes. 46 (où l'accord reste incomplet du fait du silence de la voix d'alto).

27 Notons que dans l'enchaînement IV–V–I qui clôt la phrase, IV est exprimé sous la forme d'un accord de 7e mineure.

mais le *si♭*, à la basse, ne s'inscrit pas dans la structure comme la note d'un accord de quinte augmentée : il s'agit bien d'un *si♭* (et non d'un *la♯* en tant qu'altération ascendante de la quinte), qui ne peut être entendu que comme une note étrangère, *substituée* à la quinte de l'accord : à savoir une anticipation du *si♭* (tierce de la triade mineure) qu'entonnent juste après, dans le même registre, les ténors (*si♭₃*). Pour que l'enchaînement soit « régulier », il faudrait que, dans la partie de basse, *la* reste en place au lieu de monter à *si♭*[28]. La justification d'une telle conduite des voix est à chercher, une nouvelle fois, dans le primat de la dimension horizontale (mélodique) : le contrepoint des basses déploie en effet, ici, l'une des formes de la *Grundgestalt* (en l'occurrence le rétrograde de β) – celle-là même qui est apparue peu avant, de façon exactement identique (au registre près), dans le *cantus firmus* (mes. 46-47).

3. Musique ancienne et musique actuelle

Une note manuscrite de Schönberg intitulée « Ancien et nouveau contrepoint » (*Alter und neuer Kontrapunkt*), exactement contemporaine de la composition des *Chants populaires* (elle est datée du 10 juin 1928), jette une lumière intéressante sur la réflexion théorique qui a pu sous-tendre le type d'écriture illustré par la dernière strophe de *Schein uns, du liebe Sonne*. Y est exposée l'idée que dans la polyphonie de la Renaissance comme dans la musique posttonale la conduite des voix n'est soumise, au sein du tissu contrapuntique, à aucune contrainte inhérente à la structure même des accords, et découlant de règles propres à une syntaxe préexistante (en l'occurrence celle de l'idiome tonal) :

> On peut formuler ainsi le but ultime de tout savoir contrapuntique dans la musique ancienne (probablement aussi chez les Néerlandais) : écrire des voix telles que, quels que soient les registres où on les met en relation entre elles, en résultent des accords « intelligibles » (*„auffassbare" Zusammenklänge*) (ma terminologie !).– Vu sous un autre angle, cela présuppose que toute

---

28 La résolution tonale est, en revanche, on ne peut plus régulière dans les trois voix supérieures : *do*, aux sopranos, est maintenu puis descend à *si♭*, *sol*, aux altos, descend à la sensible *fa♯* et revient à *sol*, enfin *mi♭*, aux ténors, descend à *ré* puis à *si♭*.

relation harmonique (*Zusammenklangsverhältnis*) entre deux ou plusieurs voix laisse la possibilité de conduire ensuite chacune d'elles comme on le juge bon (la faire monter, descendre, rester en place), ce qui implique qu'il n'y a pas lieu de parler d'un *traitement de la dissonance* (*Dissonanzbehandlung*), au sens où l'entendent les vieux traités de contrepoint : qu'aucun des intervalles dissonants n'est soumis à une règle (*gebunden*), tout accord de ce type pouvant être *résolu de toutes les façons* (*da jeder solche Zusammenklang auf alle Arten auflösbar ist*). [...] Mais si l'on envisage la question encore autrement, il s'avère qu'il n'existe à strictement parler, entre la manière dont on considère la dissonance dans notre musique actuelle et celle dont on la traitait dans la musique ancienne, aucune différence essentielle : à savoir que, du fait même que des notes non consonantes retentissent simultanément, ne peut être tirée aucune conséquence quant à la façon dont les voix doivent être alors conduites (*in der Weiterführung der Stimmen*).[29]

En composant les *Volkslieder* au même moment où il rédigeait ces lignes, Schönberg ne pouvait pas ne pas avoir à l'esprit ce lien qu'il voyait s'établir entre, d'un côté, la « musique ancienne », et de l'autre « la musique « actuelle » (*gegenwärtig*), et qui enjambe toute la période durant laquelle la tonalité harmonique a pris le pas sur la pensée contrapuntique. Que la musique « actuelle » à laquelle il pense soit celle où est mise en œuvre la technique sérielle, l'indique clairement la suite du texte :

Il est très intéressant de voir que le point de vue que je défends : « L'harmonie n'est pas en discussion » (*„Die Harmonie steht nicht zur Diskussion"*) – qui n'est en fait que l'application à la nouvelle technique du vieux principe contrapuntique – trouve son pendant dans le fait que « la dissonance est dépourvue de toute influence (de tout caractère contraignant) » ![30]

29 « Alter und Neuer Kontrapunkt », dans *Stile herrschen, Gedanken siegen*, p. 151 (c'est le compositeur qui souligne). La notice de juillet 1932 déjà citée (*supra*, note 22) présentera les « secrets » des Néerlandais, dans les mêmes termes, comme l'art de mettre en relation entre elles les sept notes de telle sorte que « dans le mouvement chaque accord devient intelligible, comme une consonance (*in der Bewegung jeder Zusammenklang auffaßbar wird, wie eine Konsonanz*) »

30 « *sein Seitenstück in der* „Einflusslosigkeit *(Unverbindlichkeit)* der Dissonanz" hat » (*id.*, c'est ici encore le compositeur qui souligne). Schönberg a interrompu à cet endroit la rédaction du texte.

Cette formulation renvoie explicitement à un texte de mai 1923, resté non publié, où Schönberg exposait pour la première fois les principes de sa « méthode de composition avec douze notes » : dans cette dernière, écrivait-il, « la question du caractère plus ou moins dissonant d'un accord ne doit pas être posée, car l'accord en tant que tel [...], en tant qu'élément de la composition, n'est pas du tout mis en discussion. »[31]. La même expression réapparaît, sous sa forme définitive (où « accord » est corrigé en « harmonie »), dans un autre texte, demeuré à l'état de brouillon, où Schönberg met en question la pertinence de l'expression de « contrepoint linéaire » utilisée par Ernst Kurth dans son livre sur Bach, – texte dont la rédaction doit avoir précédé de peu celle de la note sur l'ancien et le nouveau contrepoint. La démonstration se fait là plus précise, en ce que le compositeur, partant de ce qui devrait être, selon lui, la définition d'une « polyphonie linéaire » – « une écriture à plusieurs voix où ce n'est plus l'accord, mais (exclusivement) la ligne individuelle, et donc la dimension horizontale (et non plus verticale), qui fournit le critère de recevabilité »[32] –, distingue, dans sa propre production, entre les œuvres qui satisfont totalement à cette exigence (les compositions dodécaphoniques, dans lesquelles dimensions horizontale *et* verticale sont contrôlées par l'emploi de la série) et celles où les accords gardaient encore une certaine autonomie :

La formule que j'ai énoncée : « L'harmonie (ou l'accord – mais ceci est incorrect) n'est pas en discussion », ne s'applique pas encore à mes œuvres antérieures, mais seulement à celles qui mettent en œuvre la « composition avec douze notes ». S'agissant des

31 « weil der Zusammenklang als solcher [...] als kompositionelles Element gar nicht zur Diskussion gestellt ist. » (texte édité dans *Stile herrschen, Gedanken siegen*, p. 100 ; 1ʳᵉ publication, en anglais, dans *Style and Idea* 1975, p. 208).

32 « eine Vielstimmigkeit (Mehrstimmigkeit), in welcher nicht mehr der Zusammenklang, sondern (ausschließlich) die einzelne Linie, die Horizontale also (nicht mehr die Vertikale) den Maßstab der Zulässigkeit enthält. » (« Linearer Kontrapunkt – Lineare Polyphonie », texte en ligne sur le site de l'ASC [facsimilé et transcription]: *Schriften*, T 35.36 ; voir aussi *Style and Idea* 1975, p. 295, où le texte, traduit en anglais, est édité à la suite d'un petit essai qui reprend et prolonge la réflexion relative à la notion kurthienne de « contrepoint linéaire », et qui est, lui, daté de décembre 1931, ce qui fait que l'éditeur a daté également le premier écrit, à tort, de 1931 (au lieu de 1928). Schönberg reconnaît, dans ce texte postérieur, n'avoir pas lu le livre de Kurth, et développer une réflexion à partir de son seul titre.

premières, il est très facile de montrer que les accords devaient servir pour le moins à accentuer, à articuler et à colorer, et que leur comportement mutuel prend pleinement en considération le mouvement respectif des voix (*dass die Zusammenklänge zumindest akzentuierend, gliedernd und färbend wirken sollten und dass ihr gegenseitiges Verhalten voll Rücksicht auf die Bewegungsverhältnisse der Stimmen ist*). Cela dit, ce qui, même là, n'est pas en discussion – du moins dans l'esprit des traités d'harmonie – est l'enchaînement des accords (*Harmoniefolge*). Mais celui-ci n'a jamais été en discussion dans le contrepoint [...]. Dans les compositions dodécaphoniques, en revanche, l'harmonie n'est plus d'aucune manière en discussion, pas plus que l'enchaînement des accords, étant donné qu'ils sont tous deux soumis à une autre loi.[33]

Même si le matériau diatonique utilisé dans les *Chants populaires* empêche, du fait de l'asymétrie interne de l'échelle, qu'y puisse être réalisée la stricte identité des dimensions horizontale et verticale que postule la méthode de composition avec douze notes (raison pour laquelle le couplage de formes P/I est également ici inopérant), la forme spécifique de technique sérielle mise en œuvre par Schönberg rend néanmoins possible d'y faire toujours prévaloir les droits de la conduite mélodique, même lorsque la morphologie des accords se conforme au modèle prescrit par la grammaire tonale : nous avons vu comment les enchaînements cadentiels, tout spécialement, sont reconstruits à partir des différentes formes de la *Grundgestalt*. Par ailleurs, le recours à des types d'accords utilisés avec prédilection dans le romantisme tardif (notamment les accords altérés) répond toujours, dans les *Volkslieder*, à une intention musicale précise : seule peut le justifier la contribution que tel accord apporte à tel instant précis, par sa couleur ou son degré de tension interne, à l'articulation de l'énoncé. D'où l'extrême économie dont fait preuve, à cet égard, Schönberg : ainsi précise-t-il, dans sa lettre à Lütge du 4 février 1929, qu'il a limité le « jeu avec les différents accidents », au sein des modes ecclésiastiques, à une simple « coloration »[34].

Pour bien saisir l'esprit de cette démarche, il n'est que de la comparer avec la manière dont Max Reger a procédé dans ses propres

---

33 *Id.*
34 « *Ich habe allerdings keine reine Kirchentonart angestrebt, sondern das Spiel mit den verschiedenen Akzidenzien nur als färbend angewendet.* » (cité dans *SW 18-1*, p. xxxi).

adaptations de chants populaires pour chœur a cappella réalisées en 1899-1900. L'un des exemples plus significatifs est celui du dernier des *Huit chants populaires* publiés en 1899 (WoO VI/11), *Es waren zwei Königskinder*, dont l'original remonte au xviᵉ siècle. La deuxième des cinq strophes[35], chantée par les seules voix de femmes (sopranos et altos étant dédoublés), est très révélatrice de la différence de stratégie qui sépare les deux musiciens [exemple 6]. À l'inverse de Schönberg, Reger opte pour une écriture essentiellement verticale, dans l'esprit du choral – les voix autres que la mélodie principale n'acquérant que très rarement une véritable indépendance –, et il recourt de façon quasi systématique, dans ce cadre, à l'emploi de l'accord de septième sous toutes ses formes (à commencer par l'accord de 7ᵉ de dominante), auquel viennent s'ajouter des accords altérés : dès le début, la cadence qui assoit l'accord de tonique de *la* majeur à la fin du 1ᵉʳ membre de phrase (mes. 2, sur le mot « *schwimmen* ») s'accomplit au moyen d'une succession d'accords de septième, sur le IVᵉ degré (3ᵉ temps) puis sur le Vᵉ (4ᵉ temps) – celui-ci étant lui-même amené, sur la 2ᵉ croche du 3ᵉ temps, par un accord de 7ᵉ de sensible sur le IIᵉ degré, interprété comme dominante de la dominante ; l'accord du IVᵉ degré est introduit, de la même façon, par un accord altéré, qui transforme l'accord de tonique du 2ᵉ temps (1ʳᵉ croche) en accord de dominante de *ré* (avec altération ascendante de la quinte : *mi♮* devient *mi♯*). À la faveur de cet enchaînement se forment par ailleurs, dans les voix d'altos, deux dessins chromatiques : ‹*mi♮₄ mi♯₄ fa♯₄*› et ‹*do♯₄ ré♮₄ ré♯₄ mi♮₄*›, et ce type de formules mélodiques, très connoté stylistiquement, revient à maintes reprises dans la suite de la strophe, ainsi

---

35 Le texte choisi par Reger est une version courte de la célèbre ballade populaire *Es waren zwei Königskinder*, dont la première version imprimée connue date de 1580, et qui a donné lieu à de nombreuses adaptations au cours des xixᵉ et xxᵉ siècles. Brahms déjà en avait réalisé vers 1860 une adaptation pour chœur de femmes et piano (en cinq strophes également), qui a été publiée de façon posthume dans le recueil des huit *Deutsche Volkslieder* WoO 36. Son sujet, qui s'inspire d'une légende de l'Antiquité transmise par Musée l'Égyptien et par Ovide (*Hero et Léandre*), a trait au destin tragique de deux « enfants de roi » : un jeune homme, voulant rejoindre celle qu'il aime sur l'autre rive d'un lac profond, entreprend de le traverser à la nage, guidé par trois chandelles qu'elle a allumées à son intention, mais une fausse nonne éteint ces chandelles et il se noie ; la jeune fille, découvrant le corps qu'un pêcheur a ramené à la surface, se jette à son tour dans le lac. Voici le texte de la 2ᵉ strophe : « Très cher ami, ne sais-tu pas nager ? Nage donc jusqu'à moi ! Je vais allumer trois chandelles pour toi, et elles t'éclaireront. »

EXEMPLE 6

Max Reger, *Es waren zwei Königskinder*, strophe 2, réalisation harmonique

aux mes. 15-16, où l'on a coup sur coup, aux sopranos 2, ‹$la_{\natural 4}$ $la_{\sharp 4}$ $si_{\natural 4}$› puis ‹$la_{\natural 4}$ $sol_{\sharp 4}$ $sol_{\natural 4}$ $fa_{\sharp 4}$ | $sol_{\natural 4}$ $fa_{\sharp 4}$ $mi_{\natural 4}$ ($fa_{\sharp 4}$)› ; dans *Schein uns, du liebe Sonne*, au contraire, l'usage de tels mouvements chromatiques dans les voix reste exceptionnel (on n'en relève, au total, que deux : aux mes. 43 et 48), servant d'autant mieux l'expression qu'il ne tourne pas au procédé.

Une autre différence apparaît si l'on compare entre elles les dernières strophes respectives de *Es waren zwei Königskinder* et de *Schein uns, du liebe Sonne*. Elles ont en commun de contraster avec les précédentes par un tempo plus lent et retenu, qu'explique la tonalité très sombre de la fin du poème : dans *Es waren zwei Königskinder*, y sont rapportées les paroles d'adieu que la jeune fille prononce avant de se tuer, en serrant dans ses bras la dépouille que le pêcheur vient de remonter des profondeurs du lac.

Elle le prit dans ses bras et baisa ses lèvres :
« Adieu donc, père et mère, nous ne nous verrons jamais plus. »

Bien que la teneur des événements qu'ils relatent soit très différente, les deux chants se terminent ainsi sur la même phrase (à un détail près) : « *Vater und Mutter, ich seh euch/wir seh'n uns nimmermehr* ». Chez Schönberg, nous l'avons vu, le changement de caractère se marque, dans cette page traitée comme un *Abgesang*[36], par une écriture harmonique plus riche et plus tendue, où tonal et modal tendent à faire jeu égal – et cette différenciation, au sein de la pièce, a une incidence déterminante sur l'articulation de la forme. Une telle caractérisation fait défaut chez Reger, qui continue d'exploiter ici, de la même façon que dans les strophes précédentes, les ressources que lui offre le langage harmonique du romantisme post-wagnérien, poussant encore plus loin, dans le détail, le jeu virtuose avec les degrés et les emprunts ou les modulations passagères (ainsi au début de la strophe)[37] [exemple 7]. À la maîtrise d'un langage donné, historiquement déterminé, dont fait preuve Reger, Schönberg – dont on sait le désintérêt pour la notion de « style » – oppose le pouvoir de subordonner le choix du langage (ce qu'Adorno appelait le « matériau ») à l'intention musicale. Pour

---

36 Voir *supra* la note 18.

37 Les premières mesures penchent nettement vers le relatif mineur ($fa_\sharp$), et à la fin de la 1ʳᵉ phrase (mes. 43-44) la cadence se fait en *si* mineur. Le ton de *la* majeur ne se rétablit fermement qu'*in fine*, par un large mouvement cadentiel dont les fondamentales décrivent le cycle des quintes de *do♯* à *la*.

Max Reger, *Es waren zwei Königskinder*,
dernière strophe, enchaînements harmoniques

conférer un pathos particulier aux paroles de la jeune fille, Reger use d'un autre procédé, de nature rhétorique, consistant à mettre en place, entre les voix de femmes et les voix d'hommes (altos et basses étant subdivisées), un canon dans lequel la mélodie principale, chantée par les sopranos, est imitée par les ténors – effet que vient renforcer la dynamique (*cf.* en particulier le crescendo jusqu'à *forte* de la mes. 45)[38].

Dans le texte déjà cité, Adorno fait observer qu'en renonçant aussi bien aux marques les plus caractéristiques du modernisme qu'à tout effet archaïsant Schönberg se montre, dans ses adaptations de chants populaires, «plus conservateur» que la plupart de ses contemporains, à commencer par les adeptes du courant musical restaurateur lié au «Mouvement de jeunesse» (*Jugendmusikbewegung*) dans lequel la pratique du chant choral, axée sur la redécouverte du *Volkslied* allemand, jouait précisément un rôle central[39]. Il se démarque également, ce faisant, des compositeurs du courant néo-classique, tel Philip Jarnach – ami proche de Busoni –, qui, à l'image de Reger, a pourvu de «tout le confort moderne» son adaptation de la chanson *Ich armes Maidlein klag mich sehr*, incluse elle aussi dans le *Recueil de chants populaires pour la jeunesse*[40]. Mettant l'accent sur le sérieux extrême avec lequel

---

38 Cette dissociation ultime des voix est préparée par le fait que la 2e strophe est chantée par les seules voix de femmes, et la seconde partie de la 4e (les paroles que le pêcheur adresse à la jeune fille) par les seules voix d'hommes. Cette alternance a bien sûr pour fonction d'articuler la forme globale de la pièce en en différenciant les parties. Mais le langage lui-même n'a aucune part, ici, à une telle différenciation.

39 «*Als Bearbeiter war Schönberg konservativer als seine restaurativen Zeitgenossen*» (Th. W. Adorno, «Über einige Arbeiten Arnold Schönbergs», p. 176 [*GS* 17, p. 337]).

40 Voir à ce propos les remarques de Nils Grosch, qui prend également comme exemple l'une des contributions de Krenek au volume, *Schöner Augen schöne Strahlen* (mélodie déjà adaptée par Brahms); Krenek ne s'était pas encore tourné alors vers la méthode de composition sérielle de Schönberg («Das Volksliederbuch für die Jugend», p. 337 *sq.*). *Cf.* également, du même auteur, «„dem Volke zur Benützung als Volkslied?": Ernst Krenek und das ›moderne‹ Volkslied der zwanziger Jahre», dans: Matthias Schmidt (éd.), *Echoes from Austria. Musik als Heimat. Ernst Krenek und das österreichische Volkslied im 20. Jahrhundert*, Schliengen, Argus, 2007, p. 99-117. Krenek lui-même, dans un texte paru dans *Anbruch* en 1935, insistera sur le fait que Schönberg avait traité les vieilles chansons populaires, «non avec les moyens du langage musical moderne, mais avec ceux de sa propre technique rigoureuse et dense» («Volkslieder in zeitgenössischer Bearbeitung», réédité dans *Echoes from Austria*, p. 177).

Schönberg, quand il fait sien l'idiome tonal, s'attache à satisfaire aux exigences qui en découlent, « tant pour le discours harmonique que pour la conduite des voix (*für die Akkordführung ebenso wie für das Gewebe der Stimmen*) », Adorno souligne, à juste titre, ce qu'a d'inadéquat l'expression de « tonalité élargie » qu'on se plaît à lui appliquer : « il faudrait plutôt, écrit-il, parler de tonalité décomposée ou déconstruite (*von ausgestufter oder auskonstruierter Tonalität*) ». Il convient d'ajouter à cela qu'en faisant le choix, dans ses *Volkslieder*, de revenir à la modalité, avec la conviction que par ce retour – par cette réactualisation – il manifeste le lien profond qui unit la musique du passé (pré-tonale) et la musique du présent (post-tonale), Schönberg épouse une tendance essentielle de cette autre forme de modernité, éclose en dehors de la grande tradition germanique, qu'incarne de façon emblématique Debussy.

4.1 *Es gingen zwei Gespielen gut* (1) :
une autre variante de la technique sérielle

L'importance dévolue à la modalité, et le rapport privilégié que celle-ci entretient avec l'idéal contrapuntique, sont plus sensibles encore dans *Es gingen zwei Gespielen gut*, celui des trois chants populaires dont Schönberg avait commencé la rédaction dès la réception du courrier de Lütge en mai 1928. Alors que la mélodie d'origine est inscrite dans le mode de *la* (ou, si l'on veut, dans la gamme de *mi* mineur)[41], Schönberg tend à donner la priorité, dans sa propre composition, à la couleur, éminemment caractéristique, du mode dorien – choix qu'indique clairement l'armure de deux dièses à la clef. Cette couleur modale est mise en avant, d'entrée de jeu, par le déploiement dans les voix d'hommes du segment de tons entiers ‹*do♯ si la sol♮*› (*x*), où attire surtout l'attention le *do♯* attaqué par les ténors, auquel n'est pas préparé l'auditeur : intéressant exemple d'incipit *in medias res*[42] [exemple 8].

41 Voir par exemple la version pour chœur à 3 voix de Clemens non Papa, publiée en 1556. Le 6ᵉ degré (mineur) n'apparaît qu'une seule fois dans la mélodie, au début du deuxième membre de phrase.

42 Cette entrée en matière rappelle le début de *Friede auf Erden* (exemple ci-contre, **a**), qui est lui aussi pensé modalement, et où s'impose d'emblée à l'attention le déploiement, dans les voix de femmes, du tétracorde de tons entiers propre au mode de *la* : ‹*si♭ do ré mi*› (*cf.* aussi le mouvement cadentiel de la fin de la 3ᵉ mesure, rehaussé par le mélisme expressif

L'affirmation du mode de *ré* était plus franche encore dans une version préparatoire de ce début notée, sur deux portées, au bas de la 1re page du manuscrit (Ms. 669)[43], où les ténors exposent à nu, dès le départ, le tétracorde ‹*do*$\sharp_4$ *si*$_3$ *la*$_3$ *sol*$\natural_3$›, et dans laquelle la

des ténors). À partir de la mes. 6, en revanche, le vocabulaire de l'harmonie tonale passe au premier plan : se succèdent alors les enchaînements d'accords de septième (voire de neuvième) et divers accords altérés – *cf.* le *mi*♭ (altération descendante de la quinte) du 1er temps de la mes. 7, puis le *sol*$\sharp$ de l'accord de quinte augmentée qui mène, sur le 1er temps de la mes. 9, à l'accord de tonique de *fa* majeur ; l'harmonie de tons entiers qui occupe les trois derniers temps de cette mesure provient, elle, de l'altération de l'accord de 9e majeure établi sur *do* : {*do mi sol*$\sharp$ *si*♭ *ré*}. Lors du retour de l'idée initiale en *ré majeur* aux mes. 100-103 (**b**), le relief donné à la résolution *tonale* du triton – cette fois ‹*sol do*$\sharp$› – confère au passage un caractère dynamique et directionnel qui contraste avec le statisme des premières mesures, à quoi s'ajoute l'effet de lumière dû au changement de mode (mineur/majeur).

---

43 *Cf.* SW 18-1, p. 45 (la partie de ténors est très raturée à la fin de la 1re mesure). *Es gingen zwei Gespielen gut* est le seul des trois *Volkslieder* pour chœur de 1928-1929 dont un avant-texte ait été conservé, sous la forme de six feuillets contenant un état (non encore définitif) de la partition ainsi que diverses esquisses (ASC, Ms. 72, 669 à 680). Dans la rédaction sur quatre portées qui y est notée, Schönberg a dès le départ adopté l'usage des clés anciennes, comme il l'avait fait pour les *Pièces* op. 27 et op. 28.

EXEMPLE 8
Es gingen zwei Gespielen gut (version 1928), mes. 1-3, configurations modales

EXEMPLE 9
Es gingen zwei Gespielen gut (version 1928),
1re version du début, transcription d'esquisse (Ms. 669)

couleur propre à ce mode est maintenue durant toute la mesure qui suit (notons que *do♯* n'est pas ici à la clé) [exemple 9].

La conduite des voix pour laquelle a finalement opté Schönberg a pour effet de relativiser l'importance du tétracorde de tons entiers situé au centre de la gamme en mettant en relief les deux tétracordes extrêmes (0235), qui mènent l'un et l'autre, symétriquement, à la tonique *mi*: ‹*si do♯ ré mi*› / ‹*la sol fa♯ mi*›. Cette tendance est confirmée par la double inflexion qui s'opère ensuite : la première, dès après l'anacrouse, vers le «mode mineur mélodique» (avec *ré♯*) (z), la seconde, à la fin de la séquence, vers le mode de *la* (y), la particularité de ces deux gammes étant que les notes situées aux extrémités de leurs tritons respectifs (*la* et *ré♯* d'une part[44], *fa♯* et

44 Il convient de préciser, à propos du mode mineur mélodique, que, si le segment de tons entiers s'y trouve augmenté d'une note (et donc y devient un pentacorde), le triton investi d'une signification tonale (en tant qu'intervalle dissonant inscrit dans l'accord de 7e de dominante) y reste clairement

EXEMPLE 10
Es gingen zwei Gespielen gut (version 1928), inscription du segment
de tons entiers dans les gammes de référence

do♮ d'autre part) y deviennent des notes « attractives » conduisant à
la tierce et à la fondamentale ou à la quinte de l'accord de tonique
[exemple 10] : au mouvement descendant par lequel, dans la version
initiale, les ténors venaient se poser sur le 3ᵉ degré mineur *sol* (ici
note grave du triton)[45], s'opposent les gestes mélodiques plus fermes
– en ce que s'y accomplit une *résolution* du triton – par lesquels
les altos et les basses montent respectivement au *mi* puis au *sol*[46].

C'est au début de la 6ᵉ et dernière strophe que le caractère
propre au mode de *ré* – la tension particulière que crée, en son
centre, la relation entre les notes délimitant l'intervalle de triton :
le 3ᵉ degré *mineur* et le 6ᵉ degré *majeur*[47] – contribue de la manière

identifiable, sa résolution s'effectuant par les mouvements ‹*ré*♯ *mi*› et ‹*la*
sol♯› – au lieu de *sol*♮ comme ce serait le cas dans le « mode majeur ».

45 Ce mouvement aboutissant à *sol* se retrouve, dans le texte final, au sein de
la cadence qui clôt la strophe, où le tétracorde ‹*do*♯ *si la sol*♮› est à nouveau
déployé dans la partie de ténors (voir *infra*, l'exemple 13).

46 Notons que le mouvement descendant – symétrique du mouvement
ascendant des basses – par lequel les altos, à la mes. 3, devraient aboutir
au 5ᵉ degré *si* n'est pas conduit à son terme (voir *infra* la note 51).

47 Du strict point de vue du cycle des quintes, et de l'engendrement de l'échelle
diatonique à partir d'un segment continu de sept notes de ce cycle, la
quinte dite « juste » n'est pas autre chose qu'une quinte majeure, et la
quinte dite « diminuée » une quinte mineure ; symétriquement, la quarte
« juste » n'est autre qu'une quarte mineure et la quarte « augmentée » une
quarte majeure : dans le mode de *fa* tous les intervalles sont majeurs, et
dans le mode de *si*, symétriquement, tous sont mineurs. Le mode de *ré*,
qui est en lui-même symétrique, est parfaitement équilibré. Mais cet équilibre structurel est, paradoxalement, rompu par la hiérarchie qui fait prévaloir au sein de la gamme la relation de quinte « juste » entre entre le 1ᵉʳ et
le 5ᵉ degrés en vertu de laquelle les modes diatoniques sont foncièrement
asymétriques (seul fait exception – autre paradoxe – le mode de *si*, totalement asymétrique, mais où le 5ᵉ degré est au centre de l'octave).

EXEMPLE 11

Es gingen zwei Gespielen gut (version 1928), début de la strophe 6, analyse

la plus frappante à l'expressivité des lignes mélodiques au sein de
la polyphonie [exemple 11].

Les tierces de la mélodie principale – ‹si_4 $ré_5$›, ‹$ré_5$ si_4› et ‹si_4 sol_4› –,
aux sopranos, y sont à présent décrites par des successions d'in-
tervalles conjoints mettant fortement en relief le *do♯*, puis le segment de tons entiers lui-même (*x*), à l'intérieur duquel s'effectue
la double résolution – interne ici au triton –, de *do♯* à *si*, puis de *la*
à *sol*, sur la première et la dernière syllabe du mot « *Ringelein*[48] ».
Est particulièrement expressive la manière dont la ligne mélodique, au lieu de monter à *mi* comme elle le faisait au début de la
1re strophe dans la partie d'altos, bute ici sur le 7e degré mineur
ré♮, auquel un décalage rythmique fait aboutir, sur le mot « *Gold* »,
l'anacrouse de trois noires [exemple 12], et redescend ensuite lentement, comme à contre-cœur, à *sol*[49]. La strophe est traitée, à
partir de là, comme un strict canon à 4 voix, dans lequel la voix
de sopranos est imitée à la quinte (= à la quarte inférieure) par les

---

48 Ce mot (un diminutif de *Ring*) désigne le petit anneau d'or qu'à la fin du
    chant le garçon remet à celle des deux amies qu'il a choisi de prendre pour
    femme : non pas celle qui est richement dotée, mais la jeune fille modeste
    aux mains «blanches comme la neige».

49 Le clair-obscur mélancolique dans lequel Schönberg fait baigner cette
    dernière strophe (prise, comme celle de *Schein uns, du liebe Sonne*, dans
    un tempo plus lent) donne une profondeur inattendue à un texte qui n'a,
    en lui-même, rien de sombre : les paroles que le jeune homme y adresse
    à l'élue de son cœur sont pour lui dire sa volonté de ne jamais la quitter
    («*von dir will ich nit wenden*»).

EXEMPLE 12

Es gingen zwei Gespielen gut (version 1928),
début des strophes 1 et 6 (*Hauptstimme*)

altos, ce premier couple de voix étant lui-même imité à l'octave
ensuite par les ténors et les basses ; comme l'imitation des altos
prend, au départ, la forme d'une « réponse tonale », avec mutation
de l'intervalle initial, c'est la quinte diminuée ‹sol$_4$ do♯$_4$› (x') qui
s'y trouve déployée mélodiquement, avec un appui, au centre, sur
le 1er degré *mi* ; le fait que les voix d'hommes poursuivent selon la
même logique renforce encore, au sein de la polyphonie, le poids
des deux degrés critiques du mode. Comme dans la 1re strophe,
cependant, le 2e membre de phrase s'établit dans le mode de *la*, et
cette inflexion – d'autant plus sensible ici qu'un nouveau resser-
rement rythmique met directement en relation l'un avec l'autre,
dans la mélodie, les deux tétracordes qu'affecte le changement
de mode (‹do♯ si la sol› / ‹do♮ si la sol›)[50] – a pour conséquence que
la dernière imitation, dans la voix de basses, aboutit elle-même à
do♮ : à la quinte diminuée se substitue ainsi la quinte juste ‹sol$_3$
do♮$_3$›, à l'intérieur de laquelle se forme le segment de tons entiers
propre au mode de *la* (y) (la basse devient ainsi, dans l'enchaînement, l'imitation exacte, à la quinte, du soprano !).

Le choix d'une écriture résolument modale est intimement
lié, dans *Es gingen zwei Gespielen gut*, au primat absolu accordé à
la dimension horizontale[51]. Schönberg semble avoir été sensible

50 C'est en fait tout le dessin mélodique de la séquence initiale, anacrouse
    comprise, qui est repris et comprimé dans l'intervalle de quarte ‹do♮$_5$ sol$_4$›.
51 Le caractère modal de l'écriture n'est pas remis en question dans la pièce
    par l'emploi de ces gammes qui ont précisément été intégrées dans le
    système tonal en tant que « modes » (notamment le « mode mineur mélo-
    dique »), la présence de « notes attractives » intimement liées, dans ce
    système, à la notion de dissonance harmonique n'impliquant nullement
    ici que la dimension verticale acquière une quelconque indépendance :
    ainsi, dans la 1re strophe (voir l'exemple 8), la résolution de la quarte aug-
    mentée ‹la$_3$ ré♯$_4$› n'est perçue, au début de la 1re mesure (dans les voix
    médianes), que comme une furtive allusion à ce type de logique ; et si,
    à la fin de la séquence, la ligne des altos s'interrompt à *do*, alors que les

d'emblée aux possibilités qu'offrait, à cet égard, la mélodie d'origine, et dont pouvait tirer parti l'invention contrapuntique[52]. La longueur même du texte, et son caractère narratif (il s'agit d'une ballade), créaient, par ailleurs, les conditions d'une « grande forme ». Mais la richesse de figures rendue nécessaire par l'ampleur de la composition – un ensemble de six strophes possédant chacune sa physionomie propre[53] – ne pouvait être obtenue par les moyens, décrits plus haut, qui convenaient aux dimensions plus modestes de *Schein uns, du liebe Sonne* : il fallait concevoir un autre type de dispositif. Adorno a précisément rapproché de la démarche sérielle le fait que, dans *Es gingen zwei Gespielen gut*, la mélodie de départ, variée rythmiquement « jusqu'à en devenir parfois méconnaissable », ne soit plus guère autre chose qu'un matériau brut (*Rohmaterial*), « comparable à une série » – « tant, écrit-il, la proximité est grande ici entre le compositeur et l'arrangeur (*Bearbeiter*) »[54]. Le procédé imaginé par Schönberg, toutefois, s'apparente moins directement à la technique sérielle que ce n'est le cas dans *Schein uns, du liebe Sonne* : il consiste à déduire des quatre séquences constitutives du « modèle » (**a**, **b**, **c**, **d**) une infinité de variantes où se conserve le seul *profil intervallique* qui leur est propre – dans **a**, par exemple, le saut de quinte ‹*mi*$_4$ *si*$_4$› (*Es waren zwei*), suivi du dessin ‹*si*$_4$ *ré*$_5$ *si*$_4$› (*Gespielen*) d'où la voix descend à *sol*$_4$ (*gut*), le tout s'inscrivant dans les intervalles de septième (en montant) puis de quinte (en descendant) –, chaque intervalle pouvant être, dans ce cadre, déployé et décrit librement (parfois par de longs mélismes), en même temps que le rythme initial est non moins librement transformé, par diminution ou

basses, elles, montent bien à *sol*, c'est manifestement pour éviter qu'à cet endroit la résolution « régulière » de la quinte diminuée ‹*fa*$\sharp_3$ *do*$\natural_4$›, saisie comme composante d'un accord de 7e de dominante, ne confère à la cadence V – I un caractère tonal nettement prononcé (dans la 1re version, le *si* a été écrit, puis raturé dans la partie d'altos).

52 La lettre adressée par Schönberg à Lütge dès le 30 mai 1928 montre qu'il était désireux de mener à son terme la composition de la pièce – qui était déjà très avancée (« les six strophes sont toutes, pour l'essentiel, terminées ») – alors même qu'il craignait que le résultat ne réponde pas aux objectifs de la commande, du fait de sa difficulté d'exécution (comparable, disait-il, à celle d'une œuvre de Bach) – *cf. SW 18-1*, p. xxx.

53 Dans la version du même lied pour voix et piano, le texte musical est identique dans les six strophes.

54 Th. W. Adorno, « Über einige Arbeiten Arnold Schönbergs », p. 180 (*GS 17*, p. 340).

EXEMPLE 13

Es gingen zwei Gespielen gut (version 1928), strophe 1, trame motivique

augmentation, et par déplacement des accents[55]. À cela s'ajoute la possibilité de transposer et/ou d'*inverser* la figure mélodique tout entière, comme dans la technique dodécaphonique, mais déjà aussi chez Bach et, dans une certaine mesure, chez les polyphonistes de la Renaissance : voir, au début de la 1re strophe, le contrepoint des altos (balisé par les notes ‹*la*₃ *mi*₄ *sol*₄ *mi*₄ *do*♮₄›, à la quinte inférieure du *cantus firmus*), puis celui des basses à partir de la levée de la mes. 3, où la ligne de **a** – très resserrée rythmiquement – est à la fois inversée et transposée (‹*si*₃ *mi*₃ *do*♮₃ *mi*₃ *sol*₃›), ou encore, aux mes. 6-7, la figure mélodique des ténors dans laquelle sont divisées par deux les valeurs rythmiques de **d** (ici transposé à la sixte mineure inférieure)[56] [exemple 13].

En résumé : si, dans toutes ces opérations, se conserve indiscutablement l'esprit de la technique sérielle, la variante de cette technique que Schönberg met ici en œuvre se distingue de celle que nous avons observée dans *Schein uns, du liebe Sonne* par le fait qu'elle opère avec, non pas *un*, mais *quatre* motifs de base – directement issus du chant lui-même –, dont les notes constitutives ne font, en outre, que fixer les points entre lesquels la mélodie trace son chemin de manière toujours différente.

4.2 *Es gingen zwei Gespielen gut* (2) :
« forme variations » et dramaturgie interne

Es gingen zwei Gespielen gut a été conçu par Schönberg comme une «forme variations» (*Variationenform*), dans laquelle chacune des six strophes est traitée de manière spécifique[57]. Ce qui différencie entre eux les six volets est avant tout la relation qui s'établit entre les voix au sein de la polyphonie – il n'est que de comparer,

---

55 Ces variations rythmiques s'inscrivent dans un cadre métrique lui-même ambivalent, la mesure pouvant être interprétée (y compris simultanément) comme un 6/4 ou un 3/2. Voir à ce sujet les remarques de Lukas Haselböck, qui fait un lien entre cette ambivalence métrique et l'oscillation, dans la pièce, entre le mode de *la* et le mode de *ré* («Drei Volkslieder op. 49», dans : *Arnold Schönberg. Interpretationen seiner Werke*, vol. II, p. 173 *sq.*)

56 Plusieurs contrepoints, dans cette 1re strophe, consistent en un montage de fragments : *cf.* en particulier les parties de ténors (mes. 1-2), puis d'altos (mes. 3-4). Il est parfois difficile de savoir d'où provient tel ou tel dessin mélodique, et si même il ne s'agit pas d'un contrepoint «libre».

57 *Cf.* la lettre à Lütge du 4 février 1929 (cité dans *SW 18-1*, p. xxxi).

de ce point de vue, les strophes 1 et 6 : dans la première, la mélodie, qui est exposée de façon nue, donne lieu, dans les autres voix, à des imitations plus ou moins libres et presque toujours indépendantes les unes des autres ; la sixième et dernière strophe, à l'inverse, revêt la forme d'un double canon tout à fait rigoureux, où, nous l'avons vu, le couple sopranos (*dux*) / altos (*comes*, à la quarte inférieure) est lui-même imité, une octave plus bas, par les voix d'hommes [exemple 14]. Mais le contraste est absolu aussi entre la présentation initiale de la mélodie, caractérisée – conformément au texte original – par un chant presque entièrement syllabique, et, au terme du parcours, la version richement ornementée qui en est déployée dans les quatre voix, où domine le caractère mélismatique (la majeure partie des syllabes sont chantées sur deux notes), et qu'enchantent, dans la seconde moitié, des arabesques à la fois expressives et d'une grande élégance.

La mise en place d'un dispositif d'imitations dans lequel la voix principale cesse d'avoir un statut particulier à l'intérieur du tissu polyphonique, celui-ci étant en quelque sorte unifié et homogénéisé, s'effectue dès la 4e strophe, qui, de ce point de vue, marque, dans le déroulement de la composition, un jalon important[58]. L'agencement, complexe, peut être décrit de deux façons : soit comme un double canon *par mouvement contraire*, dans lequel la mélodie de départ est dédoublée, et développée de façon à donner naissance à deux reformulations variées bien distinctes – de **a**1 à **d**1 aux sopranos et de **a**2 à **d**2 aux altos –, couplées l'une et l'autre avec leur exacte inversion (ténors/basses)[59], – soit comme un canon *par mouvement semblable* entre, d'un côté, la combinaison des deux inversions et, de l'autre, celle des deux présentations « droites » (l'entrée des premières précède, de fait, celle des secondes, d'où résulte un échange entre *dux* et *comes*) – auquel cas le canon est simple, et ce sont ses deux « voix » qui sont doubles [exemple 15].

Le même principe d'agencement est repris dans la 5e strophe, mais sous une forme différente. D'une part, l'imitation s'effectue,

58 La place particulière qu'occupe la strophe dans l'articulation de la « grande forme » est clairement signalée d'emblée par le retour, cette fois-ci au premier plan, de la figure de croches qui marquait l'entrée des basses au tout début de la pièce (voir l'exemple 13).

59 La règle de ce couplage est la suivante : à la quinte ‹*mi*₄ *si*₄› de **a**1 répond, dans l'inversion (aux ténors), la quinte ‹*ré*₄ *sol*₃›, tandis que dans la voix d'altos, où **a** est transposé, ici déjà, à la quarte inférieure (avec mutation de l'intervalle initial), répond à la quarte ‹*si*₃ *mi*₄›, dans les basses, la quarte ‹*sol*₃ *ré*₃›.

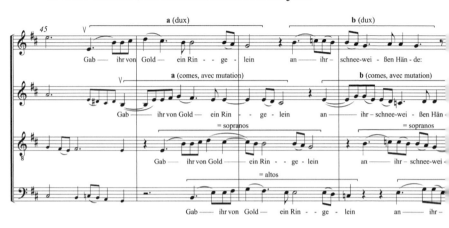

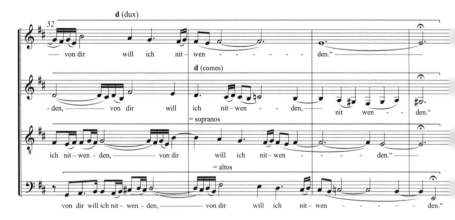

EXEMPLE 14

Es gingen zwei Gespielen gut (version 1928),
dernière strophe, jeu des imitations

EXEMPLE 15

Es gingen zwei Gespielen gut (version 1928),
strophe 4, jeu des imitations

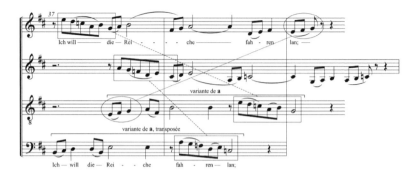

EXEMPLE 16
Es gingen zwei Gespielen gut (version 1928),
début de la strophe 5, jeu des imitations

à l'intérieur de chacun des deux canons (répartis ici entre voix de femmes et voix d'hommes), par mouvement *semblable*. D'autre part, s'il est aisé de reconnaître dans le canon qu'énoncent les voix d'hommes une nouvelle variante de la mélodie originelle – la transposition à la quarte inférieure (basses) précédant, là encore, le *dux* réel (ténors)[60] –, aucune dérivation de ce type n'est repérable dans le canon des voix de femmes : le profil global des figures mélodiques est certes celui d'une inversion du « modèle », mais la formulation des quatre séquences s'affranchit de toute référence précise, saisissable, à la *Gestalt* initiale. C'est là l'exemple même de ce qu'Adorno relève comme une caractéristique de la pièce : « souvent les contrepoints ne renvoient pas directement au *cantus firmus*, mais en sont des dérivations lointaines »[61]. On pourrait être tenté de vouloir analyser ces contrepoints comme résultant d'un montage, comme dans le cas de la 1ʳᵉ strophe[62] : le recours à un tel procédé est tout à fait explicite dans la 1ʳᵉ séquence (mes. 37-39) [exemple 16], où la figure de croches initiale du canon des voix de femmes fait entendre par anticipation celle qui, dans les voix d'hommes, sert d'anacrouse à la dernière note, tandis que, symétriquement, le dernier motif des sopranos est l'exacte reprise du motif

---

60 Les esquisses de la strophe conservées à l'ASC (qui se limitent au canon principal) montrent que cet échange entre *dux* et *comes* n'était pas prévu au départ, et n'a même été décidé qu'au dernier moment, alors que pour la 4ᵉ strophe il est opéré dès les premières ébauches du canon (*cf. SW 18-1*, p. 48-53).

61 Th. W. Adorno, « Über einige Arbeiten Arnold Schönbergs », p. 180 (*GS* 17, p. 340).

62 Voir *supra* la note 56.

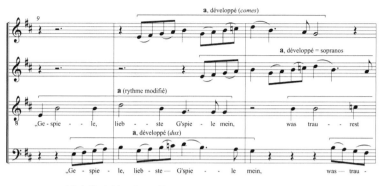

EXEMPLE 17
Es gingen zwei Gespielen gut
(version 1928),
début de la strophe 2,
jeu des imitations

initial des ténors ; mais ce jeu de renvois internes n'est pas poursuivi dans les séquences suivantes. Rapportée aux deux strophes
qui l'entourent, cette 5ᵉ strophe témoigne plutôt de la volonté d'instaurer, au fil des variations, une dialectique entre liberté et stricte
application du principe.

Les strophes 2 et 3, à l'inverse, ont en commun de bien séparer,
à l'image de la 1ʳᵉ, le *cantus firmus* – dont seul le rythme est varié –
du tissu polyphonique dans lequel il vient s'insérer. Dans la 2ᵉ
strophe, ce *cantus firmus*, confié aux ténors, donne lieu à une série
d'imitations qui vont du très strict au très libre : dans la séquence **a**,
celles-ci prennent la forme d'un canon à l'octave dont le sujet,
exposé par les basses, développe le « modèle » sans en altérer le
profil de façon significative, après quoi le lien entre les voix se
fait nettement plus lâche ; le canon, en outre, suit alors sa propre
logique, indépendamment du *cantus firmus* : à l'énoncé de **b** aux
ténors répond, dans les basses, l'exacte inversion de la variante
de **a** entendue juste avant [exemple 17] ; dans la 3ᵉ séquence, les
contrepoints ne sont pas moins libres déjà, dans leur relation au

« chant donné », que ce ne sera le cas dans la 5ᵉ strophe (au centre du *second* volet).

La 3ᵉ strophe, quant à elle, marque un palier par la densité et la complexité de son tissu contrapuntique [exemple 18] : la polyphonie y acquiert une sorte de profondeur du fait que le *cantus firmus* – dont le texte ne subit, ici encore, que des modifications rythmiques – passe successivement des sopranos (mes. 19-21) aux basses (mes. 22-23) puis aux altos, dont la voix est doublée à la sixte mineure inférieure par celle des ténors (mes. 24-25)[63] ; mais surtout, le réseau des relations motiviques est ici beaucoup plus serré que dans les deux premières strophes : le texte du *cantus firmus*, traité comme un matériau d'une extrême ductilité, donne lieu, dans chacune des quatre séquences, à des transformations mettant en œuvre systématiquement le procédé de l'inversion et, sur le plan rythmique, celui de la contraction, ou inversement de la dilatation, par diminution/augmentation[64]. Si les différentes voix tendent, de ce fait, à s'articuler selon leur propre loi, des liens se tissent également entre elles par un jeu d'imitations ponctuelles plus ou moins réglé : ainsi entre la figure de croches des ténors au début, et celle des altos à la fin de la 1ʳᵉ séquence (mes. 18-19 et 20-21), où, à l'intérieur même de la 3ᵉ séquence, entre les voix de ténors, de basses et de sopranos, et bien sûr, à la fin (mes. 24-25), entre le *cantus firmus* (altos et ténors) et son inversion (basses).

La logique de tout ce jeu de structures, cela dit, ne peut être saisie que si l'on prend en considération la teneur du texte mis en musique, qui n'est pas moins important, dans la chanson d'origine, que la mélodie elle-même. Sans doute y a-t-il dans la musique de Schönberg une « beauté grammaticale » comparable à celle que Proust admirait tant chez Flaubert. Mais un fond expressionniste, nourri

---

63 Rudolf Lück, qui, dans son article sur le rapport de Schönberg au chant populaire allemand, propose un tableau comparatif des formes que revêt le *cantus firmus* dans les six strophes de *Es gingen zwei Gespielen gut*, ne tient pas compte de cette particularité de la 3ᵉ strophe, et se borne à reporter de bout en bout, sur la ligne correspondante, la partie de sopranos (« Arnold Schönberg und das deutsche Volkslied », *Neue Zeitschrift für Musik*, 1963/3, p. 90).

64 Le meilleur exemple de ce type de transformations est sans doute la « contre-fugue » de *L'Art de la fugue* dans laquelle le thème, varié, est déroulé dans trois tempi différents, ses valeurs allant de 1 à 4 – par exemple noire / blanche / ronde (*Contrapunctus 7 a 4 per Augmentationem et Diminutionem*). Chez Schönberg, toutefois, ces changements s'opèrent le plus souvent à l'intérieur même de la séquence mélodique.

EXEMPLE 18

Es gingen zwei Gespielen gut (version 1928), strophe 3, jeu des imitations

d'éléments littéraires, y est toujours également présent – comme en témoigne, par exemple, le long mélisme sur la première syllabe du mot « *Bruder* » (montant jusqu'au *la*₅) qui se détache dans le registre aigu des sopranos à la fin de la 3ᵉ strophe. La «charge émotionnelle» – pour reprendre l'expression de Boris de Schlœzer[65] – sans laquelle aucune œuvre de Schönberg ne serait concevable trouve ici à s'exprimer dans les dialogues qui ponctuent le récit, et qui permettent au compositeur de mettre en place, au fil des six strophes, une dramaturgie musicale bien précise[66]. En voici la trame :

- La 1ʳᵉ strophe, narrative, évoque deux compagnes qui cheminent dans un pré : l'une est pleine d'entrain, l'autre est plongée dans une profonde tristesse.

- Les 2ᵉ et 3ᵉ strophes consistent en un jeu de questions/réponses ; à la première qui lui demande : « Pourquoi es-tu si triste ? », la seconde répond : « Nous aimons toutes deux le même garçon, et ne pouvons nous le partager. » (strophe 2), et s'exclame : « Et si nous aimons toutes deux le même garçon, mon Dieu, que va-t-il advenir ? », à quoi l'autre réplique : » Eh bien prends, toi, les biens de mon père, et mon frère aussi est à toi. » (strophe 3).

- La 4ᵉ strophe marque un tournant : c'est le garçon qui est désormais le personnage central ; étendu sous un tilleul, il a entendu la fin de la conversation (séquences **a** et **b**, narratives), et s'exclame à son tour : « Jésus au plus haut des cieux, viens-moi en aide, vers laquelle dois-je me tourner ? » (séquences **c** et **d**).

- La 5ᵉ strophe est celle de la prise de décision, toujours sous la forme d'un monologue : « Je vais renoncer à la riche, et garder la plus modeste. Nous sommes tous les deux jeunes et forts, nous amasserons une belle fortune. »

- La dernière strophe passe, une nouvelle fois, de la narration – le garçon remet à la jeune fille un petit anneau d'or (séquences **a** et **b**) – au discours direct : « Jamais je ne t'abandonnerai » (séquences **c** et **d**)[67].

---

65 Boris de Schlœzer, « Le Cas Schoenberg », dans : *L'Esprit NRF*, édition établie et présentée par Pierre Hebey, Paris, Gallimard, 1990, p. 1235 (1ʳᵉ publication dans *La Nouvelle Revue Française*, 27/308, 1ᵉʳ mai 1939).

66 *Cf.* déjà N. Grosch, « Das Volksliederbuch für die Jugend », p. 341.

67 Le caractère elliptique de ce récit dialogué tient au fait que le texte comportait à l'origine dix strophes, qui ont été ramenées à six ; le dialogue entre les deux amies et le monologue du garçon ont ainsi été réduits de

Il est facile de vérifier, en premier lieu, que le choix de tel ou tel mode d'agencement, dans la pièce, a toujours pour fonction d'expliciter l'articulation interne du texte : Schönberg procède ici tout comme il l'avait fait trente ans plus tôt dans *Verklärte Nacht*, où la forme musicale épouse la structure du poème de Dehmel – rythmée, elle aussi, par l'alternance entre récit et discours direct –, et, en particulier, se construit autour du moment central – celui de la « transfiguration » (marquée par le passage de *ré* mineur à un radieux *ré* majeur) – où, après que la Femme a confessé sa faute envers lui, la voix de l'Homme s'élève pour l'assurer de son amour. Si la brièveté du *Volkslied* dispense de recourir à des moyens aussi drastiques, Schönberg fait en sorte de bien marquer le groupement en 2 × 3 strophes, sans que la fluidité du discours musical ait à souffrir d'une dramatisation trop appuyée : un changement de texture savamment étudié, et la différence de caractère qu'il rend possible, suffisent à donner à la 4e strophe une physionomie sonore *sui generis*, par laquelle elle tranche sur ce qui précède – en même temps que l'on revient ici à la « région » principale (*mi* mineur / *sol* majeur)[68], après la modulation vers *ré* majeur / *si* mineur qui s'est opérée sur les mots « *dazu mein Bruder* », quand la première jeune fille offre à sa rivale de troquer contre son frère, pour résoudre le problème, celui dont elles sont toutes deux éprises. Au sein même du 1er volet, le passage de la narration au dialogue (mes. 9) se marque par un semblable changement de type d'écriture[69], et c'est, de la même façon, par le jeu d'imitations très serré des mes. 22-23 (« *So nimm* »)

moitié (une strophe au lieu de deux), et la dernière strophe est la seule retenue d'un groupe de trois (*cf.* Ludwig Erk et Franz Magnus Böhme, *Deutscher Liederhort*, Vol. 1, Leipzig, Breitkopf und Härtel, 1893, p. 249).

68 C'est par pure commodité que sont employées ici les dénominations de « *mi* mineur », « *sol* majeur », etc. : l'univers de la pièce est, on l'a vu, foncièrement modal.

69 Dans sa version de la pièce enregistrée avec les BBC Singers en 1986, Boulez fait ressortir ce début de la 2e strophe par un *forte subito*, et cette nuance donne un relief saisissant au canon qui se met alors en place (la partition imprimée ne comporte d'autre indication dynamique qu'un *mf* noté au-dessus de la première mesure). L'interprétation que donne Boulez de ce chœur, si on la compare avec celles qu'ont gravées Reinbert de Leeuw et Laurence Équilbey, a le grand mérite, à la fois, d'individualiser avec un soin extrême les différences strophes (en caractérisant chacune d'elles par un ton qui lui est propre), et de veiller à ce que les mélismes aient toujours un maximum de plasticité et, par là, d'expressivité – ce que rend possible le tempo modéré adopté par le chef. La version récente de Robert Craft (2005) pèche, de son côté, par l'absence de tout contraste et de toute différenciation

qu'est signalé et souligné, comme dans une scène d'opéra, l'instant où l'amoureuse trop sûre d'elle-même réagit impulsivement aux paroles de son amie[70] (c'est aussi à cet endroit que le *cantus firmus* passe de la voix des sopranos à celles des basses puis des altos).

L'écriture, par ailleurs, enregistre à la manière d'un sismographe[71], aussi bien harmoniquement que mélodiquement, les émotions qui assaillent les acteurs de la scène. Le désarroi de la jeune fille qui confesse à son amie le motif de sa tristesse se marque ainsi, dans les 2e et 3e strophes, par une instabilité harmonique inaccoutumée, et lorsqu'elle répète : « et si nous aimons toutes deux le même garçon », le mot « *lieb* » – sur lequel les quatre voix se rejoignent (fait exceptionnel) au terme de la proposition (mes. 20) – est comme percuté par une soudaine dissonance harmonique : ⟨mi_3 la_3 $do\sharp_4$ sol_4⟩ – seul exemple dans la pièce d'une irruption de la verticalité au sein de la polyphonie –, d'autant plus frappante que l'accord de septième dans lequel elle s'inscrit vaut ici par sa seule qualité sonore, et ne remplit d'aucune façon, dans le contexte, la fonction d'un accord de dominante (ce qu'il est sur le plan morphologique) ; après quoi l'exclamation « *hilf Gott* » donne lieu, quant à elle, à un double mélisme auquel confère une tension particulière, sur « *hilf* », l'imbrication, à l'intérieur de l'octave ⟨sol_3 sol_4⟩, du mouvement de tons entiers ⟨(sol) la_3 si $do\sharp_4$ $ré\sharp_4$ (mi)⟩ et de la structure de tierces mineures – déployée, cette fois, mélodiquement – ⟨$do\sharp_4$ mi_4 sol_4⟩.

Dans la 4e strophe, de la même façon, le trouble qui s'empare du garçon à l'audition des propos échangés par les deux jeunes filles, et que trahissent les paroles par lesquelles il supplie le Christ de l'aider (« *Hilf, reicher Christ vom Himmel hoch !* »), se traduit dans les lignes vocales par une forme singulière de turbulence, qui passe par une reformulation si libre des séquences centrales (**b** et **c**) qu'elles en deviennent – dans le canon secondaire surtout (basses/altos) – presque méconnaissables (voir l'exemple 15) ; le retour à *mi* mineur, après un détour par le relatif majeur *sol*, s'effectue par le truchement d'une harmonie dans laquelle ressort la structure de tierces majeures ⟨si_3 $ré\sharp_4$ sol_4⟩ (mes. 32), mais qui ne se confond pas

entre les strophes : celles-ci y sont toutes chantées de manière uniforme et, en fin de compte, inexpressive, dans un permanent *quasi forte*.

70 Schönberg, en même temps, veille à ne pas rompre à cet endroit la continuité du discours musical, en dissociant du canon les voix d'altos, auxquelles est confiée, dans l'aigu, une ligne mélodique en valeurs longues, presque *recto tono*, qui domine les autres voix.

71 Voir *supra*, p. 25 (note 15).

avec un accord de 5$^\text{te}$ augmentée ayant la fonction de dominante[72].
Il n'est pas jusqu'à l'extrême indépendance des voix, dans ce passage, qui ne puisse s'entendre comme une image des mouvements contradictoires qui agitent l'âme du jeune homme : version miniature de cette « allégorie de la complexité du sujet psychologique » dont parle Adorno au sujet de *La Main heureuse*[73]. À l'inverse, le mélange de calme et d'émotion contenue qui caractérise la dernière strophe – sa plénitude – doit beaucoup à l'étroite corrélation que le canon y instaure entre les quatre voix.

4.3 La seconde version de *Es gingen zwei Gespielen gut* (1948)

S'il est impossible d'entrer ici dans le détail de tous les trésors d'invention que recèle ce « chant populaire », on ne saurait manquer de lui comparer la nouvelle adaptation, également pour chœur mixte a cappella, réalisée par Schönberg vingt ans plus tard[74], et qui ouvre le cahier des *Drei Volksliedsätze* op. 49. La première différence notable est que, dans cette seconde version, les strophes 1 et 2 d'une part, 3 et 4 d'autre part, sont musicalement identiques (seule la dernière mesure de la 4$^\text{e}$ est reformulée de manière à

---

72 Voir déjà *supra*, p. 234 *sq.* [fin de 2.2].

73 *Cf. supra*, p. 56 (note 75).

74 Le manuscrit est daté du 24 juin 1948. Les *Three Folksongs Settings* op. 49 (c'est sous ce titre qu'ils furent publiés en 1949) sont de nouvelles versions pour chœur de trois des *Deutsche Volkslieder* pour voix et piano de 1929, que Schönberg écrivit pour l'*Arthur Jordan Conservatory of Music Choral Series*, une collection d'œuvres chorales que son gendre Felix Greissle venait de créer et dirigeait chez l'éditeur new yorkais Edward B. Marks (E.B. Marks Music Corporation). Le compositeur avait d'abord suggéré de rééditer les *Drei Volkslieder* parus chez Peters (dans le *Deutsche Volksliederbuch*) en 1930, mais ce projet ne pouvait aboutir pour des questions de droits ; et il écarta la proposition que lui fit Greissle d'éditer, en les adaptant pour chœur, une série des nombreux canons (*Rätsel- und Spiegelkanons*) qu'il avait composés depuis les années 1920, objectant qu'il s'agissait là de « spécimens de contrepoint supérieur, destinés à être lus et étudiés plutôt que chantés » (et dont la plupart n'avaient, au demeurant, pas de texte). Voir sur tout cela la correspondance échangée entre Schönberg et Greissle entre avril et septembre 1948, consultable en ligne sur le site de l'ASC (la dernière citation se trouve dans la lettre datée du 20 mai), ainsi que Sabine Feisst, *Schoenberg's New World. The American Years*, Oxford, Oxford University Press, 2011, p. 69 *sq.*

assurer la transition avec la 5e) : le souci d'individualiser chacune des six strophes au sein d'un développement continu (selon le modèle d'une forme «*durchkomponiert*») est donc abandonné au profit d'un schéma hybride – mêlant forme strophique et «forme variations» –, au moyen duquel est repensé le lien entre texte et musique ; en particulier, le moment central du récit où le jeune homme passe au premier plan cesse de constituer, comme précédemment, une articulation majeure de la forme musicale : le passage de la 3e strophe à la 4e s'effectue ici de manière lisse – au lieu de quoi se dessine une trajectoire narrative en trois temps dont les 3e et 5e strophes marquent les principaux jalons. Par ailleurs, toute référence au mode dorien – on le remarque d'emblée – fait à présent défaut : dans l'«exposition» que constituent les deux premières strophes, la mélodie, transposée sur *sol*, s'inscrit pour l'essentiel dans le mode de *la* (l'armure est de deux bémols), avec une inflexion vers le relatif majeur *si*♭ dans la 3e séquence.

Sur le plan de l'écriture, la version de 1948 contraste avec la précédente en ce que la primauté absolue du contrepoint y fait place à un mixte plus équilibré entre la dimension horizontale (mélodique) et la dimension verticale (harmonique), avec pour corollaire une forte emprise de la logique tonale sur l'articulation du discours[75]. Ainsi, dans la 1re strophe, la séquence **c** est-elle régie tout entière par les principes d'organisation syntaxique propres à la tonalité harmonique [exemple 19] : la modulation vers *fa* (en tant que dominante de *si*♭) qui s'y accomplit est réalisée par un double enchaînement IV–II–V–I, qu'explicite on ne peut plus clairement, la seconde fois, le mouvement de la basse : ‹*ré*$_3$ *sol*$_3$ *do*$_3$ *fa*$_3$› ; et le retour à *sol* mineur, dans **d**, s'effectue, de manière analogue, par un double geste cadentiel, d'abord V–VI (cadence évitée, mes. 8), puis V–I (mes. 9). La fonction de dominante est remplie, dans tous les cas, par des accords de septième – et même, à la fin de la mes. 5, par un accord de 9e majeure sans fondamentale (à l'état

---

75 Dans le texte sur les *Volkslieder* op. 49 qu'il a rédigé pour l'ouvrage *Arnold Schönberg. Interpretationen seiner Werke*, Lukas Haselböck met l'accent très justement sur l'«équilibre entre polyphonie et homophonie» par lequel la nouvelle version d'*Es gingen zwei Gespielen gut* se différencie de la première : «Les enchaînements d'accords, note-t-il, ne sont plus des phénomènes survenant de façon contingente (*Zufallserscheinungen*) à l'intérieur du tissu contrapuntique, mais sont recherchés en tant que tels.» – d'où il résulte que «le rapport entre éléments modaux et tonaux se déplace en faveur de la tonalité» (*op. cit.*, p. 176).

EXEMPLE 19

EXEMPLE 19
Es gingen zwei Gespielen gut (version 1948), strophe 1, analyse

de 3ᵉ renversement : ‹*si♭₂ sol₃ mi♮₄ ré₅*›) –, impliquant la résolution
tonale du triton (voir déjà la fin de **b**) ; dans la cadence finale, toutefois, la quinte diminuée n'apparaît que sous forme mélodique
dans la partie de ténors : ‹*fa♯₃ do₄*› (où *do* appartient à la transition
menant à la strophe suivante), et la résolution de la sensible *fa♯* ne
se fait pas de manière régulière.

Ce dernier détail suffit à l'indiquer : si grande que soit l'importance dévolue à la dimension verticale, le contrepoint n'en garde
pas moins ici ses droits. En témoigne, tout spécialement, le fait que
les unités mélodiques sont à plusieurs endroits étendues et enri-
chies, au prix d'une répétition partielle du texte : «*war grüne*» dans
la partie d'altos (mes. 4-5), «*ein frischen Mut*» (mes. 6-7) dans les
parties de ténors et de basses, et encore «*trauret sehre*» (mes. 8-9)
dans la partie de ténors, qui est globalement, dans cette 1ʳᵉ strophe,
la plus travaillée. Le réseau des relations motiviques est, quant à
lui, aussi dense que dans la version de 1928, mais les déductions
opérées à partir du *cantus firmus* sont souvent ponctuelles, et ne
retiennent qu'exceptionnellement le profil global propre à chacune
des séquences – ce qui revient à dire que la référence à la technique sérielle est maintenant plus diffuse, moins palpable : comme
sublimée. On peut certes reconnaître dans la voix de ténors, à partir
de la mes. 2, des anticipations libres des séquences **b** à **d** de la
mélodie principale, ou dans la voix d'altos, à la mes. 5 (avec la levée)
– lorsqu'est dupliqué le syntagme «*war grüne*» –, une inversion
non moins libre de la figure mélodique de **c**, mais ce sont, le plus
souvent, des éléments motiviques isolés qui sont développés : par
exemple l'intervalle de quinte initial de **a**, que déploient en l'inversant les ténors (‹*ré₄ sol₃*›) puis les basses (‹*fa₃ si♭₂*›)[76] ; cet intervalle
lui-même en vient, dans la suite, à ne plus pouvoir être rattaché de
façon précise à tel élément du *cantus firmus* plutôt qu'à un autre :
ainsi, le segment ‹*sol₂ la₂ si♭₂ do₃ ré₃*›, dans les basses (mes. 8), est
aussi bien le rétrograde (voire une inversion libre, transposée) de
celui qui apparaît aussitôt après dans la voix de sopranos – et qu'annonce également, de façon partielle mais exacte, le motif ‹*ré₄ do₄
si♭₃*› des altos – qu'un écho de la séquence initiale ; plus nettement
encore, le mouvement de quinte ‹*fa₄ mi₄ ré₄ do₄ si♭₃*› des ténors, sur
le mot «*sehre*» (mes. 7-8) – qui est aussitôt varié (transposé et inscrit

---

76 Le rôle thématique de l'intervalle de quinte est noté par Haselböck (*ibid.*,
p. 176).

dans la *quinte diminuée* ‹do₄ fa♯₃›) lors de la duplication de « *sehre* » (mes. 8-9) – renvoie tout aussi bien à la ligne mélodique des basses du tout début de la strophe qu'il anticipe celle des sopranos dans **d** (sans parler du même mouvement descendant de quinte qui, dans **c** déjà, se dessine dans le *cantus firmus*). Le tétracorde (0135), dont nous avons vu quel rôle important il jouait dans *Schein uns, du liebe Sonne*, tend également à retrouver ici une valeur thématique, sans toutefois innerver tout le tissu contrapuntique à la manière d'une *Grundgestalt* : il apparaît, au sein du *cantus firmus* lui-même, dans les séquences **c** et **d** – ‹si♭ la sol fa› (« *ein frischen Mut* »), et, dans **d**, sous forme rétrograde, puis inversée : ‹fa sol la si♭› / ‹ré do si♭ la›) ; mais il est très présent, dans les autres voix, dès le début de la strophe – ainsi dans la voix d'altos : ‹ré mi fa♯ sol› et ‹fa♮ sol la si♭›.

Si les deux premières strophes restent cantonnées, pour l'essentiel, dans la gamme de *sol* mineur / *si♭* majeur – deux notes supplémentaires seulement y apparaissent de façon ponctuelle : *mi♮* (comme sensible de *fa* et comme 6ᵉ degré du mode mineur mélodique de *sol*) et *fa♯* (comme sensible de *sol*) –, la proximité avec Bach en tant que « compositeur dodécaphonique » devient plus sensible dans la strophe 3 [exemple 20], où est renforcée l'instabilité harmonique qui, comme dans la version de 1928 déjà, a pour fonction de transcrire les affects des différents personnages. Bien qu'il touche peu ici l'écriture mélodique – seules la ligne des sopranos montant au *fa₅* sur « *was soll draus werden* » (avec le saut de septième ‹fa₅ sol₄›, mes. 23), puis, symétriquement, l'attaque soudaine du *fa₅* à la mes. 27, sont, de ce point de vue, significatives –, le phénomène est d'autant plus marqué que le *cantus firmus* lui-même est pris dans les turbulences : il ne fait pas que voyager, une nouvelle fois, de voix en voix, mais la mélodie se disloque et, cessant de s'inscrire de bout en bout dans une gamme bien définie, éclate en segments qui ne cessent de passer d'une perspective tonale dans une autre : modulant d'abord de *sol* mineur à *do* mineur (**a**), puis de *si♭* majeur à *ré* mineur (**b**), avant de revenir à *sol* mineur pour la réplique « Eh bien, prends, toi, les biens de mon père » (**c**), pour s'établir finalement dans le ton de *ré* mineur (**d**) (toute la strophe incline donc du côté de la sous-dominante)[77]. La première séquence (aux altos) gauchit considérablement le profil de

---

77 Voir l'analyse harmonique du passage, mesure par mesure, dans le texte de Haselböck (*ibid.*, p. 177 *sq.*).

EXAMPLE 20

Es gingen zwei Gespielen gut (version 1948), strophe 3, analyse

la mélodie initiale en substituant aux notes de la triade {*si♭ ré fa*} celles de la quinte diminuée {*ré fa la♭*} contenue dans l'accord de septième sur le IIe degré de *do* mineur ; la reformulation de **b** (aux altos toujours) frappe, quant à elle, par sa raideur mélodique : la phrase « *was soll draus werden ?* » (« que va-t-il advenir ? »), quand elle est répétée (mes. 24), est chantée *recto tono* – comme si l'émotion (la détresse) paralysait l'expression. Comme dans la version de 1928, mais différemment[78], ces éléments concourent à donner un relief particulier à la question qu'adresse anxieusement à son amie la jeune fille tourmentée à la pensée qu'elles « aiment toutes deux le même garçon ». Que la même musique soit reprise pour la 4e strophe, avec une moindre pertinence par rapport au texte[79], atteste la volonté de soumettre le traitement du *lied* à des critères différents de ceux qui valaient pour la première réalisation : l'élément de dramaticité est ici affaibli au profit d'une forme de distanciation – d'objectivité – qui appartient en propre à la narration épique ; Schönberg, en ce sens, se montre plus conforme, dans sa réécriture, à l'esprit de la ballade.

La 5e strophe est particulièrement remarquable [exemple 21]. Elle se singularise au sein de la composition – et rappelle, en même temps, le type d'écriture de la version de 1928 – par la primauté accordée au contrepoint, d'où découle une prédominance du modal sur le tonal. Le traitement du *cantus firmus*, cependant, est ici tout à fait original. Considérés en eux-mêmes, les segments de la mélodie originelle, bien que variés, sont aisément reconnaissables, même si les deux premiers s'inscrivent dans le ton de *sol* mineur, et les deux suivants dans le ton de *mi♭* majeur. Mais Schönberg fait en sorte de les rendre difficilement repérables au sein du tissu polyphonique : ainsi, **a**, dans la voix de ténors, peine à ressortir au milieu du jeu d'imitations mis en place entre les autres voix, où se détachent d'abord, dans les basses et aux altos, l'inversion de la quinte initiale, puis, dans la voix de sopranos, un contrepoint, fortement

---

78 Voir *supra*, p. 262.

79 À la mes. 37, toutefois, l'intensité du *fa₅* attaqué sans préparation aux sopranos s'accorde avec le trouble du jeune homme qui, implorant le Christ de l'aider à prendre la bonne décision, s'interroge : « Vers laquelle dois-je me tourner ? ». Dans la version qu'il a réalisée pour le disque, Boulez fait chanter le début de la 4e strophe dans une nuance plus douce : l'interprétation préserve ainsi de ce qu'aurait de mécanique une répétition à l'identique (ici encore, Schönberg n'a noté, pour toute indication dynamique, qu'un *mf* au début de la partition).

EXEMPLE 21

Es gingen zwei Gespielen gut (version 1948), strophe 5, analyse

mis en évidence, qui n'est autre qu'une variante de **d**, enrichie, en son centre, d'un motif de croches (en forme de broderie) rappelant celui de **c** ; le fait que le rythme initial de **a** (en levée) soit décalé d'une croche contribue à masquer son entrée (dans les autres voix, ce même rythme s'inscrit on ne peut plus clairement à l'intérieur du 6/4). En outre, le segment **b** est, lui, entonné par les basses plus tôt qu'il ne devrait, et comme son entrée a lieu au moment précis où la ligne des sopranos atteint son climax sur le *ré₅*, il échappe à l'attention. Quant au segment **c**, s'il apparaît bien en pleine lumière ensuite dans les voix d'hommes (mes. 45-46), l'exacte reproduction du « modèle » (transposé à la quinte) que chantent les basses est éclipsée par la doublure à la tierce que lui superposent les ténors, dont les dernières notes, subitement octaviées – ‹*sol₃ fa₄ mi♭₄ ré₄*› – ressortent, de plus, avec force (mes. 46 *sq.*) ; à cela s'ajoute que les sopranos font entendre, au même moment, une variante très compacte de **c**, qui attire d'autant plus l'attention que le texte y est chanté de façon purement syllabique (« *Wir zwei, wir sind noch jung und stark* »). On ne saisit l'intention à laquelle répond ce traitement inhabituel du *cantus firmus* que lorsque **d** (s'enchaînant rythmiquement à **c** comme dans la mélodie originelle) s'élève soudain, très en dehors, dans le registre aigu des sopranos (*sol₅*, au sommet du mélisme sur lequel est chanté le mot « *Gut* », est la note la plus aiguë de toute la pièce)[80], tandis que les trois autres voix, en imitation, n'ont qu'une présence sourde dans le médium grave (altos) et le grave (voix d'hommes).

Cette 5ᵉ strophe, par ailleurs, diffère radicalement de celle de la version de 1928 par l'éclairage jeté sur le contenu du texte. Les paroles par lesquelles le jeune homme énonce et justifie sa résolution se chargent ici, en effet, d'une expression radieuse, qui tient en grande partie au contraste créé avec la strophe précédente : celle-ci penchait vers la sous-dominante et sa tonalité était mineure (*ré* mineur), la 5ᵉ, au contraire, s'ouvre sur la dominante, et le majeur ne cesse d'y alterner avec le mineur – témoin la façon dont la tonique de *mi♭* majeur est amenée sur le 1ᵉʳ temps de la mes. 48 ; le fait que par rapport aux mes. 41-42 la mélodie des sopranos soit ici projetée dans l'aigu – modulant, de surcroît, de *sol* à *do* (cette relation

---

80 Schönberg ne s'est pas conformé ici à la directive que lui donnait Greissle de ne pas dépasser le *fa₅* dans la partie de sopranos, et d'une façon générale de « maintenir les voix dans un ambitus restreint » (lettre de Greissle à Schönberg datée du 8 juin 1948, ASC, *Briefe*, ID 13945, p. 2).

à l'intérieur de la strophe a une grande importance) – contribue beaucoup à son caractère rayonnant ; mais dans l'occurrence initiale, déjà, une note d'exaltation perce au milieu de la phrase – sur les mots « *(Rei)-che fah-(ren)* » – quand la triade majeure de *si♭* (en position de quarte-et-sixte : la tierce majeure est donc au sommet de l'accord), amenée – dans un enchaînement de type plagal – par un mouvement ascendant des troix voix supérieures (*cf.* la quinte ‹*sol₄ ré₅*› aux sopranos et, aux altos, l'octave ‹*si♭₃ si♭₄*›), vient, l'espace d'un instant, illuminer le *sol* mineur.

Globalement, le caractère modal de l'écriture est nettement prononcé : les seuls tritons résolus tonalement (aux mes. 42 et 45) sont dissociés de gestes proprement cadentiels[81]. Aux mes. 43-44, néanmoins, transparaissent dans l'entrelacs des voix des accords de septième (établis sur le IIe puis le Ve degrés). Et à la fin de la strophe, **d** n'aboutit pas à *do*, mais est prolongé de façon à conduire à la strophe suivante : la quarte augmentée / quinte diminuée {*ré la♭*} est introduite, au sein d'une harmonie de 9e majeure sans fondamentale, de façon à préparer le retour (cette fois en *mi♭* majeur) du texte de la mes. 40 – car, bien que la dernière strophe soit musicalement indépendante, son début sonne comme l'on reprenait *da capo* la 5e, selon la même logique qui gouvernait les couples de strophes précédents.

Le contraste entre les deux réalisations s'accuse à la fin de la pièce [exemple 22]. La dernière strophe, qui, dans la version de 1928, portait le contrepoint à son apothéose en même temps que l'expression y atteignait un maximum d'intensité (avec la coloration particulière due au mode dorien), est ici en retrait sur les deux plans : la réécriture des trois premières mesures de la 5e strophe, qui sort le *cantus firmus* de l'ombre en le faisant passer de la voix de ténors à celle des sopranos, débouche sur une succession d'amples mouvements cadentiels dans lesquels prévaut cette « conscience harmonique d'une basse chiffrée » dont parlait Adorno. Seule l'évocation des mains « d'une blancheur de neige » – *schneeweißen (Hände)* – (mes. 53) donne lieu à un geste expressif, avec un emprunt fugitif à *do* mineur (on revient donc à la région de la sous-dominante), où le Ve degré revêt l'aspect d'un accord de 9e mineure (*cf.*, sur la deuxième noire, la structure de tierces

---

81 Voir aussi, à la mes. 43, la quinte diminuée qui se déploie mélodiquement dans les voix de ténors et de sopranos : ‹*la si♮ do ré mi♭*›.

EXEMPLE 22

Es gingen zwei Gespielen gut (version 1948), dernière strophe, analyse

mineures en position serrée ⟨*fa*₄ *la*♭₄ *si*♮₄⟩), après quoi la tension se relâche avec l'établissement du ton de *si*♭ majeur. La dernière séquence, isolée de ce qui précède par un suspens (point d'orgue) sur la dominante de *si*♭ – exprimée, une fois encore, sous la forme d'un accord de 9ᵉ *mineure* –, est elle-même traitée tout entière comme une vaste cadence, dans laquelle s'effectue le retour à *sol* mineur, avec une « tierce picarde » des plus conventionnelle dans l'ultime accord. Un dernier canon par mouvement contraire, opposant en bloc les voix de femmes aux voix d'hommes, y est mis en place, comme pour rappeler ce que le « chant populaire », si différent soit-il d'une composition dodécaphonique, partage néanmoins avec la technique sérielle. Tous ces éléments confèrent à la dernière strophe un côté délibérément rétrospectif, à l'opposé de la forme de modernité, allant de pair avec une référence à la musique du passé (antérieure à l'ère tonale), qui était affirmée de façon quasi militante dans la première version[82].

5.1 VERBUNDENHEIT (1) : ÉCHELLE DODÉCATONIQUE ET DIATONISME MODAL

Le 5 septembre 1928, soit quelques mois après avoir été sollicité par la *Staatliche Kommission für das Volksliederbuch*, Schönberg reçut une autre commande similaire : c'était, cette fois, le président du *Deutscher Arbeiter-Sängerbund*, Alfred Guttmann, qui lui proposait de contribuer à un vaste recueil de compositions pour chœur d'hommes destinées à enrichir le répertoire de cette « Union chorale » alors en plein essor. Un premier chœur, *Glück* (sur un texte du compositeur), non dodécaphonique, fut achevé le 15 mars 1929, et publié en mai dans le recueil de *Chœurs d'hommes a cappella* édité par Guttmann. Schönberg entreprit alors la composition d'un cycle de six pièces[83], où allait s'insérer celle qu'il avait déjà écrite : il

---

82 On touche du doigt ici ce qu'Adorno relevait comme une caractéristique des *Nebenwerke* écrites par Schönberg dans les dernières années, à savoir une « attitude plus conciliante (*größere Konzilianz*) à l'égard du public », qui n'implique en rien, cependant, que la composition s'y fasse moins intransigeante, moins « inflexible » (*unerbittlich*) (*Philosophie der neuen Musik*, p. 116 ; trad. fr., p. 130).

83 Schönberg a parlé lui-même des six pièces comme d'un « cycle » (voir la lettre à Berg du 10 avril 1930, dans *Briefwechsel Schönberg – Berg*, II, p. 392).

rédigea très rapidement, le 16 avril, le texte des cinq autres chœurs, et termina le 19 la partition d'une deuxième pièce, *Verbundenheit*, qui était destinée à conclure l'ensemble[84]; les quatre chœurs restants furent composés entre le 19 février et le 9 mars 1930, et l'ensemble parut chez Bote & Bock le 27 août de la même année sous le titre *Six Pièces pour chœur d'hommes* op. 35[85]. Bien que sa durée soit très brève – si l'on s'en tient à l'indication donnée dans la partition : « Pas trop lent » (la noire à 108-122), elle n'excède pas 1'30[86] –, la dernière pièce du cycle occupe une place singulière dans la production de Schönberg, et il est particulièrement intéressant de la mettre en regard des *Volkslieder* composés peu de temps avant : *Verbundenheit*, en effet, témoigne de façon emblématique de l'intérêt manifesté par le compositeur, à la fin des années 1920, pour une conciliation possible entre la pensée sérielle, incarnée dans la méthode de composition qu'il avait alors mise au point, et un matériau hérité de la musique du passé.

Comme l'a noté dans une analyse publiée dès 1934 le disciple de Schönberg Josef Polnauer, *Verbundenheit* s'articule en deux volets (tripartites), dont le second (mes. 19-36) est la stricte image en miroir du premier (mes. 1-18) : cela vaut à la fois pour la ligne mélodique, très soutenue, faisant office de *Hauptstimme* (« *p, sehr zart, ruhig und ausdrucksvoll* ») – qui est confiée dans le premier

84 Ces informations concernant les dates sont données par le compositeur lui-même au bas du manuscrit de *Verbundenheit* (ASC, Ms. 647) – voir le fac-similé du document sur le site de l'ASC, et la transcription des éléments textuels qui y figurent, dans *SW 18-2*, p. 205.

85 La création des *Six Pièces* op. 35 eut lieu le 24 octobre 1931 (*Glück* – devenu la 4ᵉ pièce du cycle – avait été créé, séparément, dès le 2 novembre 1929). Voir le dossier relatif à la genèse de l'œuvre dans *SW 18-2*, p. xxix-xxxiv, ainsi que l'historique du projet, et une étude du contexte dans lequel il a vu le jour, dans Joseph H. Auner, « Schoenberg and His Public in 1930 : The Six Pieces for Male Chorus, Op. 35 », dans : Walter Frisch (éd.), *Schoenberg and His World*, Princeton, Princeton University Press, 1999, p. 85-125, et Robert Falck, « Schoenberg in Shirtsleeves. The Male Choruses, Op. 35 », *op. cit.*, p. 111-130.

86 Dans le manuscrit, Schönberg avait d'abord noté « *Sehr mässig* » (Très modéré) avant de préciser « *nicht zu langsam* ». Les versions de *Verbundenheit*, relativement nombreuses, qui ont été enregistrées depuis les années 1960 (parfois isolément, la pièce étant extraite du cycle) adoptent toutes un tempo plus lent : la plupart durent environ 2' ; la version de Laurence Équilbey (avec le Chœur Accentus, 2002) est même excessivement étirée (2'30), et Pierre Boulez, en 1984 (avec les BBC Singers), allait déjà dans ce sens (2'15). Cette lenteur change évidemment (assombrit) le caractère de la pièce.

Verbundenheit, 1er volet (mes. 1-18),
enchaînements d'accords dans les sections A et A'

EXEMPLE 24
Verbundenheit, 2nd volet (mes. 19-36),
enchaînements d'accords dans les sections C et C'

volet aux Basses I, et dans le second aux Ténors I –, mais aussi pour les trois autres voix, qui, à l'arrière-plan (dans la nuance *pp*), ont d'abord un rôle de ponctuation, sous forme d'accords, avant que, dans la seconde moitié de la strophe, le tissu contrapuntique devienne plus homogène [exemples 23 et 24][87].

On reconnaît immédiatement, dans ce procédé de l'inversion autour d'un axe de symétrie, l'application d'un principe de base de la technique sérielle. Si bien que des proches du compositeur ont pu chercher à découvrir la série qu'il avait employée dans la pièce[88]. Pourtant, celle-ci n'est pas à proprement parler «dodécaphonique». Le matériau qui la sous-tend est certes ce que Perle invite à nommer la *twelve-tone scale*, non hiérarchisée, par opposition à la *chromatic scale*, dans laquelle existe une différence de statut, et un rapport de subordination, entre les sept notes de l'échelle diatonique issue du cycle des quintes et les cinq notes restantes[89], – et sur ce point essentiel *Verbundenheit* se distingue radicalement des *Volkslieder*. Mais Schönberg en reste ici à la phase qui *précède* la construction d'une «série» spécifique, définie par un ordre de succession précis des douze notes: il travaille avec une échelle *non ordonnée*. La mise en relation de cette échelle avec son inversion a néanmoins les mêmes incidences que dans le cas de la série, l'essentiel étant qu'un axe de symétrie soit, lui, clairement établi.

87 Josef Polnauer, «Schönbergs "Verbundenheit"», dans *Arnold Schönberg zum 60. Geburtstag (13. September 1934)*, Wien, Universal Edition, 1934, p. 44-49 (repris dans *SW 18-2*, p. L-LII). Voir également, outre les textes déjà mentionnés de Joseph H. Auner et de Robert Falck, les développements consacrés à la pièce par Josef N. Straus dans *Remaking the Past. Musical Modernism and the Influence of the Tonal Tradition*, Cambridge (Massachusetts), Harvard University Press, 1990 (p. 83-86), et par Lukas Haselböck dans *Zwölftonmusik und Atonalität. Zur Vieldeutigkeit dodekaphoner Harmonik*, Laaber, Laaber-Verlag, 2005 (p. 366 *sq.*).

88 Voir la lettre adressée par Josef Rufer à Schönberg après le concert berlinois du 31 janvier 1932 où fut donné tout le cycle (Schönberg était alors à Barcelone): «Malheureusement je ne suis pas arrivé à découvrir *la série* et la façon dont elle est employée.» (lettre du 2 février, citée dans *SW 18-2*, p. XXXIV; c'est Rufer qui souligne), ou encore la recension de Willi Reich lors de la parution de la partition: «Ce chœur [*Verbundenheit*] me paraît être le plus remarquable des six, car l'effet qu'il produit est tout à fait tonal, alors même que la conduite des voix n'est aucunement régie par des fonctions. Je n'ai pu y trouver aucune série de douze notes à proprement parler, mais bien l'application de la technique dodécaphonique à des groupes de six et quatre notes.» (*Der Auftakt*, 12, 5/6, 1932, p. 127 – cité dans *SW 18-2*, p. L).

89 Voir déjà, à ce propos, *supra*, p. 58, la note 79.

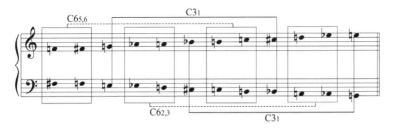

EXEMPLE 25
Verbundenheit, gamme dodécatonique (avec l'inversion)

De ce choix vont en effet découler des données structurelles bien
précises, susceptibles d'être mises à profit dans la composition,
à commencer par l'émergence d'une série de *dyades* symétriques
par rapport à l'axe choisi – en l'occurrence, celui-ci étant lui-même
une dyade (*fa♮-fa♯* / *si♮-do♮*), des intervalles constitués d'un nombre
impair de demi-tons[90] –, mais également, de façon plus large, la
présence de tétracordes symétriques s'organisant intrinsèquement
autour de cet axe, et qui, de ce fait, restent en place (demeurent
invariants) dans l'opération d'inversion : en l'occurrence le cycle de
tierces mineures C31 (comme dans les *Variations* op. 31)[91], ainsi
que les tétracordes (0167) – formés de deux tritons à distance de
seconde mineure ou de quarte[92] – C62,3 et C65,6 (ce dernier ne faisant qu'un avec la double dyade axiale) [exemple 25]. La question
est alors est de savoir quelles possibilités Schönberg choisit d'exploiter parmi celles qui s'offrent à lui : quelles *hiérarchies* il met en
place par l'écriture, et, partant de là, comment la pièce tout entière
se structure elle-même en fonction de ces choix.

Or, et c'est là le paradoxe de *Verbundenheit*, Schönberg choisit
de restreindre le vocabulaire de la composition à des configurations
d'intervalles héritées du langage diatonique : tout spécialement des
triades, ainsi que divers accords de septième. D'où l'impression

90 Le choix d'une dyade (et non d'une note unique) comme axe de symétrie
permettant d'unir deux par deux les formes sérielles est constant chez
Schönberg, et s'explique essentiellement par la volonté de coupler entre
elles des formes dont les hexacordes sont complémentaires. Le principe est
maintenu dans *Verbundenheit* bien que la division de l'échelle de départ en
deux hexacordes n'ait ici aucune raison d'être. Mais on verra que la conception de la pièce implique que les intervalles résultant de l'inversion soient
des intervalles «impairs» – en particulier la quarte (ou la quinte).

91 Voir *supra*, p. 187 et 203 (notes 70 et 90).

92 Sur ce tétracorde (Forte 4-9), voir déjà *supra*, p. 59 et p. 93.

qu'a donnée la pièce d'être «tonale»[93]. L'adjectif, récurrent dans les publications où elle est mentionnée, est cependant trompeur, ou à tout le moins équivoque. Car le recours à des éléments de la syntaxe proprement tonale reste très ponctuel dans *Verbundenheit*, et globalement l'ensemble s'apparente plutôt à cette forme d'«atonalité triadique» que Lowinsky voyait pratiquée dans les *Prophéties des Sybilles* de Roland de Lassus : il s'agit moins d'un «retour à Bach» que d'une actualisation, et même temps d'un élargissement, de la modalité antérieure à la période tonale, intégrant des accords de quatre sons qui y étaient inconnus[94]. La comparaison des sections A (1er volet) et C (2nd volet) est à cet égard éclairante : la référence à la tonalité est patente dans A, notamment dans A1, où se met en place un enchaînement II (2nd degré abaissé) – V – VI (cadence évitée) en *fa* mineur ; dans A2, la conduite du discours est déjà, du point de vue tonal, plus ambiguë : la cadence V – I qui établit la modulation en *ré* mineur, au début de la mes. 6, est certes bien marquée avec l'accord de 7e de dominante sur le 1er temps, mais l'accord précédent tend, lui, à sonner, rétroactivement, comme un accord placé sur le VIIe degré mineur, ce qui confère à l'enchaînement un caractère à demi modal. Dans C, le caractère modal s'affirme nettement, du fait que la relation II – V – I s'inverse en V (triade *mineure*) – II (2nd degré abaissé) – I (en *ré*♯ mineur) – à quoi s'ajoute que les trois accords sont ici à l'état de deuxième renversement (quarte-et-sixte) –, et à la fin de C2, où s'opère une modulation, cette fois, en *ré*♮ majeur, le dernier accord de la mes. 23, réinterprété (le *do*♭ est maintenant écrit *si*♮ à la basse : <*si*♮$_2$ *sol*$_3$ *si*♮$_3$ *mi*♮$_4$>), sonne, dans l'enchaînement, comme un accord du IIe degré, se muant, sur le 1er temps de la mes. 24, en accord de septième mineure *et quinte diminuée* (emprunt à *ré* mineur donc, avec *si*♭), lequel débouche directement – sans passer par la dominante – sur l'accord de tonique[95].

---

93   Polnauer déjà pose d'emblée que la pièce est, «non une composition dodécaphonique (*Zwölfton-Komposition*), mais clairement tonale» («Schönbergs "Verbundenheit"», p. 45 [*SW 18-2*, p. LI]).

94   À la fin de son texte, Polnauer attire l'attention sur la ressemblance qui existe entre les premières notes de la *Hauptstimme* et le début de la chanson *L'Homme armé* – cette mélodie, note-t-il, «que les anciens Néerlandais et leurs descendants se sont transmis de génération en génération comme le mot de passe d'une *communauté intellectuelle* (als *Kennwort* geistiger Verbundenheit)» (*ibid.*, p. 49 [*SW 18-2*, p. LII]; c'est Polnauer qui souligne).

95   Voir le passage du *Traité d'harmonie* où Schönberg propose de considérer les cadences plagales comme des *ellipses* (*Kürzungen*) (*Harmonielehre*, p. 433, et l'ex. 295).– Dans le chapitre de son livre *Remaking the Past*

Les traces de logique tonale finissent par s'estomper complè-
tement dans les parties A' et C'. Les gestes cadentiels dominante/
tonique, encore bien présents dans A'1 (avec notamment, ici, l'accord
de quinte augmentée menant à la tonique de *mi*♭ mineur), dispa-
raissent dès A'2, où, en particulier, la succession II – V en *fa* majeur
ébauchée à la mes. 17 – sur laquelle attire l'attention Polnauer[96] –
n'aboutit pas. À la mes. 14, de plus, la logique de l'enchaînement
(à la charnière de B et de A') est loin d'être univoque du point de
vue tonal : l'accord α – symétrique, notons-le – qui précède V et qui,
si l'on se fonde sur le texte principal, marque le début de A' («*du
hast*» est le début du dernier vers), est écrit comme un «accord de
seconde» (accord de 7e sur le IIe degré à l'état de 3e renversement)
dans le ton de *do* majeur, mais ne remplit d'aucune manière cette
fonction dans le contexte[97] ; les mouvements chromatiques qui se
dessinent dans les voix 1, 2 et 4 suggèrent, bien plutôt, un accord
de 9e mineure établi sur le IIe degré de *sol*♭, sans fondamentale

consacré aux triades, Josef N. Straus a choisi les mes. 1-3 et 19-21 de *Verbundenheit* (A1 et C1) pour illustrer la mutation de l'écoute rendue nécessaire, selon lui, par le recours à l'inversion : celle-ci, explique-t-il, contraint
en effet à passer d'une écoute en termes de fonctions tonales à une écoute
en termes de *set-class relations* – autrement dit, les trois accords de A1
n'ont pas à être entendus comme des triades «représentatives de fonctions harmoniques», mais comme des réalisations de la collection 3-11 de
Forte (037), qui sont, elles, équivalentes par inversion (*Remaking the Past*,
p. 85 *sq.*). Le théoricien n'envisage ainsi les «fonctions harmoniques» que
du strict point de vue de la grammaire *tonale* : la succession des trois
triades «inversées» des mes. 19-21, écrit-il, «rend toute analyse tonale
inconcevable» (*ibid.*, p. 84). Cependant, outre le fait que s'en tenir, au
sein même de A, aux trois mesures initiales ôte de sa force à la démonstration (une telle «analyse tonale» est problématique dès la suite de la
strophe, *avant* que soit mis en œuvre le procédé de l'inversion), ne saisir
dans la pièce que des réalisations de la collection 3-11, en dehors de toute
logique de degrés, revient à appauvrir considérablement l'écoute. La distinction entre deux types de fonctionnalité, l'une tonale, l'autre modale,
permet, au contraire, d'articuler deux écoutes dans lesquels les accords
gardent une valeur propre au sein d'enchaînements régis par une logique
elle aussi spécifique.

96 J. Polnauer, «Schönbergs "Verbundenheit"», p. 46 (*SW 18-2*, p. LI).

97 Schönberg fait à maintes reprises coexister, au sein du tissu polyphonique, des graphies différentes – ainsi, aux mes. 8-9, les notes de la
Hauptstimme, ‹*do*♭ *si*♭ *mi*♭ *sol*♭ *la*♭›, sont-elles écrites *fa*♯ *sol*♯ *la*♯ *si*♮ *ré*♯ dans
les autres voix ; des bémols voisinent de la même façon avec des dièses aux
mes. 20-21 – et le phénomène s'accentue encore dans les mes. 32-34. Le
manuscrit lui-même présente en plusieurs endroits, de ce point de vue,
des écarts avec le texte édité (*cf. SW 18-2*, p. 216).

et avec altération descendante de la quinte : {*la♭, do mi♭♭, sol♭, si♭♭*} devenant {*do mi♭♭ si♭♭*}, écrit {*do ré la*}, où *do* monte à *ré♭*, tandis que *mi♭♭* et *si♭♭* descendent respectivement à *ré♭* et à *la♭* – le *fa₃* de la *Hauptstimme* ayant alors, dans l'agrégat ainsi formé, le statut de «note étrangère» (la tenue de ce *fa*, aux mes. 13-14, est assimilable à une pédale) – mais il est également possible (et sans doute plus simple) d'y entendre, en inversant la perspective (seul le *fa* de la voix principale fait alors exception), un agrégat formé d'*appoggiatures* simultanées, à l'image de celui, tiré du 1ᵉʳ mouvement de la *Symphonie en* sol *mineur* de Mozart, que Schönberg donne en exemple dans son *Traité d'harmonie*[98]. Si l'on considère que dans la structure de quintes, elle-même harmoniquement ambiguë, sur laquelle se suspend la partie B transparaissent à la fois l'accord de septième sur le IIᵉ degré et l'accord de 7ᵉ de dominante de *mi♭* (‹*fa₃ la♭₃ mi♭₄*› et ‹*si♭₂ fa₃ la♭₃*›, sans la sensible *ré*) – *mi♭* est établi comme tonique sur le 1ᵉʳ temps de la mesure –, c'est toute une progression dont les fondamentales, exprimées ou non, décrivent le segment du cycle des quintes {*fa si♭ mi♭ la♭ ré♭ sol♭*} qui se dessine ici, et dans laquelle s'inscrit α. – La prédominance de l'écriture modale s'accentue encore dans C' : témoin les enchaînements IV – I sur «(*leug*)-*ne doch*» et II – I pour la cadence finale («*ge-hörst*»). En dehors de l'accord de quinte augmentée de la mes. 33 – établi ici sur la tonique et non sur la dominante –, la seule harmonie dissonante est, au départ de la séquence, le symétrique de α : ‹*si₂ la₃ ré₄ fa♯₄*› (β), qui, pas plus que α, ne remplit ici la fonction de l'accord de septième sur le IIᵉ degré (cette fois en *la* majeur) que suggère sa graphie : la tension inhérente à l'accord procède sans équivoque, dans ce nouveau contexte, de la combinaison du *fa♯* de la voix principale avec trois appoggiatures : *ré♮* = *do×* montant à *ré♯*, *la* montant à *si♭* et *si♮* descendant à *si♭* = *la♯*, – le segment du cycle des quintes déployé à la jonction de D2 et de C'1 s'inversant, quant à lui, en *fa♯ do♯ sol♯ ré♯ la♯ mi♯* (= *fa♮*) : les tenues du *fa♯₄* (Ténors I) puis du *fa♮₃* (Basses I) répondent ainsi à celles du *fa♮₃* suivi du *sol♭₄* (dans les mêmes voix) aux mes. 13-16.

---

98 A. Schönberg, *Harmonielehre*, p. 442, ex. 305.

5.2 VERBUNDENHEIT (2) :
« CES MYSTÉRIEUX ACCORDS PARFAITS »

Ces dernières remarques nous ramènent à la question de l'axe de symétrie, et du choix effectué à cet égard par Schönberg. Sa finalité première était, à l'évidence, de faire jouer un rôle central, dans la pièce, à la triade majeure/mineure de *ré* : la dyade {*ré la*}, en effet, reste en place dans l'inversion, et la dyade axiale *fa♮-fa♯*, en son centre, permet de faire correspondre à toute triade majeure de A, dans B, une triade mineure, et vice versa[99]. Ainsi, la triade mineure à laquelle aboutit A2 (mes. 6) se renverse-t-elle en triade majeure à la fin de C2 (mes. 24), et l'idée du compositeur a manifestement été dès le départ de *boucler* la pièce en inversant la relation à la fin de A'2 et de C'2 (mes. 18 et mes. 36) : la 1re strophe se clôt sur l'accord parfait majeur, la 2de sur l'accord parfait mineur de *ré*. Le rôle central de cette double triade ne fait pas de *Verbundenheit* une pièce en *ré* (majeur ou mineur) : simplement, sa présence en plusieurs endroits clés *matérialise* dans la composition l'axe de symétrie qui en régit l'organisation – axe qui, s'il n'était ainsi explicité sous une forme concrète, resterait un élément de structure purement idéel[100]. Les incidences de cet agencement symétrique au sein de la pièce ne se limitent pas, toutefois, à ce seul « invariant », mais sont multiples [exemple 26]. La dyade {*fa♮ fa♯*}, en particulier, se trouve amenée à jouer *en elle-même* un rôle déterminant, tout comme le tétracorde {*do♯ mi sol si♭*} (C31) qui, nous l'avons vu, reste en place lui aussi dans l'inversion autour de l'axe choisi. Des connexions très précises s'établissent ainsi entre les strophes dès les premières mesures : l'inversion de la ligne mélodique de la *Hauptstimme* de A1-A2 : ‹*fa♮₃ si♭₃ sol₃ fa♮₃*›, et du contrepoint qui se greffe sur elle dans les voix de ténors : ‹*sol♭₄ (+ ré♭₄) mi₄ fa♮₄*›, produit dans C1-C2 un complexe d'intervalles dans lequel sont simplement échangées les notes *fa♮* et *fa♯*, ainsi que les deux tierces mineures de C31, {*do♯ mi*} et {*sol si♭*} : ‹*fa♯₄ do♯₄ mi₄ fa♯₄*› pour la *Hauptstimme*, et dans les voix intermédiaires ‹*fa♮₃ (+ la♮₃) sol₃ fa♯₃*› ; de même, l'accord ‹*la₂ sol₃ do♯₄ mi₄*› de la mes. 6 s'inverse en ‹*ré₃ sol₃ si♭₃ mi₄*›

99 Voir déjà, à ce sujet, J. Polnauer, « Schönbergs "Verbundenheit" », p. 47 (*SW 18-2*, p. LI), J. Auner, « Schoenberg and His Public in 1930 », p. 113, et R. Falck, « Schoenberg in Shirtsleeves », p. 118 *sq*.– La triade majeure/ mineure de *ré* est également présente, notons-le, dans les accords α et β.

100 Voir déjà *supra*, p. 202 *sq*. (et la note 89).

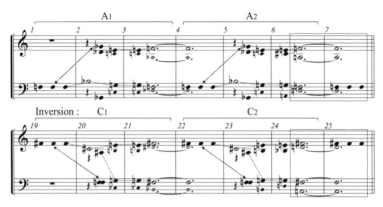

EXEMPLE 26A
Verbundenheit, mes. 1-7 et mes. 19-25, structures d'intervalles

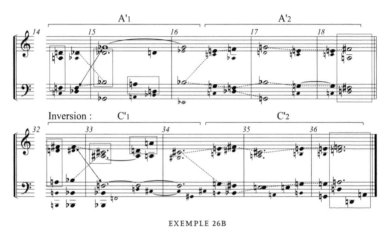

EXEMPLE 26B
Verbundenheit, mes. 14-18 et mes. 32-36, structures d'intervalles

à la mes. 24[101]. La même configuration de tierces mineures, combinée à la dyade {*fa♮ fa♯*} – et même à la dyade {*ré la*} –, structure ensuite, dans A'1-A'2 et dans C'1-C'2, toute la voix principale, ‹*fa♮3 si♭3 | la3 ré3 si♭3 | sol fa♮ si♭3 sol fa♯3*› s'inversant en ‹*fa♯4 do♯4 | ré4 la4 do♯4 | mi4 fa♯4 do♯4 mi4 fa♮4*›.

101 Auner attire l'attention dans son article sur le «*network of relationships*» qui se met en place d'une strophe à l'autre (il note ainsi que «le niveau de transposition choisi pour l'inversion crée de nombreuses invariances de classes de hauteurs entre les deux parties») – sans entrer, toutefois, dans le détail des structures d'intervalles spécifiques, résultant du dispositif choisi, auxquelles Schönberg fait jouer un rôle déterminant dans la composition («Schoenberg and His Public in 1930», p. 113 ; voir aussi l'exemple 3, p. 114 *sq.*).

En l'absence de toute «série», le réseau de relations ainsi créé est tout aussi dense, et non moins rigoureusement contrôlé, que celui qu'aurait généré l'emploi de la méthode sérielle proprement dite. Cette richesse de relations doit beaucoup au fait que l'inversion est, dans chaque voix prise individuellement, tout à fait stricte : à chaque ligne vocale de la 1re strophe répond dans la 2e strophe son exacte image en miroir[102]. Une entorse significative a cependant été faite au principe d'une stricte symétrie *globale* : dans l'absolu, toutes les voix auraient dû s'inverser autour d'un centre de symétrie unique ; or, si les trois voix supérieures sont bien symétriques par rapport à l'axe *si*♮$_3$-*do*♮$_4$, la ligne de basse s'inverse, elle, autour de l'axe *si*♮$_2$-*do*♮$_3$, une octave plus bas [exemple 27]. Pour saisir la raison de cette correction, il n'est que de rétablir, pour la 2e strophe, la version que le compositeur a écartée [exemple 28] : sa faiblesse tient au fait que le symétrique de la ligne de basse, devenue voix supérieure, eût fait ressortir la *quinte* des accords successifs ; or, le jeu sur l'alternance des triades majeure et mineure exigeait que la *tierce* fût toujours placée au sommet. Le choix de dissocier ainsi la voix inférieure des trois autres voix a, de surcroît, l'avantage de renforcer le contraste entre les deux strophes en présentant tous les accords «inversés» en position de quarte-et-sixte, et non sous la forme d'accords de sixte (dans la 1re strophe, tous sont à l'état fondamental).

Deux jours après un concert donné au Konzerthaus de Vienne où il avait entendu pour la première fois *Verbundenheit*, Berg écrivit à Schönberg ces lignes qui donnent une idée de l'effet que la pièce put produire sur ceux-là mêmes qui étaient le plus proches du compositeur :

> Il est vrai que *cette* musique est telle que tout *autre* que *moi*, qui ai des liens si étroits avec toi, ne peut qu'être empli aussi d'une profonde tristesse quand ces mystérieux accords parfaits retentissent. Je dis : mystérieux, car le *ton* de cette musique voue à l'échec toute tentative pour en rendre compte *par l'analyse*. «Sois béni» [...]![103]

102 Seules font exception les trois dernières mesures de la pièce, où, dans la voix de basse, les tenues sont remplacées par des mouvements de noires (on devrait avoir simplement, sur «*nicht allein*», la ligne ‹*mi*$_3$ *si*$_2$ *si*$_2$ *la*$_2$›).

103 «*Freilich* diese *Musik ist derartig, daß auch einen* Andern *als einen* Dir *so verbundenen wie ich, tiefe Trauer erfüllen muß, wenn diese räthselhaften Dreiklänge erklingen. Ich sage : räthselhaft, denn vor dem* Ton *dieser Musik versagt jeder Versuch, ihr* analytisch *beizukommen. „Sei gesegnet" ... und*

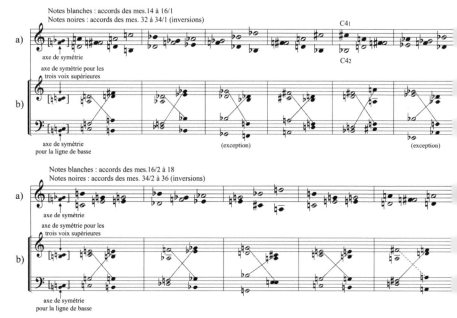

EXEMPLE 27A

Verbundenheit, symétrie des accords (mes. 2-7 et 20-25)

EXEMPLE 27B

Verbundenheit, symétrie des accords (mes. 14-18 et 32-36)

EXEMPLE 28

Verbundenheit, mes. 19-24 (reconstruction de la version écartée)

Trois ans plus tôt, on l'a vu, Berg se disait frappé déjà par la beauté
« tout à fait mystérieuse » qui émanait des *Volkslieder*[104]. Mais
l'étrange force expressive qui le subjugue dans *Verbundenheit* est
d'une autre nature, en ce que le vocabulaire harmonique – non
moins familier en lui-même que celui, par exemple, de *Schein
uns, du liebe Sonne* – est ici *mis à distance* par l'écriture : l'énoncé
musical dont les accords parfaits ponctuent le déroulement obéit
à une logique foncièrement différente de celle de l'idiome auquel
ils appartiennent historiquement – ce qui rend caduque l'articulation classique entre « code » et message. De là l'impuissance à
laquelle se trouve réduite, face à cet objet, l'analyse traditionnelle.

On sait, par le témoignage d'Adorno, que Berg affectionnait
tout spécialement la notion de « ton » dont il use dans sa lettre
– à laquelle, écrit celui qui fut son élève, « il ne cessait de faire
appel pour étayer ses jugements musicaux »[105]. Ce qui est ici
particulièrement intéressant est qu'Adorno a recouru lui-même
à cette notion pour rendre compte du contenu spécifique de la
musique de Mahler, faisant d'elle un élément central de son interprétation : le deuxième chapitre du livre *Mahler, une physionomie
musicale* est précisément intitulé « Le ton ». Or, ce qu'écrit le philosophe à ce sujet s'applique de façon étonnamment adéquate à
une pièce comme *Verbundenheit*, et rien ne peut mieux faire ressortir l'affinité secrète qui lie Schönberg à Mahler – dont on sait
qu'il le vénérait à l'égal d'un père – que de lire, comme s'il y était
question des compositions « tonales » du premier (et sans doute
permettent-elles effectivement de saisir, à leur sujet, quelque
chose du « mystère » dont parle Berg), ces phrases qui ont trait à
la musique du second :

tausendmal gegrüßt von uns ! » (lettre à Schönberg du 13 décembre 1932,
dans : *Briefwechsel Schönberg – Berg*, II, p. 493 ; c'est Berg qui souligne).
Berg avait pris connaissance des *Six Pièces* op. 35 bien avant ce concert
en lisant la partition parue chez Bote & Bock, comme le révèle une autre
lettre, adressée à Schönberg en février 1931, dans laquelle il s'exprime
avec enthousiasme sur cette nouvelle œuvre : « *Wie wunderbar schön und
wie wunderbar neu ist das wieder !* » (*ibid.*, p. 428 *sq.*).

104 Voir *supra*, p. 219 et note 7.

105 « *Ton war übrigens Bergs Lieblingsbegriff, dem er seine musikalischen Urteile
immer wieder unterstellte.* » (Th. W. Adorno, *Berg. Der Meister des kleinsten
Übergangs*, dans : *Gesammelte Schriften*, vol. 13, Frankfurt am Main,
Suhrkamp, 1971, p. 329 *sq.* [1re publication en 1968] ; trad. fr. : *Alban Berg.
Le maître de la transition infime*, Paris, Gallimard, 1989, p. 26 – voir égale-
ment mes commentaires dans la préface du volume, p. 11 *sq.*)

Le progressisme de Mahler ne s'exprime pas par des innovations tangibles ni un matériau avancé. Le résultat de la composition passe chez lui, contre tout formalisme, avant les moyens qui y sont utilisés, si bien qu'il ne s'inscrit dans aucune évolution historique linéaire.

[...] C'est le ton qui est nouveau. Il charge la tonalité d'une expression dont elle n'est déjà plus capable par elle-même. [...] La grande catégorie médiatrice de la musique qu'était la tonalité, tournant à la convention, s'était glissée entre l'intention subjective et le phénomène esthétique. Mû par le besoin d'expression, Mahler l'active de l'intérieur en sorte qu'elle s'embrase, parle encore une fois comme si elle était immédiate.[106]

Ce développement surtout semble taillé sur mesure pour *Verbundenheit*, au point que l'on serait tenté de penser qu'en concevant cette pièce Schönberg a bel et bien eu à l'esprit le procédé mahlérien sur lequel met l'accent Adorno:

[Mahler] trouble l'équilibre du langage tonal. Il en privilégie, souligne délibérément l'un des éléments, présent en lui parmi d'autres, mais qui n'y prédomine nullement, et qu'un usage insistant charge seul d'expression. Des premiers lieder avec piano au thème de l'Adagio de la *Dixième Symphonie*, la tenace idiosyncrasie de Mahler joue avec l'alternance des deux modes majeur/mineur. C'est là la formule technique dans laquelle se chiffre l'excédent de l'«idée poétique»: depuis les tournures isolées où majeur et mineur alternent brusquement jusqu'aux grandes formes dont l'organisation repose – comme on le voit le plus nettement dans le premier mouvement de la *Neuvième Symphonie* – sur le vieux dualisme de sections majeures et mineures, en passant par la structure motivique qui, dans la *Sixième Symphonie*, fait reposer l'unité du tout sur le passage du majeur au mineur, de la tierce majeure à la tierce mineure[107].

Un tel rôle accordé au dualisme majeur/mineur n'est, il est vrai, pas nouveau chez Schönberg: la grande forme de *Verklärte Nacht*,

---

106 Th. W. Adorno, *Mahler. Eine musikalische Physiognomik*, p. 167 *sq.* (trad. fr., p. 35-37).

107 *Ibid.*, p. 169 (trad. fr., p. 38).

tout comme celle de *Friede auf Erden*, reposent déjà sur l'opposition des deux modes – et cela, de surcroît, dans le même ton de *ré*. Mais le cheminement qui s'accomplit au sein de ces deux œuvres – dans lesquelles, il faut le souligner, l'idiome tonal n'a encore rien perdu de son pouvoir d'expression immédiat (ne s'est pas encore fissuré) –, mène sans ambiguïté du mineur vers le majeur[108]. On ne peut comprendre le renversement opéré à cet égard dans *Verbundenheit* que si l'on considère la teneur du texte qui y est mis en musique. Quand il écrit que l'on ne peut manquer d'être « empli d'une profonde tristesse » en écoutant la pièce, Berg vise aussi, indirectement, le sujet abordé par Schönberg dans cette sorte d'apologue, auquel font directement référence, dans ses propos, les mots « *einen Dir so* verbundenen *wie ich* » et, à la fin, l'exclamation « *Sei gesegnet!* »[109].

Le terme de *Verbundenheit*, difficile à traduire, désigne l'appartenance à une collectivité ou à un groupe : il est clairement question, dans les paroles du chœur, du lien qui relie chaque individu aux autres et de la responsabilité mutuelle que tous ont en partage[110]. Cette réciprocité se reflète dans la structure du texte, où est mise en place une symétrie analogue à celle qui régit musicalement la relation entre les deux volets de la pièce : la solidarité y est, dans un premier temps, envisagée du point de vue de l'individu qui en est le bénéficiaire – le sujet des actions par lesquelles elle se marque est alors le « on » de la collectivité –, avant que la perspective *s'inverse* et que le « tu » devienne ce sujet – à la fois

---

108 Sur *Friede auf Erden*, voir déjà *supra*, p. 244, la note 42.

109 Dans la lettre déjà mentionnée de février 1931, Berg disait son admiration pour la qualité des textes du cycle (entre autres celui de la 6ᵉ pièce), louant la manière exemplaire dont Schönberg s'y emparait des idées alors en vogue dans la République de Weimar sur la place de l'individu dans la société pour leur donner une valeur intemporelle : « *So wie Du in den herrlichen Texten (namentlich in I III u. V und VI) Dich mit den heutigen Gemeinschaftsideen auseinandersetzt (so daß es auch solche von morgen und immerdar werden) ...* » (*Briefwechsel Schönberg – Berg*, II, p. 428).

110 Dans le manuscrit, la pièce ne porte pas encore le titre de *Verbundenheit*, mais celui, plus énigmatique, de *Jeder, jedes, jedem* (« chacun, chaque chose, pour chacun ») – qui, semble-t-il, fait référence à une strophe de ce qui deviendra la 3ᵉ pièce du cycle, *Ausdrucksweise* : « Ce que nous sommes réellement, | nous le savons aussi peu que [nous ne savons] ce qu'est chacun individuellement. | Quand nous sommes ensemble, chacun ne sent que chacun (*fühlt jeder nur jeden*), | et non plus soi. | Quand nous sommes séparés, chacun agit comme l'autre | et néanmoins comme lui-même. »

grammatical et social – qui témoigne activement, en payant de sa propre personne, de ce qu'il «fait partie lui aussi» du groupe[111].

On t'aide à venir au monde,	– Sois béni!
on creuse une tombe pour toi,	– Repose en paix!
on recoud tes blessures à l'hôpital,	– Prompt rétablissement!
on éteint ta maison, on te sort de l'eau,	– Ne crains rien!
tu compatis bien aussi toi-même avec les autres!	– On vient à ton secours! Tu n'es pas seul!
Tu n'abandonnes pas le vieillard qui a chuté,	– Tu tombes toi-même ainsi un jour,
tu soulages le faible de son fardeau,	– sans récompense,
tu freines dans sa course le cheval effarouché,	– Tu ne t'épargnes pas toi-même,
t'opposes au voleur, protèges la vie du voisin:	– tu viens à l'aide sans hésiter,
nie donc que tu en fais partie toi aussi!	– Tu ne restes pas seul!

Il n'y a pas ici, on le voit, de réelle opposition entre les deux volets: c'est par la même phrase: «Tu n'es/ne restes pas seul» (*Du bist/ bleibst nicht allein*) – chantée par les voix qui commentent le texte principal – que se terminent l'une et l'autre strophes, le mot «*allein*» étant mis en valeur par les accords parfaits, majeur puis mineur, de *ré*. Mais si la tonalité générale du propos n'est pas réellement sombre en elle-même (en dehors du fait que les aspects de l'existence retenus pour l'illustrer sont tous liés à une souffrance), la manière dont est formulée – dans la *Hauptstimme* cette fois – la

---

111 Voir déjà, sur cette relation entre le texte et la musique de *Verbundenheit*, l'article de Falck, dont le propos central est de mettre en lumière, à partir de l'étude de l'ensemble des textes des *Six Pièces*, l'intention qui a conduit Schönberg à placer celles-ci dans l'ordre que l'on connaît, non sans hésitation mais en sachant que *Hemmung* devait ouvrir le cycle, et *Verbundenheit* le clore. Falck attire aussi l'attention sur le contraste entre les réflexions d'ordre général consignées par Schönberg dans ses textes et le propos directement politique de ceux qu'avait mis en musique Eisler dans les chœurs qui furent chantés également (en seconde partie de programme) lors du concert du 24 octobre 1931 (R. Falck, «Schoenberg in Shirtsleeves», p. 114-125).

conclusion : « Nie donc que tu en fais partie toi aussi ! » *(leugne doch, daß du auch dazu gehörst !)* laisse entendre que l'individu auquel s'adresse le chœur n'éprouve pas spontanément ce sentiment d'appartenir à la communauté, mais qu'il lui faut en quelque sorte se persuader qu'il en est bien ainsi – qu'il « n'est pas seul ».

Quand, en mars 1930, le rédacteur en chef de la revue berlinoise *Der Querschnitt* proposa à Schönberg de rédiger quelques pages sur le thème « Mon public », celui-ci fit commencer son texte par cette phrase : « Invité à dire quelque chose au sujet de mon public, je devrais l'avouer : je crois que je n'en ai aucun. » Mais au terme du développement, après que le compositeur a passé en revue les expériences multiformes qu'il lui a été donné de faire avec « son public », la conclusion est autre : « Mais que je déplaise réellement au public autant que le prétendent les experts, et que ma musique lui fasse réellement peur à ce point, parfois j'en doute beaucoup. »[112] Sans doute est-ce ce double mouvement – la difficulté de se départir d'un sentiment d'isolement et la vague assurance d'être malgré tout reconnu socialement – qui explique le ton ému et grave qui caractérise, tout spécialement, les dernières mesures de *Verbundenheit*, avec le *diminuendo* et le *ritardando* progressifs, l'intervalle de quarte descendante par lequel sont amenées à plusieurs reprises les triades (soulignant le caractère plagal), et l'arrivée sur l'ultime accord parfait mineur[113].

---

112 « Mein Publikum », dans : *Stile herrschen, Gedanken siegen*, p. 411-413 (1re publication dans *Der Querschnitt*, 10/4, avril 1930) ; version anglaise : *Style and Idea* 1975, p. 96-99. Ce texte a fourni à Auner le point de départ de l'étude qu'il consacre à l'op. 35 – où il montre que Schönberg, en mettant l'accent sur son isolement, décrit moins la réalité qu'il n'exprime son scepticisme quant à une réelle intégration de l'artiste dans la société (le texte eut du reste, à sa parution, un certain retentissement) : « La publication de cet essai dans *Der Querschnitt* symbolise on ne peut plus adéquatement la complexité de la position de Schoenberg dans la vie culturelle de Weimar. À première vue, cette contribution peut sembler tout à fait déplacée dans la revue. En effet, en tant que figure de proue de la *Neue Sachlichkeit*, *Der Querschnitt* était étroitement lié à maintes tendances opposées à Schoenberg et à sa musique. [...] Mais en même temps, le fait que la revue ait publié le texte prouve que même ceux qui étaient hostiles à sa musique ne pouvaient pas ne pas reconnaître son importance. » (J. Auner, « Schoenberg and His Public in 1930 », p. 92).

113 Cette gravité s'accentue quand la pièce est jouée, comme c'est le cas la plupart du temps, dans un tempo sensiblement plus lent que celui qu'a indiqué Schönberg (voir *supra* la note 86) ; il se peut que l'exécution que Berg a entendue à Vienne soit allée dans ce sens, et que s'explique ainsi,

À l'ambivalence du texte répond ainsi, sur le plan musical, le sentiment de «double fond» qu'éveille paradoxalement, par delà le jeu sur les modes majeur/mineur, la présence d'harmonies résolument consonantes dans un contexte où une telle consonance *dissonne*, ne pouvant être prise au premier degré. Un lien se tisse du même coup, à distance, entre la dernière pièce du cycle de 1930 et la fin de *La Main heureuse* : il est difficile de ne pas rapprocher de l'Homme – de l'artiste tourmenté – auquel s'adresse le «chœur de regards» du drame expressionniste l'individu que semblent vouloir à la fois convaincre et consoler les voix d'hommes de *Verbundenheit*, et l'importance dévolue, dans l'un et l'autre cas, à des accords parfaits qu'oblige à mettre en perspective un environnement dans lequel ils font figure de corps étrangers ne peut être fortuite[114]. En dernière analyse, c'est, dans *Verbundenheit*, le statut même du chœur qui se trouve thématisé : il est ce médium grâce auquel la conscience individuelle du compositeur peut, sans autre médiation, s'objectiver dans un «nous» idéal incarné par des voix humaines, et à même, par là, de livrer *tout* le message.

6.1 Dreimal tausend Jahre (1) : le poème de runes et l'idée d'un «don à Israël»

Si la composition des *Trois Chants populaires* de 1928 et celle des *Six Pièces pour chœur d'hommes* op. 35 ont pour origine des commandes étroitement liées à l'essor du chant choral dans la République de Weimar, la nouvelle pièce pour chœur mixte a cappella que Schönberg écrivit en 1949, *Dreimal tausend Jahre* – l'avant-dernière partition qu'il ait pu terminer –, s'inscrit dans un tout autre contexte, à la fois sur le plan musical et sur le plan personnel. Il y met en musique un poème de Dagobert David Runes, philosophe et écrivain originaire de Bucovine, exilé lui aussi aux États-Unis, avec qui il était en contact depuis plusieurs années au sujet de la

au moins en partie, l'expression de «profonde tristesse» (*tiefe Trauer*) qu'il emploie dans sa lettre. Parmi les versions enregistrées dont nous disposons, c'est sans doute celle que Rupert Huper a gravée en 1990 avec le Südfunk-Chor Stuttgart qui est, de ce point de vue, la plus fidèle à l'intention du compositeur.

114 Voir *supra*, p. 125 *sq.*, sur le *ré* mineur qui se dégage, de façon diffuse mais insistante, de la quatrième et dernière unité du développement.

publication d'une version anglaise de son *Traité d'harmonie* : Runes,
qui avait fondé en 1941 la Philosophical Library (destinée à faire
connaître les écrits des intellectuels européens qu'il jugeait particulièrement importants), avait en effet intégré cet ouvrage dans
son programme éditorial, et, une fois ce projet mené à son terme
en 1948, préparait maintenant – non sans difficulté, Schönberg
s'étant montré insatisfait de la traduction des textes dont l'original
était en allemand – l'édition de *Style and Idea*. Ayant lui-même fait
paraître en 1948 un recueil de poèmes intitulé *Chants du Jourdain*
(*Jordan Lieder*), Runes en adressa un exemplaire au compositeur,
qui lui fit part de son intérêt pour ces textes dans une lettre datée
du 5 février 1949 :

> Je veux vous remercier pour l'envoi de vos poèmes. J'en ai lu plu-
> sieurs et je dois dire que je les aime beaucoup. J'ai même envisagé
> de mettre en musique le premier, et il est possible que je trouve le
> temps de le faire. Ce sera probablement pour chœur.[115]

Schönberg, de fait, mena à bien ce projet rapidement, puisque
le manuscrit de *Dreimal tausend Jahre*, où est mis en musique le
poème intitulé, dans le recueil lui-même, « Le retour de Dieu »
(*Gottes Wiederkehr*), est daté du 20 avril. Quelques semaines plus
tard, Schönberg fut contacté par la direction de la revue suédoise
Prisma, qui lui annonçait la publication, dans le numéro à paraître
en septembre, d'un article de Krenek sur son œuvre (écrit à l'occasion de son 75ᵉ anniversaire), et lui demandait la permission de
reproduire dans un supplément spécial de quatre pages, en guise
d'illustration, la partition de l'une de ses compositions récentes.
Schönberg réagit très positivement à cette proposition, déclarant
que « par chance » il venait justement d'écrire une « petite pièce »
(*small piece*) dont les dimensions convenaient pour le supplément,
et il fit parvenir à la revue un cliché du manuscrit[116]. C'est sous
cette forme que fut publiée dans *Prisma* la partition de *Dreimal*

115 ASC, *Briefe*, ID 4891.
116 Voir, en ligne également sur le site de l'ASC, la lettre de Jane Lundblad
     (assisting editor) en date du 18 mai 1949 (ID 15164) et la réponse de Schön-
     berg, datée du 11 juin (ID 5094), ainsi que la lettre que le directeur de la
     revue, Erik Lindegren, écrivit au compositeur le 4 août pour le remercier
     de son envoi (ID 14743). La création de *Dreimal tausend Jahre* fut donnée à
     Fylklingen le 29 octobre sous la direction d'Eric Ericson.

tausend Jahre, sous le numéro d'opus 49b[117] ; dans l'esprit de son auteur, la pièce, initialement, formait donc un tout avec les trois *Folksongs* composés l'année précédente.

Bien que Schönberg ne soit pas ici, comme dans *Verbundenheit*, l'auteur du texte, l'enjeu lié à *Dreimal tausend Jahre* n'est pas moindre pour lui, et le message non moins personnel : il s'agit de marquer son attachement, non plus à une collectivité définie en termes très généraux, mais à la communauté juive, ainsi qu'à l'État d'Israël dont la création venait d'être proclamée en mai 1948[118] – événement qui avait justement inspiré à Runes ses *Chants du Jourdain*. Le poème choisi par Schönberg évoque ainsi le «retour de Dieu» sur les lieux mêmes où, selon le *Livre des Rois*, Salomon fit construire durant son règne (970-931 av. J.-C.) le Premier Temple de Jérusalem. En voici la version retouchée par le compositeur (en trois distiques) :

Dreimal tausend Jahre seit ich dich gesehn,
Tempel in Jerusalem, Tempel meiner Wehn!

Und ihr Jordanwellen, silbern Wüstenband,
Gärten und Gelände grünen, neues Uferland.

Und man hört es klingen leise von den Bergen her,
Deine allverschollnen Lieder künden Gottes Wiederkehr.

Trois fois mille ans depuis que je t'ai vu,
Temple de Jérusalem, temple de mes tourments !

Et vous, ondes du Jourdain, ruban argenté du désert,
Jardins et campagnes verdoient, nouveau rivage.

Et on l'entend doucement retentir, venant des montagnes,
Tes chants depuis longtemps oubliés annoncent le retour de Dieu[119].

---

117 La page de titre du supplément est reproduite dans : Nuria Nono-Schoenberg (éd.), *Arnold Schönberg 1874-1951. Lebensgeschichte in Begegnungen*, Klagenfurt, Ritter, 1998, p. 416. Voir le dossier consacré à *Dreimal tausend Jahre* dans : Arnold Schönberg, *Chorwerke II. Kritischer Bericht · Skizzen · Fragment* (Christian Martin Schmidt, éd.), Série B, vol. 19, Mainz-Wien, Schott-Universal Edition, 1977 [à partir d'ici *SW 19*], p. 94-99.

118 Cette proclamation eut lieu, rappelons-le, après le vote par l'Organisation des Nations-Unies, le 29 novembre 1947, du plan de partage de la Palestine, qui prévoyait la création d'un État juif et d'un État arabe.

119 Je traduis ici le «alt *verschollnen*» du poème de Runes, que Schönberg a remplacé par «all*verschollnen*», difficile à rendre ; «*verschollen*» signifie à proprement parler «disparu», «dont on n'a plus de traces» (*cf.* le titre du

Le retour à la religion juive avait joué un rôle important dans la vie de Schönberg dès les années 1920[120] : en témoigne principalement la rédaction du drame en trois actes (resté inédit) *Le Chemin biblique* (*Der biblische Weg*) – écrit pour l'essentiel en 1926-1927 –, mais également, on l'a vu, *Du sollst nicht, du mußt*, et bien sûr *Moïse et Aaron*[121]. Cet engagement en faveur du judaïsme, ravivé par les circonstances qui le contraignirent à l'exil en 1933, resta ensuite une préoccupation centrale de Schönberg jusqu'à la fin de la guerre. Aussi la création d'un État d'Israël en Palestine ne pouvait-elle le laisser indifférent – et la composition de *Dreimal tausend Jahre* s'inscrit précisément dans la résonance de cet événement majeur. La correspondance échangée avec l'écrivain autrichien Friedrich Torberg entre janvier et juin 1949 montre qu'il eut

récit de Kafka *Der Verschollene*). Sur les retouches apportées au texte par le compositeur, voir Naomi André, « Returning to a Homeland : Religion and Political Context in Schoenberg's *Dreimal tausend Jahre* », dans : *Political and religious ideas in the works of Arnold Schoenberg*, p. 267-272.

120 Un point précis sur les positions de Schönberg concernant la « question juive » a été fait, à partir d'un examen de l'ensemble des écrits (publiés ou restés inédits), par Michael Mäckelmann (*Arnold Schönberg und das Judentum. Der Komponist und sein religiöses, nationales und politisches Selbstverständnis nach 1921*, Hamburg, Karl Dieter Wagner, 1984). On peut également consulter, sur le sujet, les ouvrages d'Alexander L. Ringer (*Arnold Schoenberg. The Composer as Jew*, Oxford, The Clarendon Press, 1990) et de Klára Móricz (*Jewish Identities. Nationalism, Racism, and Utopianism in Twentieth-Century Music*, Berkeley-Los Angeles-London, University of California Press, 2008, dont le troisième volet a trait au « judaïsme spirituel » de Schönberg), ainsi que le chapitre du livre de Sabine Feisst sur les « trois identités » du compositeur (*Schoenberg's New World* – en particulier, sur l'« identité juive », p. 81-112).

121 Voir la lettre que Schönberg écrivit à Berg le 16 octobre 1933 de Paris, où avait eu lieu, trois mois auparavant, la cérémonie lors de laquelle il était « rentré dans la communauté d'Israël » : « Comme tu l'as sûrement remarqué, mon retour à la religion juive s'est effectué il y a déjà très longtemps, et il est visible dans mon œuvre, même dans les parties publiées (*Du sollst nicht, du mußt*), et dans *Moïse et Aaron*, dont tu as connaissance depuis 1928, mais qui remonte à au moins cinq années plus tôt – mais tout spécialement dans mon drame *Le Chemin biblique*, qui a aussi été conçu au plus tard en 1922 ou 1923, mais qui n'a été terminé qu'en 1926-1927. » (*Briefwechsel Schönberg – Berg*, II, p. 514). *Der biblische Weg* a été édité par R. Wayne Shoaf, avec un riche apparat critique, dans le *Journal of the Arnold Schoenberg Institute*, 17/1-2, 1994, p. 151-442 ; cette édition est précédée d'une étude fouillée de Moshe Lazar, « Arnold Schoenberg and His Doubles : A Psychodramatic Journey to His Roots », *ibid.*, p. 9-150 (voir également, à propos de cette œuvre, M. Mäckelmann, *Arnold Schönberg und das Judentum*, p. 70-138).

également, dans cette même période, le projet d'une œuvre pour chœur et orchestre dédiée au nouvel État – projet resté, lui, inabouti[122]. Une première esquisse du début de l'introduction (purement instrumentale) est datée du 15 mars 1949, et sans doute la série sur laquelle devait reposer l'œuvre a-t-elle été mise au point au même moment[123]. Une lettre datée du 29 mars montre toutefois qu'à cette date le texte lui-même n'était pas écrit, car Schönberg y proposait à Torberg de travailler avec lui à sa rédaction ; celui-ci ayant répondu qu'il ne pouvait consacrer à cette tâche, dans l'immédiat, le temps nécessaire, le compositeur se mit seul au travail : le 10 juin, il envoya à l'écrivain un état du poème – « *Israel exists again* » – dont il se disait encore insatisfait, et qu'il lui demandait d'améliorer s'il le pouvait[124]. L'échange se poursuivit jusqu'à la fin juin, sans qu'une version définitive n'ait été, semble-t-il, mise au point[125] ;

122 Voir la lettre du 4 mars 1949 où Schönberg expose à Torberg son projet de composer une pièce pouvant être jouée «à l'occasion des festivités auxquelles sont susceptibles de donner lieu l'armistice et la création du nouvel État d'Israël» (Friedrich Torberg, *In diesem Sinne... Briefe an Freunde und Zeitgenossen*, München, Langen-Müller, 1981, p. 359 *sq.*). Torberg (qui avait émigré aux Etats-Unis en 1940) était entré en contact avec Schönberg dès 1943. Il lui avait envoyé en 1947 un assez long poème intitulé *Kaddisch*, que Schönberg avait trouvé «poignant» (*höchst ergreifend*), au point d'envisager de le mettre en musique (*ibid.*, p. 359). L'armistice auquel fait allusion Schönberg dans sa lettre est celui qu'Israël avait signé avec l'Égypte le 24 février.

123 Cette série est, une nouvelle fois, composée d'hexacordes complémentaires, qui se ramènent à la même collection 6-5 qu'ordonnaient, chaque fois différemment, les hexacordes des séries utilisées dans *Unentrinnbar* et dans les *Variations pour orchestre* (*cf. supra*, p. 183 et p. 187, note 70). Schönberg avait réalisé pour la nouvelle œuvre quatre tableaux présentant par groupes de 6, et par paires (P/I), les 24 formes, disposées chromatiquement : P0/I5, P1/I6, etc. (voir la transcription de ces tableaux dans *SW 19*, p. 139).

124 Voici ce qu'écrivait Schönberg : «J'ai commencé d'écrire moi-même quelque chose. Ce n'est pas très bon et je vous l'envoie. Peut-être pouvez-vous l'améliorer et nous pouvons alors le présenter comme un travail commun. Le problème est que ceci ne ressort pas bien : la relation entre le fait qu'Israël existe à nouveau et le fait qu'on ait toujours vu Dieu et que cette existence n'ait jamais cessé (*zwischen dem Wiederdasein Israel und dem Immergottgesehenhaben und Immerexistiert zu haben*), il faudrait que cela ressorte mieux. Je l'écris pour la sixième ou septième fois au moins et c'est toujours mauvais.» (*ibid.*, p. 362 *sq.*).

125 *Ibid.*, p. 364-368. L'éditeur du volume 19 des *Œuvres complètes*, Christian Martin Schmidt, présente comme «définitive», dans son apparat critique, la version, datée du 10 juin, que Schönberg avait envoyée à Torberg (*SW 19*, p. 138), sans tenir compte – faute d'avoir eu connaissance de cette correspondance – des modifications apportées au cours des semaines suivantes à

sans doute la difficulté que le compositeur eut à formuler ce qu'il avait à l'esprit, conjuguée à des raisons d'ordre matériel, explique-t-elle pour une bonne part l'abandon final du projet. De l'œuvre n'existe finalement qu'un manuscrit de cinq pages – daté, sur la 1re page, du 18 mai 1949 – comportant une introduction instrumentale de 33 mesures, suivie de 22 mesures mettant en musique les trois premiers vers du texte ébauché par Schönberg : « *Israel exists again !* | *It always has existed* | *though invisibly.* »[126]

Dreimal tausend Jahre n'est devenu l'op. 50a que lorsque Schönberg eut reçu, en mai 1950, une nouvelle proposition émanant, cette fois, du département de l'Éducation et de la Culture de l'Agence juive pour la Palestine, qui préparait l'édition d'une *Anthologie de la musique juive* : le responsable de cette publication, le compositeur et chef de chœur Chemjo Vinaver, proposa à Schönberg de contribuer au volume en mettant en musique le texte original, en hébreu, du *De profundis*[127]. Écrite entre le 20 juin et le 2 juillet 1950, cette nouvelle œuvre, également pour chœur mixte a cappella (à six parties), est alors devenue le deuxième volet (l'opus 50b) d'un « don à Israël » qui devait, écrivit Schönberg à Vinaver, en comporter trois[128]. La troisième pièce, l'op. 50c, est restée inachevée : il s'agit du *Psaume moderne*, pour récitant, chœur mixte et orchestre, qui mettait en musique le premier d'une série de « Psaumes, prières et autres conversations avec Dieu » dont Schönberg entreprit d'écrire les textes en septembre 1950[129]. La genèse de cette œuvre est documentée par un riche avant-texte, comprenant notamment, sous

partir des suggestions de l'écrivain. Voir, sur *Israel exists again*, les remarques de Mäckelmann – qui se fonde sur les éléments fournis par Schmidt – (*op. cit.*, p. 347-350), ainsi que S. Feisst, *Schoenberg's New World*, p. 109.

126 Voir dans *SW 19* les transcriptions de la mouture initiale de ce texte, datée du 24 avril 1949, et de la version retravaillée entre le 26 mai et le 8 juin (p. 137-138).

127 Sur Vinaver et l'*Anthology of Jewish Music*, voir Irene Heskes, *Passport to Jewish Music : Its History, Traditions, and Culture*, Westport, Greenwood Press, 1994, p. 122-124.

128 « *I plan to make this together with two other pieces a donation to Israel.* » (cité dans l'*Anthology of Jewish Music*, New York, Edward B. Marks Music Corporation, 1955, p. 203). La phrase se trouve dans une dernière lettre, datée du 29 mai 1951, adressée par le compositeur à Vinaver (toute la correspondance est consultable en ligne sur le site de l'ASC). Pour plus de détails sur le *Psaume 130*, voir S. Feisst, *Schoenberg's New World*, p. 110.

129 Sur *Moderner Psalm*, voir notamment l'étude de Mark P. Risinger, « Schoenberg's *Modern Psalm*, Op. 50c and the Unattainable Ending », dans *Political and Religious Ideas in the Works of Arnold Schoenberg*, p. 289-306.

forme manuscrite et dactylographiée, un commentaire détaillé relatif à la *Wunder-Reihe* (*Miracle Set*) sur laquelle repose la composition – dont il a déjà été question dans la première partie de cet ouvrage[130] –, et le manuscrit des 86 premières mesures, daté, en haut de la 1re page, du 2 octobre 1950 – qui s'interrompt sur les mots «Et pourtant je prie» (*Und trotzdem bete ich*)[131].

6.2 Dreimal tausend Jahre (2):
enjeux musicaux liés à la construction de la série

Si l'on compare *Dreimal tausend Jahre* avec les *Quatre Pièces pour chœur mixte* de 1925 et *Verbundenheit*, on est frappé avant tout par la liberté de l'agencement formel, et par le maniement très souple de la série. Comme *Verbundenheit*, la pièce s'articule en deux parties égales, avec un point d'orgue à la fin de A; chacun de ces deux volets, notons-le, comporte ici douze mesures: qu'au nombre 12 s'attache une valeur particulière, l'indique le fait que, dans le manuscrit, la dernière mesure (l'accord tenu surmonté d'un point d'orgue) n'est pas numérotée (25), mais considérée comme une simple extension de la précédente (à cela s'ajoute que Schönberg, dans la numérotation des mesures, évite le chiffre 13, ce qui fait qu'à la mes. 12 succède une mes. 12a)[132]. Au sein de cet apparent équilibre, toutefois, règne une profonde asymétrie, les trois distiques étant traités de façon très différente: la partie B, caractérisée par un tempo «un peu moins rapide», est en effet vouée tout entière au 3e distique, et dans A, le 2e distique (A2) est deux fois plus long que le 1er (A1) – on a donc, au total, la progression 4+8+12. La construction s'affranchit

130 Voir *supra*, p. 46 et l'exemple 9.
131 Voir *SW 19*, p. 111-134, et l'ensemble des documents mis en ligne sur le site de l'ASC.
132 Ce détail, déjà signalé dans *SW 19* (p. 94), est brièvement commenté par Ringer dans son ouvrage (*The Composer as Jew*, p. 179). Schönberg, qui était né un 13 septembre (et il mourra un 13 juillet), commençait ainsi une lettre qu'il écrivait à son gendre Felix Greissle le 13 avril 1948: «Nous sommes aujourd'hui un 13, un jour que je ne me serais pas souhaité pour venir dans ce monde et que je regarde toujours comme un obstacle à un bon résultat.» (ASC, *Briefe*, ID 4491). Rappelons que c'est un fac-similé du manuscrit *Dreimal tausend Jahre* qu'a publié la revue *Prisma*. La question se pose de savoir s'il ne faudrait pas garder cette particularité de la numérotation dans la partition éditée (ce que n'a pas fait Schott).

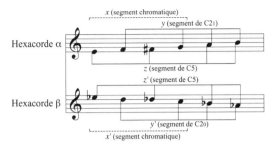

EXEMPLE 29
Dreimal tausend Jahre, collections auxquelles
se ramènent les hexacordes de la série

ainsi de tout schéma préétabli : tout au plus l'ampleur du 3ᵉ distique rappelle-t-elle l'*Abgesang* d'une forme Bar ; mais A1 et A2 ne sont pas traités comme des *Stollen* (c'est-à-dire des strophes de structure similaire) : A1 est agencé de façon stricte selon le modèle classique de la « période » (antécédent-conséquent), tandis que A2 se présente comme un développement libre.

En ce qui concerne la technique de composition, *Dreimal tausend Jahre* est strictement dodécaphonique. Et la série qui y est utilisée est construite selon le principe habituel : ses deux hexacordes, considérés en tant qu'ensembles de classes de hauteurs non ordonnés, sont symétriques l'un par rapport à l'autre – ils se ramènent, en l'occurrence, à la collection 6-9 de Forte, dont le vecteur intervallique est [342231] ; tous les intervalles y sont donc représentés de façon assez équilibrée [exemple 29]. Trois tétracordes caractéristiques jouent ici un rôle important : un segment chromatique (*x/x'*), un segment de tons entiers (0246) (*y/y'*), et un segment du cycle des quintes (*z/z'*) – d'où découle une forte empreinte diatonique (il ne manque qu'une note – dans l'hexacorde α, ré♮ – pour que l'on ait, comme dans *Le Vœu de l'amant*, l'échelle pentatonique) ; il n'est toutefois possible de former, au sein de chaque hexacorde, qu'un seul accord parfait (dans α la triade mineure ‹*mi sol si*›). Comme dans les *Quatre Pièces* op. 27, enfin, ne sont employées dans *Dreimal tausend Jahre* que deux formes : la forme première (P) et l'inversion (I) qui lui est symétrique par rapport à l'axe régissant, en son sein même, la relation entre les hexacordes α et β (en l'occurrence *mi♭-mi♮ / la♭-si♭*) – plus, bien sûr, les rétrogrades.

L'étude du dossier génétique révèle que le 1ᵉʳ hexacorde (α) a été mis au point rapidement : il s'est d'emblée incarné dans une

EXEMPLE 30
Dreimal tausend Jahre, idée mélodique de départ (1er hexacorde)

idée mélodique (exposée par la *Hauptstimme*) dont la formulation allait rester inchangée [exemple 30].

Sa charpente est fournie par la relation de tons entiers ‹*sol*$_4$ *fa*$_4$ *si*$_4$›, et symétriquement, dans l'inversion, ‹*do*$_5$ *ré*$_5$ *la*$\flat_4$› – l'unique intervalle de triton présent dans la collection est ainsi mis en valeur mélodiquement –, à quoi s'ajoute le relief donné à la configuration diatonique initiale, intégrant le «chromatisme retourné» ‹*fa*$\sharp$ *mi fa*$\natural$›: ‹*sol*$_4$ *la*$_4$ *fa*$\sharp_4$ *mi*$_4$ *fa*$\natural_4$› (et symétriquement ‹*do*$_5$ *si*$\flat_4$ *ré*$\flat_5$ *mi*$\flat_5$ *ré*$\natural_5$›) – relief d'autant plus franc que l'ambitus de la mélodie est extrêmement restreint (elle se déploie, dans chacun des deux segments, à l'intérieur d'une quinte: ‹*mi*$_4$ *si*$_4$› puis ‹*la*$\flat_4$ *mi*$\flat_5$›). En revanche, Schönberg a hésité sur l'ordre à adopter pour le 2nd hexacorde (β). Une première version de l'unité formée par les mes. 1 à 4 (Ms. 683)[133], où sont déjà mises en relation les deux formes complémentaires P7 et I0 [exemple 31], montre qu'il avait tout d'abord opté pour la solution consistant à mettre en avant successivement le segment de C5 puis la structure de tons entiers délimitée par le triton – le premier étant fortement souligné par les imitations entre les trois voix «secondaires», tandis qu'un statut particulier échoit à la «7e diminuée» résultant de la combinaison des deux tritons (C32), qui se maintient d'un hexacorde à l'autre (elle se forme de manière très distincte, verticalement – dans la superposition des voix –, à partir de la 3e mesure) [exemple 32].

---

133 Cette première rédaction des mes. 1-4, consignée sur trois portées avec le soin apporté à une mise au net, est elle-même précédée d'esquisses préparatoires (Ms. 685). Une première ébauche, encore très raturée, de la version définitive a ensuite été notée directement à sa suite sur la même page. Voir la description et les transcriptions de toutes ces sources dans *SW 19*, p. 94 et p. 96 *sq.*

EXEMPLE 31
Dreimal tausend Jahre, mes. 1-4, agencement sériel,
transcription d'esquisse (Ms. 683)

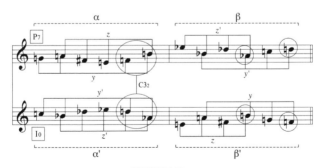

EXEMPLE 32
Dreimal tausend Jahre, série initiale (analyse)

EXEMPLE 33
Dreimal tausend Jahre, série, transcription partielle d'esquisse (Ms. 684)

Insatisfait de cette première mouture, Schönberg choisit alors de réordonner le 2nd hexacorde, dans le souci manifeste de créer entre les formes P7 et I0 une connexion plus étroite, selon ce même principe que nous avons vu mis en œuvre dans *Le Vœu de l'amant*[134] : en témoigne une esquisse où le compositeur met en évidence par des crochets l'élément unificateur formé à présent par les segments de trois notes qui se répondent d'un hexacorde à l'autre et d'une forme à l'autre (appelons ce «chromatisme retourné» le motif *w*)[135] [exemple 33] ; un lien privilégié s'établit ainsi entre les hexacordes de chaque forme – où cet élément apparaît transposé à la tierce majeure –, mais aussi entre α et β' d'une part, β et α' d'autre part, les notes encadrant le motif étant identiques : ‹fa♯ mi fa♮› (α) / ‹fa♮ sol fa♯› (β') et ‹ré♮ do ré♭› (β) / ‹ré♭ mi♭ ré♮› (α')[136] [exemple 34].

---

134 Voir *supra*, p. 138.

135 ASC, Ms. 684, coin inférieur droit. Martha M. Hyde a consacré un long développement aux esquisses relatives à la série de *Dreimal tausend Jahre*, s'employant à montrer qu'elles ne renseignent pas seulement sur la construction de la série proprement dite, mais fonctionnent aussi comme des *compositional sketches*, grâce auxquelles s'éclaire le lien entre des passages de la partition qui sont à première vue bien distincts («The Format and Function of Schoenberg's Twelve-Tone Sketches», *Journal of the American Musicological Society*, 36/3, 1983, p. 458-465).

136 Ce motif de trois notes est celui-là même que Schönberg avait placé au cœur de la série utilisée dans *Moses und Aron* : dans la forme de référence (P9), il apparaît successivement sous les formes ‹ré♮ mi♭ ré♭› (notes 4 à 6), puis en miroir (inversé et déroulé à l'envers) ‹sol♮ fa♮ fa♯› (notes 7 à 9). Le segment complet de 6 notes – qui est donc *RI-symmetrical* – est exposé par le cor anglais dès l'intervention de Moïse devant le Buisson ardent (*Moses Berufung*, mes. 8-10), où il est, de façon surprenante, obtenu à partir de notes non adjacentes appartenant à deux autres formes (le rétrograde de I1 suivi de P7) ; voir à ce propos David Lewin, «›Moses und Aron‹ : Some General Remarks, and Analytical Notes for Act I, Scene I», *Perspectives of New Music*, 6/1, 1967, p. 4-7.

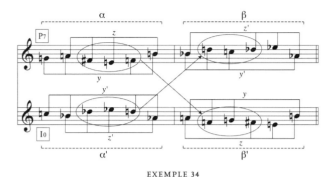

EXEMPLE 34
Dreimal tausend Jahre, série définitive,
structure interne et relations entre hexacordes

La manière dont Schönberg exploite la série diffère beaucoup, toutefois, de ce qu'était sa pratique dans les œuvres de la période classique – pratique à laquelle se rattache également, bien qu'aucune série n'y soit utilisée, *Verbundenheit*. La mise en relation des formes P et I, et avec elle le rôle accordé à la symétrie par inversion dans la structuration du discours musical – en particulier dans sa dimension «verticale» (le tissu polyphonique) –, perdent ici tout caractère contraignant, l'attention se portant principalement sur les relations motiviques en elles-mêmes. Dans la «période» que constitue la première unité de quatre mesures – correspondant au 1er distique du poème –, la dialectique du semblable et du différent qui fonde la relation entre l'antécédent et le conséquent est certes réalisée, dans une large mesure, par l'opposition des formes P7 et I0 [exemple 35] : dans la *Hauptstimme*, tout spécialement, le dessin mélodique du conséquent est l'exact symétrique de celui de l'antécédent autour de l'axe la_4-$si\flat_4$, et le rythme renforce la connexion ainsi établie ; de façon semblable, bien que moins aisément saisissable, la partie d'alto du conséquent est aussi la stricte image en miroir de la partie de basse de l'antécédent, autour, cette fois, de l'axe la_3-$si\flat_3$ (c'est ici le 2nd hexacorde de P7 qui se réfléchit dans le 2nd hexacorde de I0) – seul le dernier intervalle n'est pas inversé –, et le lien est ici encore explicité par le rythme. Mais la partie de ténor échappe à cette logique.

C'est cependant à l'intérieur de chacun des deux membres de phrase que le phénomène est le plus sensible : l'agencement des voix au sein de la polyphonie n'y est plus contrôlé qu'exceptionnellement par la relation P/I. La superposition des formes P7 et I0 ne donne lieu qu'à un seul endroit, dans l'antécédent, à un effet

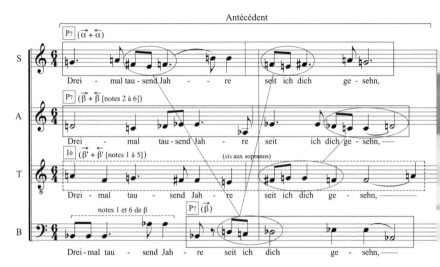

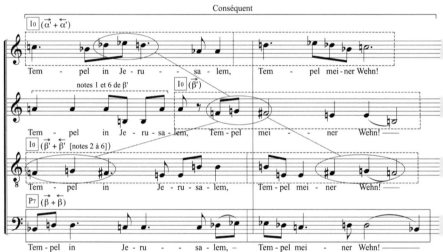

EXEMPLE 35

Dreimal tausend Jahre, mes. 1-4, agencement sériel

d'imitation perceptible : celui qui lie entre eux, à la mes. 2, le motif ‹*fa♯ sol fa♮*› des ténors (« *seit ich dich gesehn* ») et son inversion, ‹*ré♭ do ré♮*›, aux altos. Or, ce motif – avec son rythme caractéristique (l'anacrouse de deux croches) – unifie ici toute la texture en dehors même de la relation P/I, et l'on saisit sans peine ce qui a conduit Schönberg à réordonner le 2ⁿᵈ hexacorde. Le même jeu d'imitations se produit en effet entre les voix de sopranos et de basses par la simple combinaison de α et de β (au sein de P7) : exposé d'entrée de jeu dans la voix principale – « *tausend Jah-*(*re*) » –, le motif apparaît dans les basses, transposé à la sixte mineure inférieure, en levée de la mes. 2 (« *seit ich dich* »), où lui répond aussitôt, aux sopranos, le rétrograde du précédent. L'imitation interne aux deux voix médianes s'intègre ainsi, en fait, dans un système de relations plus vaste, une connexion s'établissant entre le ‹*fa♯ sol fa♮*› (β') des ténors et le ‹*fa♯ mi fa♭*›/‹*fa♮ mi fa♯*› (α) de la *Hauptstimme*. Ce réseau inclut également les occurrences du motif *w* non mises en relief par le rythme, et, de ce fait, plus secrètes – à commencer par le ‹*ré♮ do ré♭*› initial des altos, en augmentation rythmique, qui annonce celui de la partie de basses[137]. Un réseau semblable se met ensuite en place, d'une autre façon, dans le conséquent.

La symétrie n'en joue pas moins, dans *Dreimal tausend Jahre*, un rôle déterminant, mais sous son autre forme : celle qui fait de l'énoncé un palindrome. La particularité la plus remarquable de la pièce est en effet l'usage réitéré du procédé consistant à enchaîner à un hexacorde donné (complet ou incomplet) son propre rétrograde, la mélodie revenant ainsi à son point de départ. Dans la « période » initiale, cela vaut, non seulement de la *Hauptstimme*, mais des voix d'alto et de ténor (antécédent), puis de ténor et de basse (conséquent) – et dans tous les cas l'image en miroir est stricte du point de vue des intervalles, à l'intérieur de l'ambitus d'une quinte, voire d'une quarte[138]. On a, avec raison, fait le lien entre ce procédé et le sujet central du poème, qui est à la fois le « retour de Dieu » – c'est le titre que Runes avait donné au texte,

137 Que la 1ʳᵉ note de β soit chantée, séparément, par les basses est à mettre en rapport avec le fait que le mot « Dreimal » est exprimé rythmiquement de quatre manières différentes : blanche + noire (altos), noire pointée + croche (sopranos), deux noires (ténors) et deux croches (basses).

138 Dans la *Fantaisie* op. 47 déjà (composée en mars 1949), l'hexacorde jouait un rôle prépondérant : les 21 premières mesures n'utilisent même que le 1ᵉʳ hexacorde des deux formes de départ, P10 et I3 (*cf. supra*, p. 195, note 79, où sont notées ces deux formes). La mélodie initiale du violon (mes. 1-6), construite elle aussi sur le modèle d'une « période », combine l'inversion et le rétrograde de ces deux hexacordes (α pour P10, α' pour I3) d'une autre manière que ne le font les premières mesures de *Dreimal tausend Jahre* : à α + α' (antécédent) s'enchaîne là le rétrograde de α (conséquent) – sans que la symétrie soit ici le moins du monde littérale (seuls les deux tritons constitutifs de C32 restent clairement identifiables en tant que tels). Sur le traitement spécifique de la série dans la *Fantaisie*, voir notamment David Lewin, « A Study of Hexachord Levels in Schoenberg's Violin Fantasy », Perspectives of New Music, 6/1, 1967, p. 18-32.

et ce sont les mots par lesquels celui-ci se termine – et, coïncidant avec lui, le retour sur les rives du Jourdain, trois mille ans après la destruction du Temple de Salomon, de la communauté d'Israël : Schönberg fait du retour de l'énoncé sur lui-même une image musicale de ce double mouvement[139].

6.3 Dreimal tausend Jahre (3) : l'articulation interne du 1er volet (distiques 1 et 2)

Si brève que soit la pièce, Schönberg s'attache à en indivualiser nettement les parties par une différenciation interne de la texture. Dans le 1er volet (A, mes. 1-12), qui réunit les deux premiers distiques, il met à profit l'opposition entre les deux modes d'organisation du discours musical que, dans son enseignement, il avait coutume de qualifier, respectivement, de *fest* (solidement structuré) et de *locker* (de construction lâche)[140]. La «période» initiale (A1), avec ses deux membres de phrase parfaitement balancés – et, ici, clos tous deux sur eux-mêmes – illustre on ne peut mieux le premier type d'agencement, tandis que A2 renvoie clairement à l'autre modèle, celui d'une *lockere Formung* : les deux vers y sont traités très librement, à l'opposé de toute forme de carrure [exemple 36]. Le premier vers

---

139 Voir N. André, «Returning to a Homeland», p. 275 et S. Feisst, *Schoenberg's New World*, p. 109.

140 Cette terminologie apparaît à maintes reprises dans le manuscrit de 1934-1936 intitulé *Der musikalische Gedanke und die Logik, Technik und Kunst seiner Darstellung* – voir l'édition commentée de ce texte, avec une traduction anglaise en regard : *The Musical Idea and the Logic, Technique, and Art of Its Presentation* (Patricia Carpenter et Severine Neff, éds.), New York, Columbia University Press, 1995, en particulier p. 142, 176-178 et p. 314, ainsi que Arnold Schönberg, *Der musikalische Gedanke (Sämtliche Schriften II.6)* (Hartmut Krones, éd.), Wien, Universal Edition, 2018, p. 38-41, 60 et 87-90. Webern a fréquemment eu recours lui aussi à ce couple de termes, comme en témoignent les notes prises par plusieurs de ses élèves (Zenk, Oehlgiesser, Schopf et Erna Apostel) lors des cours qu'il donna entre 1934 et 1938 – *cf. Über musikalische Formen* (Neil Boynton, éd.), Mainz, Schott, 2002, notamment p. 264-269 ; Willi Reich cite également cette phrase, notée dans le même contexte : «*Fundamental ist der Gegensatz von fest und locker.*» (*Der Weg zur neuen Musik*, Wien, Universal, 1960, p. 64). Erwin Ratz, autre élève de Webern, a fait reposer sur l'opposition des deux principes (*fest gefügt / locker gefügt*) tout le 1er chapitre de son *Introduction à la théorie des formes musicales* (1/1951, 3/1972) relatif aux structures formelles beethovéniennes.

EXEMPLE 36

Dreimal tausend Jahre, mes. 5-12, agencement sériel

– « *Und ihr Jordanwellen, silbern Wüstenband* » – est mis en musique, dans les voix de femmes, sous la forme d'un contrepoint à deux voix, où sont combinées pour la première fois les formes P7 et I0 tout entières, déroulées à l'envers (mes. 5-7). Cette combinaison, toutefois, ne donne pas lieu au canon par mouvement contraire que l'on pouvait attendre (et que forme la succession des hauteurs prises isolément). Les deux voix sont en effet conduites de façon indépendante, et le vers ne coïncide qu'au sein de la voix d'alto avec le déroulement de la forme sérielle (en l'occurrence I0) : dans la partie de sopranos, les trois dernières notes du rétrograde de P7 se rattachent au vers suivant (mes. 8). Si un effet d'imitation est encore perceptible au départ entre les deux voix, la divergence est franche entre leurs phrasés respectifs sur les mots « *silbern Wüstenband* » ; les deux tritons successifs, en particulier, s'y inscrivent de façon très différente dans le mouvement mélodique : le premier – ‹*sol*$\sharp_4$ *ré*$\natural_4$› – conduit à la première syllabe du mot « *Wüs-(tenband)* », le second, au contraire, à sa dernière syllabe (« *-band* »), le *do*$\flat_5$, tenu, faisant partie ici du mélisme qui met en relief « *Wüs-(ten)* ».

Pour le vers suivant – « *Gärten und Gelände grünen, neues Uferland* » –, c'est la voix de soprano qui, seule, passe au premier plan, et redevient *Hauptstimme*. Bien qu'il soit fortement mis en évidence par le changement de registre – et, par là, séparé de ce qui précède –, le *fa*$\sharp_5$ attaqué sur le 1er temps de la mes. 8 (note la plus haute de la pièce) appartient au motif *w* propre à l'hexacorde α, ‹*fa*$\natural$ *mi fa*$\sharp$›, et un lien se tisse, d'un vers à l'autre, entre le dessin mélodique des ténors sur « *silbern Wüstenband* » – qui appartient lui aussi au rétrograde de P7 – (mes. 7, avec la levée) et celui qui se forme, aux sopranos, à la jonction des mes. 7-8 : le mélisme de deux noires (« *-band* ») reprend les deux croches en levée de « *silbern* » (chantées dans le même registre), tandis que le saut de 9e ‹*mi*$_4$ *fa*$\sharp_5$› inverse la 7e descendante des ténors ‹*mi*$_4$ *fa*$\sharp_3$›. Il importe que ce lien ne soit pas masqué, dans l'exécution, par une césure prononcée – brisant le mouvement de la phrase musicale – que n'appelle pas non plus, à cet endroit, le texte : l'enjambement, très inhabituel, de la forme sérielle sur l'unité mélodique suivante trouve là, en effet, sa justification[141]. La connexion entre

141 Cette césure est malheureusement pratiquée dans la plupart des enregistrements de l'œuvre publiés jusqu'ici. La continuité n'est du reste pas assurée non plus, de façon générale, à l'intérieur de la « période » initiale : dans les versions de Boulez et de Laurence Équilbey notamment,

les deux vers est réalisée également par le choix de I0 pour la suite et la fin du ruban mélodique (mes. 9-11) : à partir de « *(Ge)-lände* », les sopranos déroulent ainsi le rétrograde de la partie d'altos des mes. 5-7, une octave plus haut d'abord, puis, dès le *mi*♭4, de façon littérale ; le lien est encore renforcé par le fait que, sur le plan rythmique, l'articulation de « *neues Uferland* » reprend exactement – à l'endroit cette fois – celle de la fin du vers précédent – « *silbern Wüstenband* » – (en partant de la levée des deux noires : ⟨*la*4 *sol*♯4⟩), créant ainsi une rime musicale analogue à celle du texte poétique, d'autant plus riche qu'au ⟨*ré*♮ *mi*♭ *ré*♭⟩ de « *Wüsten-(band)* » répond le ⟨*fa*♮ *sol fa*♯⟩ de « *Ufer-(land)* », avec le même mélisme interne sur la première syllabe.

À la différence de A1, où quatre voix réelles, auxquelles sont affectées des formes sérielles bien définies, composent un dense tissu polyphonique, A2 consiste en la superposition de deux couches distinctes, dont l'une seulement est pensée de bout en bout mélodiquement. Au contrepoint à deux voix des mes. 5-7 est ainsi combinée, dans les voix d'hommes, une strate dans laquelle les notes du rétrograde de P7 – c'est-à-dire la forme déroulée au même moment dans la partie supérieure – sont réparties par paires sur les deux voix ; des liens étroits ne s'en créent pas moins, ce faisant, entre les voix de ténor et de soprano : cela vaut, nous l'avons vu, pour le dessin ⟨*fa*♮ *mi fa*♯⟩ (*w*) de α, mais également pour le *la*♭ initial, attaqué (et tenu) par les ténors dans leur registre aigu en sorte que l'entrée des sopranos se fait, sans heurt, dans son prolongement – avant que, dans un élan lyrique, ces voix ne montent du *la*♭4 au *mi*♭5, alors que les mêmes syllabes, « *Und ihr Jor-(danwellen)* », étaient chantées *recto tono* par les ténors.

Dans l'unité suivante (mes. 8-11/1), la même forme I0 que déroule mélodiquement la *Hauptstimme* est simultanément distribuée entre les *trois* autres voix, et complétée – le maniement de la série devient ici très libre – par la présentation de β (le 2nd hexacorde de P7) sous la forme de deux agrégats de trois notes. Il en résulte une simplification progressive de la texture harmonique, précédemment très riche. Il est aisé de s'en rendre compte en comparant, de ce point de vue, le début et la fin de A2. Dans les mes. 5-7, la combinaison des lignes – malgré l'allègement déjà opéré, nous venons de le voir,

l'antécédent et le conséquent sont traités comme s'ils se terminaient *l'un et l'autre* par un point final. La seule interruption du flux mélodique requise au sein de A est celle qui sépare les deux distiques.

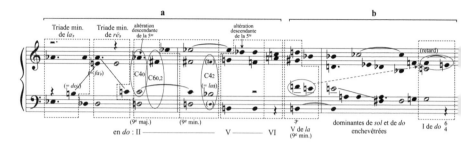

EXEMPLE 37
Dreimal tausend Jahre, mes. 5-7, structures d'intervalles

dans les voix d'hommes – se traduit, verticalement, par une rapide succession de sonorités caractéristiques [exemple 37]. Une écoute attentive du passage révèle que cette succession est contrôlée avec précision, au sein d'unités discursives dont la logique interne renvoie sans ambiguïté au modèle tonal : on y entend se former d'abord deux triades mineures en relation de quinte (*la♭*, *ré♭*)[142], suivies d'agrégats complexes où dominent tantôt des structures de tons entiers – assimilables à des accords de dominante avec altération de la quinte –, tantôt des structures de tierces mineures, lesquels s'inscrivent, globalement, dans un enchaînement II–V–VI (cadence évitée) dans le ton de *do*[143] – la consonance de tierce ‹*la♮₄ do♮₅*› marquant, dans les voix de femmes, le terme de la séquence qui coïncide avec le premier syntagme « *Und ihr Jordanwellen* » (**a**) ; la seconde séquence (**b**), qui s'ouvre par la 7ᵉ diminuée ‹*si♭₂ fa₄ sol♯₄ ré₅*› (résultant de la verticalisation des deux tritons de référence), aboutit, par un « conduit » où s'enchevêtrent à nouveau les dominantes de *sol* et de *do*, à un repos très net sur la tonique de *do* (en position de quarte-et-sixte), avec, dans la voix supérieure, le *fa♮₄* comme retard du *mi♮₄* – dessin mélodique qui répond, sur le mode du contraste, à l'anacrouse initiale des ténors. Les traces de logique tonale sont partout repérables dans le passage, aussi bien dans le détail des enchaînements que, sur un plan plus global, dans la manière d'imprimer au discours musical une direction bien définie[144].

142 Schönberg recourt dans tout le passage au procédé de l'anticipation – *cf.* le *ré♭₃* des basses et le *do♮₄* des ténors en levée, respectivement, de la 2ᵉ et de la 3ᵉ blanche, etc.

143 Le IIᵉ degré est interprété, selon le procédé habituel, comme dominante de la dominante.

144 Il importe de préciser que la conduite des voix ne s'astreint nullement ici au respect des règles de la syntaxe tonale, telles que les formulent les

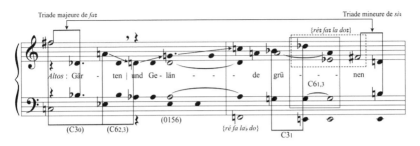

EXEMPLE 38
Dreimal tausend Jahre, mes. 8-9, structures d'intervalles

Le changement de texture s'effectue, à partir de là, en deux temps, les deux parties du vers – « *Gärten und Gelände grünen, neues Uferland* » – étant traitées de manière différente. La séquence des mes. 8-9 constitue une transition, en ce que l'harmonie y reste chargée de tensions [exemple 38] : les tritons y sont fortement mis en relief au sein de différents tétracordes (on entend distinctement se dessiner au départ, se fermant en éventail, la succession de C30 et de C62,3 avec C63 comme pivot : ‹*do*♮3 *fa*♯5 | *mi*♭3 *la*♮4 | *la*♭3 *ré*♮4›, et vers la fin, de manière analogue, un mixte de C31 et de C61,3 : ‹*sol*♮3 *si*♭4 | *mi*♮2 *ré*♭5› / ‹*sol*♮3 *ré*♭5 | *mi*♮4 *la*♮4›), et l'intervalle de classe 1 envahit les configurations verticales : la seconde mineure (‹*la*♮4 *si*♭4›, mes. 9) mais surtout la septième majeure et la neuvième mineure : dans la mes. 8 ‹*do*♮3 *ré*♭4›, ‹*si*♭3 *la*♮4›, puis au sein du tétracorde (0156) la combinaison des deux septièmes ‹*mi*♭3 *ré*♮4› et ‹*la*♭3 *sol*♮4›, et vers la fin encore ‹*mi*♮2 *mi*♭4›. Seules deux triades (l'une majeure, l'autre mineure), en relation de quinte, se forment ici aux extrémités à partir du *fa*♯ : le *fa*♯5 des sopranos d'un côté, le *fa*♯4 des altos de l'autre ; dans les deux cas, elles s'insèrent dans un complexe plus large qui, par son retour, boucle la phrase musicale sur elle-même : celui qui correspond au mot « *Gärten* », où la triade mineure de *fa*♯ est imbriquée dans le déploiement de la « 7e diminuée » C30, et à la fin celui où *se succèdent* le tétracorde C61,3 et la triade mineure de *si*. La continuité du segment

traités d'harmonie : aux mes. 5-6, par exemple, le *la*♭4 des sopranos monte au *mi*♭5, et le *si*♭3 des ténors, ensuite, reste en suspens, le *si*♮ sur lequel il devrait se résoudre (*si*♮3) n'apparaît qu'une octave plus bas (*si*♮2) dans la voix de basses ; en revanche le *ré*♭5, à la mes. 6, descend bien au *do*♮5, et la résolution du retard, à la fin de la séquence, se fait elle aussi de façon régulière. Le mouvement des voix n'est pas non plus conforme au modèle schenkérien, c'est-à-dire réductible à un *Ursatz*.

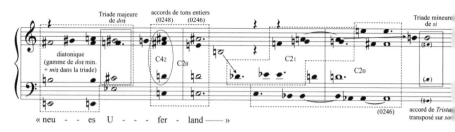

EXEMPLE 39

Dreimal tausend Jahre, mes. 10-12, structures d'intervalles

central («*und Gelände*»), qui commence avec le triton (à découvert) ‹*la*♭3 *ré*♮4›, est assurée principalement par le mouvement de quartes ‹*ré*♮4 *sol*♮4 *do*♮5› – autre configuration remarquable – qui se détache dans les voix de femmes[145].

Un relâchement des tensions harmoniques, dans une texture devenue plus transparente, se produit sur les mots «*neues Uferland*», en lien manifestement avec l'idée du rivage auquel on accoste [exemple 39]: la syllabe accentuée «*U-(fer)*», sur laquelle, de façon significative, les quatre voix se posent ensemble, est mise en valeur par une sonorité où se détache, en position serrée dans le médium, l'accord parfait majeur ‹*do*♯4 *mi*♯4 *sol*♯4›, auquel se mêle, avec le *mi*♭3 (= *ré*♯) des basses – rares sont en effet les *purs* accords parfaits dans *Dreimal tausend Jahre* –, une couleur de tons entiers, en même temps que se prolonge la structure de quintes qui avait retenti sur le 1er temps de la mesure (*mi*♮ *si*♮ *fa*♯ → *do*♯ *sol*♯ *ré*♯). Cet accord est amené par ce qui revêt l'apparence d'une cadence plagale, du fait que toutes les notes entendues dans la 1re moitié de la mesure appartiennent à la gamme de *do*♯ mineur – le *mi*♯ (écrit *fa*♮) de la triade elle-même sonnant comme une «tierce picarde» (d'où l'émergence, dans l'enchaînement, du triton ‹*si*♮3 *mi*♯4›).

Suivent alors, sur les deux dernières syllabes du mot «*Uferland*», deux accords de tons entiers où se dissout la hiérarchie inhérente à la structure précédente, en même temps qu'y est libérée la couleur de tons entiers qui s'annonçait dans l'agrégat initial[146]. Mais alors

---

145 Le segment de C5 inclut le *la*♮4 du complexe sonore précédent, le tétracorde C62,3 auquel il appartient assurant la jonction entre les deux éléments.

146 Le premier accord (avec C42 au sommet) est écrit comme un accord de 7e de dominante avec altération ascendante de la quinte (*ré fa*♯ *la*♯ *do*♮), qui se muerait ensuite en une 9e majeure sur *do*♮ (sans la quinte). Mais rien, dans la conduite du discours, ne vient ici corroborer cette interprétation tonale.

que le *sol*♮ du mélisme des sopranos (sur la voyelle « U ») appartient encore à C21, le complexe qui suit s'inscrit, lui, dans le prolongement du *sol*♯ de la ligne ⟨*fa*♯$_4$ *sol*♯$_4$⟩ des altos, et l'on « module », de ce fait, dans C20. L'image harmonique se brouille un instant quand, à l'intérieur du second accord, les sopranos glissent de *mi*♮$_4$ à *si*♮$_3$, ce qui génère, sur le 2e temps, une superposition de septièmes majeures : ⟨*do*♮$_3$ *si*♮$_3$ *la*♯$_4$⟩. Ce *si*♮, en vérité, fait la jonction entre ce qui précède et une sorte de codetta (marquée par un *ritardando* aboutissant à un point d'orgue) où sont répétés les mots « *neues Uferland* ». Pour la première fois depuis le début de la pièce, une stricte égalité s'établit ici entre les quatre voix, qui entrent successivement, à distance de noire, au sein d'une ébauche de canon rythmique (irrégulier) : la forme I0 y est analysée en quatre segments mélodiques de trois notes, où se détachent les deux « chromatismes retournés » à distance de tierce majeure (ténors puis altos), combinés avec, dans les basses, le dessin de tons entiers ⟨*do*♮$_3$ *si*♭$_2$ *la*♭$_2$⟩, et dans les sopranos le segment de C5 ⟨*la*♮$_4$ *mi*♮$_5$ *si*♮$_4$⟩ – l'ambitus s'élargissant jusqu'à un intervalle de deux octaves + une sixte (de *la*♭$_2$ à *mi*♮$_5$). L'élément marquant de cette codetta est la façon dont s'y déploie horizontalement, du *si*♮$_3$ au *si*♮$_4$ auquel aboutit la dernière intervention des sopranos – en passant par le *mi*♮$_5$ (c'est donc la quarte ⟨*mi*♮$_4$ *si*♮$_3$⟩ qui revient une octave plus haut) –, toute la gamme par tons C21 – en même temps que le *si*♮$_4$ marque, à distance, l'aboutissement du dessin diatonique amorcé au début de la séquence : ⟨*fa*♯$_4$ *sol*♯$_4$ *la*♯$_4$ *si*♮$_4$⟩. Au même moment, l'autre gamme par tons (C20) se déploie elle aussi, d'abord à l'arrière-plan, puis en pleine lumière sous la forme de l'accord ⟨*la*♭$_2$ *ré*♮$_4$ *fa*♯$_4$ *mi*♮$_5$⟩ (0246), lequel se mue finalement, avec le *si*♮ des sopranos, en ce qui n'est autre qu'une variante de l'« accord de *Tristan* », transposé sur *sol*♯ : ⟨*la*♭$_2$ (= *sol*♯) *ré*♮$_4$ *fa*♯$_4$ *si*♮$_4$⟩. C'est sur cette harmonie, ambiguë s'il en est, mais dans laquelle – l'intervalle de 5te diminuée étant redoublé à la base de l'accord – ressort ici dans le médium la triade mineure de *si*, que se suspend toute la première partie du diptyque.

6.4 Dreimal tausend Jahre (4) :
la mise en musique du 3ᵉ distique

L'agencement du second volet obéit à une logique toute différente. L'intention est ici de donner un maximum de résonance aux tout derniers mots du poème, où est nommé l'événement qui lui donne son véritable sens : « le retour de Dieu » (*Gottes Wiederkehr*). Le premier vers du distique est, lui, chanté tout entier dès les deux premières mesures, dont la physionomie tranche de façon marquée sur tout ce qui précède. L'évocation des sons que l'on entend venir des montagnes – « *Und man hört es klingen leise von den Bergen her* » – donne lieu en effet à une profonde reconfiguration de la texture musicale, tenant au fait que les deux strates formées, une nouvelle fois, par les voix de femmes et les voix d'hommes ont ici un mode de présence *sonore* radicalement différent [exemple 40]. Dans les voix d'hommes, d'un côté, se met en place un strict canon par mouvement contraire (procédé auquel avait évité de recourir jusque-là le compositeur), déroulant les 1ᵉʳˢ hexacordes respectifs de I0 et de P7, à l'endroit puis à l'envers (chaque voix constitue donc un palindrome), comme dans la période initiale ; le lien avec A1 est étroit, puisque le « modèle » exposé dans la voix de ténor est à peu de chose près identique à la *Hauptstimme* du « conséquent » – seul le rythme est légèrement varié. Mais ce sont les voix de femmes qui attirent surtout l'attention : on y entend s'élever dans une nuance très douce, contrastant avec la strate mélodique des ténors et des basses, une pure succession de croches piquées[147], traitée très librement sur le plan sériel (à l'opposé du déroulement réglé du canon), et dont l'effet instrumental surprend au sein du tissu vocal. Les indications de dynamique notées ici de façon précise par Schönberg (alors qu'il n'y en a aucune dans le premier volet) – *ppp* pour les voix de femmes / *pp* pour les voix d'hommes – invitent clairement à créer l'illusion d'une profondeur spatiale entre la « voix principale » (dédoublée) que constitue le canon – dont l'écriture est des plus linéaire – et, à l'arrière-plan, les blocs de notes *staccato* où prévaut l'impression de verticalité.

Avant même la fin de la séquence, sopranos et altos reviennent à leur rôle mélodique et, prenant le relais des voix d'hommes, prolongent le canon qui y était amorcé : elles énoncent immédiatement,

---

147 Fait exception le mélisme final sur « *her* ».

EXAMPLE 40
Dreimal tausend Jahre, mes. 13-18, agencement sériel

ce faisant, le début du second vers, où est dévoilé ce qui retentit à travers ces sons venus des montagnes, à savoir les chants qui resurgissent du passé où ils étaient profondément enfouis (*allverschollnen Lieder*) ; la formule se fait ici plus concise, le 2nd hexacorde des deux formes n'étant exposé qu'une seule fois (à l'envers)[148]. Comme le veut la règle schönbergienne consistant à lier étroitement contrepoint et trame motivique, les éléments saillants de la série sont, dans tout ce canon, nettement mis en évidence par le jeu des imitations : les deux tritons de α/α' (C32, en position serrée) sur « *klingen* » et les deux quintes de β/β' (formant un tétracorde dont la tierce mineure centrale est commune à deux triades) sur « *Deine*

---

148 Schönberg inverse ici l'ordre d'entrée des deux formes (P7 précède I0), sans doute pour mieux mettre en relief dans l'aigu la quinte ascendante ‹la♭4 mi♭5›.

all-», mais surtout les différentes occurrences du motif *w* sur «*hört es klin-(gen)*» – et symétriquement «*von den Ber-(gen)* –, puis sur «*(all)-verschollnen Lie-(der)*».

À partir de là, la conduite des voix s'effectue de manière à préparer le moment où seront chantés ces mots qui marquent l'aboutissement du poème: «*(künden) Gottes Wiederkehr*» (mes. 18). Dans un premier temps, la musique se suspend sur un écho du canon précédent: ce sont d'abord les notes du rétrograde de β, qu'énonçaient les sopranos («*Deine allverschollnen Lieder*»), qui sont réparties entre les deux voix d'hommes (d'abord la quinte ‹$la\flat_3$ $mi\flat_4$›, puis aux ténors une transposition du motif *w*, obtenue avec les notes 2-3-5 : ‹$mi\flat_4$ $ré\flat_4$ $ré\natural_4$› – tandis qu'apparaît dans les basses le dessin de tons entiers obtenu avec les notes 1-4-6), puis de la même façon celles (identiques) de l'hexacorde α', qu'avaient déroulé au départ les ténors. Lorsque le verbe «*künden*» – premier mot du syntagme final – est introduit dans les basses (avec un long mélisme sur la première syllabe), retentit dans les voix de femmes un écho des blocs *staccato*, où α' est cette fois décomposé en ses deux éléments contigus, le segment diatonique ‹$do\natural$ $si\flat$ $ré\flat$ $mi\flat$› (altos) puis le triton ‹$ré\natural$ $sol\sharp$› (sopranos). Une tension se crée à cet instant, *harmoniquement*, entre les deux plans: car les basses, qui, avec les ténors, énoncent maintenant le premier hexacorde de P7 (α), modulent de ce fait dans C21, alors que dans les voix de femmes ressort (en alternance avec les intervalles de quinte puis de quarte ‹$ré\flat_4$ $la\flat_4$› et ‹$mi\flat_4$ $la\flat_4$›) le segment de tons entiers de quatre notes appartenant à C20 – ramassé dans le registre du $si\flat_3$ au $sol\sharp_4$ –, auquel s'adjoint le $fa\sharp_4$ des ténors, dont l'attaque coïncide avec l'entrée des sopranos et qui est tenu pendant la même durée de deux blanches = huit croches [exemple 41].

Bien qu'elle se referme sur elle-même (annonçant, ce faisant, le retour des palindromes), la ligne de basse ouvre la voie: les altos reprennent à sa suite, une octave plus haut, le mouvement diatonique ‹$sol\natural$ $la\natural$ $si\flat$›, dont la dernière note, combinée au $fa\natural$ des ténors, s'inscrit dans une nouvelle présentation de α, mi-verticale mi-horizontale[149], et c'est cet accord de tons entiers ‹fa_4 $sol\natural_4$ $si\natural_4$› – qu'il est difficile de ne pas entendre, tel qu'il est amené et

149 Ce passage illustre, une nouvelle fois, la densité du réseau de relations que permet de tisser la série: le déroulement de α, à la mes. 18 (avec la levée), est en effet l'exact symétrique de celui de α' au sein du bloc *staccato* qui précède – à un seul détail près: $sol\sharp$ et $si\natural$ s'ordonnent autour d'un centre

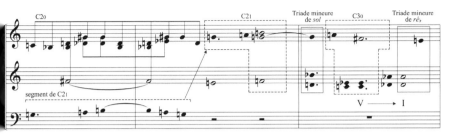

EXEMPLE 41
Dreimal tausend Jahre, mes. 16-18, structures d'intervalles

disposé (avec le *si*♮ au sommet), comme une dominante de *do* –
qui, en levée de la mesure suivante, introduit « *Gottes Wiederkehr* ».
Même si la décomposition de β, dans les voix médianes, continue
d'obéir à une logique mélodique (avec le motif *w* aux ténors), la
dimension harmonique prend le pas, à partir d'ici, sur la linéarité
de l'écriture contrapuntique : deux purs accords parfaits mineurs,
à distance de triton (*sol* puis *ré*♭), se forment sur la première et la
dernière syllabes – « *Got*-(*tes Wieder*)-*kehr* » –, et le second est amené
par une 7ᵉ diminuée, en position serrée, où il est aisé d'entendre
la♭ comme fondamentale (*mi*♮ = *fa*♭ sonnant comme la résolution
du retard *fa*♯ = *sol*♭). Le rythme trochaïque noire pointée + croche
(en augmentation aux sopranos), très présent dans le tissu vocal
depuis le départ, s'affirme maintenant à l'intérieur d'un 3/2 porteur d'une discrète connotation hymnique.

Le développement, entièrement dédié aux derniers mots du
poème, que constituent les mes. 19-25 (ou 24bis) est particulièrement intéressant du point de vue de l'interaction entre harmonie
et contrepoint [exemple 42]. À la mes. 19, la forme P7, décomposée
comme précédemment en 4 + 2 notes, est cette fois couplée avec I0,
en sorte qu'un bref canon par mouvement contraire se met en place
entre les sopranos et les basses ; seul s'écarte de la stricte symétrie
le *mi*♭₃ des basses ; en revanche, l'inversion est exacte pour les deux
accords qui se forment avec les tritons (notes 5-6) [exemple 43].

Ce début de canon se dédouble aussitôt, les sopranos reprenant une nouvelle fois, à présent dans un rythme large et régulier (le 6/4 se rétablit clairement ici), le segment diatonique de α

de symétrie différent (*la*♮₄-*si*♭₄ au lieu de *mi*♭₄-*mi*♮₄), mais du simple point
de vue technique *sol*♯ ne pouvait pas être chanté une octave plus bas.

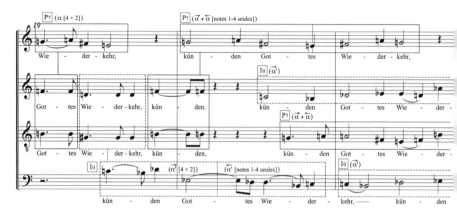

EXEMPLE 42
Dreimal tausend Jahre, mes. 19-25, agencement sériel

EXEMPLE 43
Dreimal tausend Jahre, mes. 19,
symétrie de l'agencement

apparu aux mes. 17-18, lequel est ensuite déroulé à l'envers – et le palindrome de sept notes ainsi obtenu coïncide ici avec le syntagme «*künden Gottes Wiederkehr*», qui compte précisément sept syllabes (mes. 20-21). Or, le même palindrome est réalisé dans la ligne de basses à partir du déroulement de α', ce qui crée un lien étroit entre les deux lignes mélodiques ; mais si l'imitation est exacte pour les hauteurs (le nouveau centre de symétrie, $la\natural_3$-$si\flat_3$, se stabilise à partir du $mi\flat_3$), elle ne l'est plus, ici, rythmiquement (dans la voix de soprano, le rythme trochaïque disparaît, et le chant est purement syllabique), et la découpe du texte est elle-même différente : dans les basses, la dernière syllabe, «-*kehr*», appartient sériellement à l'unité suivante[150]. Malgré des amorces de combinaison P/I, l'agencement contrapuntique n'obéit, à partir de là, à aucune règle précise : ainsi, les altos déroulent deux fois de suite, à l'endroit, le 1er hexacorde de I0 (α'), tandis que dans la voix de ténors se construit un palindrome de douze notes formé de α et de son rétrograde (l'ébauche de canon par mouvement contraire qui en résulte, au départ, sur le plan des hauteurs s'interrompt donc au bout de six notes)[151] ; un autre palindrome se met en place, de façon beaucoup plus libre, à partir de la mes. 21 : l'hexacorde α' est d'abord énoncé de façon linéaire par les basses (d'où un effet d'imitation, par mouvement semblable cette fois, avec les altos), mais le rétrograde de α' est ensuite distribué sur les voix de basses et de sopranos (mes. 22-23). La réitération des derniers mots du poème s'effectue ainsi à l'intérieur d'un tissu polyphonique où la conduite des voix ne repose sur aucune combinatoire bien définie[152].

Prévaut en effet, dans tout ce passage, le contrôle harmonique [exemple 44]. On y entend d'abord se détacher de pures sonorités de tons entiers, l'articulation interne de l'unité qui correspond au premier « *Wiederkehr* » des sopranos (mes. 19) étant assurée par le passage d'une gamme à l'autre (C21 → C20). Le membre de phrase suivant, centré sur le palindrome de la voix supérieure (mes. 20-21,

---

150 Il est possible que Schönberg ait noté le texte du poème, au moins en partie, *après coup*, une fois mise au point la partition musicale. Qu'il ait pratiqué ainsi pour les *Folksongs* op. 49 ressort de la correspondance échangée avec Greissle. Alors que restait ouverte la question du choix de la langue (anglais ou allemand, ou les deux), il écrivit à ce dernier : « Il va être suffisamment difficile de mettre les mots allemands de toutes les strophes sous mes voix ! Je ne le ferai qu'une fois tranché le problème de la langue. » (lettre du 26 juin 1948, ASC, *Briefe*, ID 4732) ; de même dans la lettre du 9 juillet : « Placer le texte sous les notes (*the underlaying of the text*) a pris énormément de temps. » (ID 4736).

151 Nulle part mieux que dans ce palindrome des ténors, où le texte est chanté deux fois : d'abord sur les notes de α, puis sur celles du rétrograde de α, n'est explicite le lien avec l'idée du retour exprimée par le mot « *Wiederkehr* ».

152 Naomi André déjà souligne la «liberté croissante» avec laquelle la série est traitée à la fin de la pièce («Returning to a Homeland», p. 277).

EXEMPLE 44

Dreimal tausend Jahre, mes. 19-25, structures d'intervalles

avec la levée) – où est reprise la proposition entière : « *künden Gottes Wiederkehr* » –, repart de C21 pour aboutir cette fois, sur la syllabe « *Wie*-(*der*) », à une triade majeure/mineure de *fa♯* = *sol♭* (avec *do♮* en tant que retard à la basse). Le terme du parcours est atteint sur la dernière syllabe du mot, non pas aux sopranos, mais, sur le 1er temps de la mes. 22, dans les voix médianes, et cela par un enchaînement subtil où, d'un agrégat complexe apparenté à une harmonie de 9e majeure – {*mi♭, sol♮, si♭, ré♭, fa♮*} comme dominante de *la♭* – se dégage, sur la dernière noire de la mes. 21, la triade mineure de *la♭* (quarte-et-sixte) – celle-ci se muant alors en structure de tierces mineures avec le *ré♮* des basses : ‹*ré♮₃ si♮₃ la♭₄*›. Car cet enchaînement – et le contrepoint imprime de nouveau ici sa marque – est tissé à partir de plusieurs versions du motif *w* : celles qui sont inscrites dans les hexacordes α' et α : ‹*ré♭ mi♭ ré♮*› aux altos puis dans les basses, et ‹*fa♯ mi♮ fa♮*› aux ténors, auxquelles s'ajoute une transposition obtenue par la succession des deux dernières notes de la partie de sopranos et du *la♭* des altos : ‹*la♮₄ sol♮₄ la♭₄*› – d'où une forte prégnance, dans ce passage, des mouvements chromatiques, traduits musicalement sous la forme de notes attractives, dans l'esprit de la tonalité (*cf.* le *mi♮* menant au *fa♯*, note réelle de l'accord de 9e majeure, dans la partie de ténors)[153].

153 Le *ré♮* des altos, de la même façon, peut être interprété comme une échappée, les voix montant à *la♭* au lieu de *mi♭* – *cf.* les deux quintes diminuées parallèles : ‹*ré♮₄ la♭₄*› et ‹*fa♯₃ do♭₄* (écrit *si♮₃*)›.

Si, au début de l'ultime section (l'agrégat initial de trois notes faisant office de pivot)[154], se prolonge d'abord la configuration de tierces mineures, étendue à la « 7e diminuée » ‹fa♮$_3$ la♭$_3$ si♮$_3$ ré♮$_4$› (C32) en position serrée – avec le dessin mélodique ‹si♮$_3$ fa♮$_3$› aux ténors (rythme trochaïque) –, c'est ensuite la couleur de tons entiers qui, à nouveau, prend le pas, mais, cette fois, à l'intérieur de ce qui peut être décrit comme le déploiement successif de deux échelles modales, établies respectivement sur *do*♮ puis sur *mi*♮. À la mes. 23, le mouvement de la phrase musicale conduit, par un enchaîne-ment où ressort la combinaison des tritons ‹la♮$_3$ mi♮$_4$› et ‹ré♭$_5$ sol♮$_3$› (C61,3) (avec, nettement en dehors dans la voix d'alto, l'intervalle de septième expressif sur « *Gottes* » ‹ré♭$_5$ mi♭$_4$›), à un premier accord tenu, sur lequel trois des quatre voix posent, une fois encore, la der-nière syllabe de « *Wiederkehr* ». Deux triades sont imbriquées dans cet accord – la triade mineure de *do* et la triade majeure de *mi*♭ –, ce qui le rend tonalement ambigu ; pourtant, et bien que la triade de *mi*♭ soit mise en avant dans sa partie supérieure, la quinte ‹do♮$_3$ sol♮$_3$› sur laquelle il est fermement établi tend à faire prévaloir (et cela vaut rétroactivement pour tout l'enchaînement) la « tonique » *do*.

Via un retour de la structure de tierces mineures appartenant à C32, l'énoncé s'infléchit, à partir de là, vers *mi*♮. Si marquée que soit, dans la pièce tout entière, la retenue de l'expression, cette « modulation » à la tierce majeure supérieure induit *in fine* un effet d'exaltation, sensible dans l'arpège mélodique de *mi* mineur qui s'élève lentement dans la partie de sopranos à partir du *si*♮ grave (c'est l'unique fois dans la pièce que cette triade présente dans α et dans β' est ainsi mise en évidence), mais aussi, et de façon sans doute plus significative encore, dans la quinte ascendante ‹mi♮$_3$ si♮$_3$› par laquelle est amené, dans la partie de ténors, l'accord final[155].

154 Que dans les parties médianes la syllabe « -*kehr* » ait la valeur d'une simple croche tient à la nécessité d'introduire une respiration pour que soit bien marqué, sur la deuxième noire du 6/4, le départ de la nouvelle unité. La brièveté de la note rend possible un effet de rebond.

155 Contribue également à cet effet la structure des deux « modes » : dans le premier prédominent nettement les degrés mineurs (ce pourrait être un mode de *mi*, seul le la♮ fait exception), dans le second, à l'inverse, les degrés majeurs qui remplissent la quinte ‹mi♮ si♮› l'apparentent à un mode de *fa*.– Le déploiement mélodique de la triade ‹si♮ mi♮ sol♮› dans la voix de sopranos a été relevé par Naomi André – qui, par inadvertance, parle à deux reprises d'un « *E major chord* » (« Returning to a Homeland », p. 273 et p. 281) –, mais la musicologue n'entre pas plus avant dans la complexion du texte musical.

Plus encore que précédemment, l'intervalle de quinte joue ici un rôle déterminant dans la définition du complexe sonore auquel il appartient, et dans lequel est maintenant déployée toute la gamme par tons entiers C2o. Bien que le *mi*♮ ne soit pas présent dans ce dernier agrégat, où s'imbriquent, symétriquement, deux septièmes majeures (‹*do*♮$_3$ *si*♮$_3$› dans les voix d'hommes, ‹*la*♭$_3$ *sol*♮$_4$› dans les voix de femmes) – ce qui en fait l'accord le plus «dissonant» de toute la pièce –, celui-ci n'en sonne pas moins comme un substitut d'accord de tonique, à la fois majeur et mineur (avec *la*♭ = *sol*♯ et *sol*♮) – cette tonique étant remplacée, et d'une certaine façon représentée, par le 6e degré mineur *do*♮.

7.1 Incidences sur l'œuvre du rapport au sionisme

Autant il est aisé de mettre en relation avec le sujet du poème, dans *Dreimal tausend Jahre*, le recours à la figure du palindrome, autant le fait que les réminiscences tonales, quoique fortement suggérées, soient, tout au long de la pièce, fondues dans une sorte de demi-teinte, comme devinées derrière un voile, et que vienne la conclure, de surcroît, un accord résolument «dissonant» – quelle que puisse être sa plénitude sonore[156] –, a quelque chose de surprenant eu égard à la teneur du texte mis en musique. La tonalité feutrée du poème lui-même n'appelait pas, il est vrai, cette composition de caractère hymnique que Schönberg eut un moment à l'esprit pour «saluer» la création de l'État d'Israël, comme le révèle sa lettre à Torberg du 4 mars 1949: une pièce, écrivait-il, «je ne sais si ce devrait être un hymne ou quelque chose de semblable», qui serait «appropriée à ce but de célébration»[157]. La fin

---

156 Il est difficile de se faire une idée de la façon dont *sonne* cette fin en écoutant les enregistrements réalisés par Pierre Boulez et par Reinbert de Leeuw, qui la font chanter *pianissimo* et *morendo*, dans un tempo très étiré – ce que ne justifie guère le sens du poème (la partition ne comporte du reste à cet endroit aucune indication, ni de nuance ni de tempo – seul est noté le point d'orgue au-dessus du dernier accord –, alors qu'à la fin du 1er volet Schönberg a bien prescrit un *ritardando* et un *diminuendo*). La version de Rupert Huper est sans doute ici celle qui tire le meilleur parti du texte musical, tant sur le plan sonore que du point de vue du caractère et de la conduite du discours.

157 Fr. Torberg, *In diesem Sinne*, p. 360 (voir déjà *supra* la note 122). La lettre dactylographiée est reproduite dans le livre édité par Nuria Nono-Schoenberg, *Arnold Schönberg 1874-1951*, p. 416 (voir aussi le fac-similé du document sur

de la lettre témoigne, au demeurant, d'une hésitation, née peut-être de la crainte que soit difficilement évitable, dans le mode d'expression hymnique, une coloration néo-classique ; après avoir demandé conseil à l'écrivain, Schönberg ajoutait : « Peut-être un hymne est-il la solution la plus adaptée ; mais je me pose la question. J'aimerais trouver quelque chose qui convienne à toute mon orientation, qui ne suit pas précisément le chemin convention-nel.[158] » Il est éclairant de rapprocher ce propos de la réponse que le compositeur fit l'année suivante à Chemjo Vinaver au sujet de la mélodie liturgique, héritée de la tradition, que ce dernier lui avait fait parvenir en complément du texte en hébreu du *De profundis* :

> J'ai aussi tiré profit du motif liturgique que vous m'avez envoyé en me conformant à peu près à son expression. Évidemment, vous ne pouvez pas attendre de moi une musique dans ce style primitif. J'écris une pièce dodécaphonique (*a 12-tone piece*)[159].

On voit s'exprimer ici le souci qui animait Schönberg de ne pas séparer son identité juive de son identité de compositeur, insépa-rable elle-même de la méthode de composition qu'il avait mise au point. Sans doute y avait-il, à ses yeux, une certaine affinité entre le mode de pensée musicale qui lui était propre et certains traits fondamentaux de la mystique juive, comme le laisse entendre un propos tiré de la lettre qu'il adressa en janvier 1925 à Albert Einstein, où il abordait la question de l'existence d'une musique (savante) juive. « D'un côté, écrivait-il, l'art des Néerlandais rappelle par beaucoup d'aspects ce qu'enseignent le Talmud et la Kabbale,

---

le site de l'ASC : *Briefe*, ID 4711) ; le texte a été légèrement retouché dans le livre de Torberg. L'expression de « *Begrüssungsmusik* » apparaît dans la lettre précédente, en date du 31 janvier 1949 (*ibid.*, ID 4886).

158 « *Vielleicht ist eine Hymne das Richtige ; aber das weiss ich nicht. Ich möchte doch was finden was zu meinen ganzen Tendenzen passt die nicht gerade den* (sic) *konventionnellen Weg entspricht* (sic). » (*ibid.*).

159 Lettre de Schönberg à Chemjo Vinaver du 24 juin 1950 (ASC, *Briefe*, ID 5470). Dans *Kol Nidre*, Schönberg avait bien employé des éléments de la mélodie hébraïque traditionnelle, en dépit du fait, souligne-t-il dans une lettre à Paul Dessau, qu'en tant que monodie celle-ci « ne prend appui sur aucune harmonie au sens où nous l'entendons, et peut-être même sur aucune poly-phonie » – *cf.* Arnold Schoenberg, *Briefe* (Erwin Stein, éd.), Schott's Söhne, 1958, p. 228 (lettre à Paul Dessau du 22 novembre 1941) [trad. fr. : A. Schoen-berg, *Correspondance 1910-1951*, Paris, Jean-Claude Lattès, 1983, p. 216], et le dossier relatif aux sources utilisées pour l'œuvre dans *SW 19*, p. 13-22 ; mais *Kol Nidre* n'est justement pas une composition dodécaphonique.

et d'un autre côté la musique tsigane, que les Juifs ont contribué à propager, constitue le pendant de cet art cérébral reposant sur des connaissances scientifiques et occultes.»[160]

Reste qu'après avoir écrit ses trois *Folksongs*, Schönberg aurait pu, dans ce qui devait initialement constituer son opus 49b, procéder de la même manière que dans *Verbundenheit*, et concilier l'esprit de la technique sérielle avec l'emploi d'un matériau musical largement diatonique, plus familier au public – ce qu'il n'a pas fait, et ne fera pas non plus dans le *Psaume 130* et dans *Psaume moderne*. On ne peut entrevoir les raisons d'un tel choix que si l'on quitte la sphère purement musicale, pour considérer, dans un premier temps, quelle était – et cela depuis le début des années 1920 – la position de Schönberg vis-à-vis du projet sioniste. La lettre à Torberg du 4 mars 1949 contient, sur ce point encore, un indice précieux : juste après avoir fait part de son idée d'écrire une pièce susceptible d'être jouée lors des cérémonies liées à la création de l'État d'Israël, Schönberg précise : «À vrai dire, je n'étais pas auparavant un ami du sionisme, et j'ai développé d'autres plans.» – avant d'ajouter : «Mais je me réjouis naturellement du succès et, par dessus tout, de ce qu'ait été accomplie ma loi selon laquelle on devait s'assurer la possession d'une terre (*ein Land erwerben*) avec son propre sang.[161]» Cette phrase fait écho, à distance, à une phrase de la lettre, déjà citée, par laquelle le compositeur faisait part à Einstein du désir de le rencontrer pour parler avec lui «de la question de l'érection d'un État juif» : «Je diverge sur beaucoup de points, écrivait-il, de la propagande sioniste, sans en méconnaître la valeur.[162]»

Schönberg s'est exprimé sur la question du sionisme à maintes reprises, sous des formes très diverses. Deux écrits marquent, à

---

160 *Cf.* E. Randol Schoenberg, «Arnold Schoenberg and Albert Einstein : Their Relationship and Views on Zionism», *Journal of the Arnold Schoenberg Institute*, 10/2, novembre 1987, p. 155. Sur le rapport de Schönberg à l'idée d'une «musique juive», voir S. Feisst, *Schoenberg's New World*, p. 97 *sqq.*

161 Fr. Torberg, *In diesem Sinne*, p. 360.

162 E. R. Schoenberg, «Arnold Schoenberg and Albert Einstein», p. 156. Le physicien ne répondit pas à ce courrier, à la grande déception de Schönberg : en témoigne ce qu'il écrit à ce sujet dans sa longue lettre du 12 mai 1934 adressée au rabbin Stephen Wise, ardent militant de la cause sioniste (et ami d'Einstein), qui présidait alors le Congrès juif américain (*Stile herrschen, Gedanken siegen*, p. 317 *sq.*) ; sur le rabbin Wise et les échanges que Schönberg eut avec lui, voir le chapitre du livre de Ringer intitulé «The Composer and the Rabbi», où est donnée une traduction anglaise de cette lettre (*The Composer as Jew*, p. 150-160).

cet égard, des jalons essentiels dans son œuvre de militant juif : la pièce de théâtre *Der biblische Weg* (achevée en juillet 1927)[163], et un véritable manifeste, intitulé *A Four Point Program for Jewry*, qu'il rédigea en octobre 1938[164], et dans lequel il développe longuement les motifs qui l'ont amené à rejeter l'idée d'établir en Palestine – quel que soit l'attachement sentimental que tout Juif, reconnaît-il, ne peut qu'éprouver à l'idée d'un retour dans la « Terre promise »[165] – cet État juif qu'il appelle, par ailleurs, de ses vœux. Il y formule ainsi ses objections :

Si l'on considère la position politique, géographique et stratégique de la Palestine, on peut douter que l'occasion se présente jamais pour nous d'en prendre possession. Les autres religions pour lesquelles Sion est devenue un lieu sacré ne cesseraient de contester notre droit. Et entourée de Mahométans, la Palestine sera dans la pire des situations stratégiques. Seul un dirigeant du monde tel que l'Angleterre pourrait s'engager à nous protéger, et même

---

163 *Cf. supra*, p. 295, la note 121.
164 *Cf.* M. Mäckelmann, *Arnold Schönberg und das Judentum*, p. 310-330, et A. Ringer, *The Composer as Jew*, p. 138-146. Cet écrit important (Ringer le présente comme le « testament politique » de Schönberg), resté impublié, n'a été édité qu'en 1979 dans le *Journal of the Arnold Schoenberg Institute*, 3/1, p. 49-67. Il figure en annexe dans le livre de Ringer (*op. cit.*, p. 230-234), et Anna Maria Morazzoni l'a réédité, avec un commentaire et des notes, dans *Stile herrschen, Gedanken siegen*, p. 302-323. Schönberg avait déjà exposé ses thèses sur le sujet dans un texte de 13 pages manuscrites, non daté (la chemise où il était classé porte l'indication « *perhaps about 1937* ») et demeuré à l'état de fragment (ASC, *Schriften*, T 25.07). La première prise de position officielle du compositeur sur le sionisme remonte à 1924 : il s'agit d'un bref article, *Stellung zum Sionismus*, écrit à la demande du militant sioniste Rudolf Seiden en tant que contribution à un recueil de textes paru sous le titre *Pro Zion !* – *cf. Stile herrschen, Gedanken siegen*, p. 274 *sq.*, et les commentaires de Mäckelmann (*Arnold Schönberg und das Judentum*, p. 56-59).
165 « Pour tout Juif, l'idée de la Palestine va de soi, sans le moindre doute, c'est un fait acquis, qui n'a pas besoin d'une mention spéciale et qui ne dépend pas d'un vote. Tout Juif sent, sait et ne pourra jamais oublier que la Palestine est à nous et que nous en avons été privés par la seule force ; que nous n'accepterons jamais les prétentions d'une autre nation sur notre terre promise. Cette conviction domine émotionnellement nos positions politiques, mais un homme d'État doit réprimer les sentimentalités (*suppress sentimentalities*). » (*A Four Point Program for Jewry*, dans *Stile herrschen, Gedanken siegen*, p. 306 [A. Ringer, *The Composer as Jew*, p. 235]). Plus loin dans le texte, Schönberg qualifie de « *very pathetic* » ce « désir insatiable » qui porte les Juifs vers Sion (*ibid.*, p. 312 [Ringer, p. 241]).

elle ne le fera que pour autant que ses intérêts le permettent et le réclament. Les dirigeants juifs devraient comprendre que la politique mondiale est largement dominée par les questions économiques. S'ils ont négligé de prendre cela en compte, le sujet doit au moins être discuté ici : N'est-il pas évident que si la Palestine a de l'attrait pour les grandes puissances c'est pour des raisons qui relèvent d'autre chose que de l'idéalisme et de la religion[166] ?

La cible principale de Schönberg était, dans ce texte, l'attitude de tous ceux qui, lors du Sixième congrès sioniste en 1903, s'étaient opposés, contre l'avis de Theodor Herzl, à l'adoption de l'offre faite par les Britanniques d'implanter une colonie juive, au moins à titre provisoire, dans la partie occidentale de l'actuel Kenya, qui faisait alors partie de leur Empire[167]. À la clairvoyance de Herzl, qui avait réalisé « qu'ériger à ce moment-là un *"Judenstaat"* en Palestine n'était pas possible » – même si l'on continuait de voir en Jérusalem le but ultime –, Schönberg opposait l'aveuglement qui avait conduit une majorité de sionistes à faire obstacle à la mise en œuvre de ce projet, dont la réalisation, soulignait-il, eût, par la suite, permis à de nombreux Juifs d'échapper à la persécution en leur garantissant un refuge sûr[168]. De là cette charge virulente :

166 *Ibid.*, p. 312 (A. Ringer, *The Composer as Jew*, p. 242).
167 Une majorité se dégagea lors de ce congrès, dans une ambiance très tendue, en faveur de l'envoi sur place d'une commission d'enquête, et ce n'est que lors du congrès suivant, en juillet-août 1905, que la proposition fut définitivement rejetée, les opposants au projet (sous la conduite de l'un des leaders du mouvement sioniste, l'ingénieur russe Menahem Ussishkin) ayant réussi à faire prévaloir l'avis négatif exprimé par l'un des trois rapporteurs (les deux autres rapports étaient, l'un positif, l'autre plus réservé). Voir l'historique très détaillé de la question ougandaise que fait Gur Alroey dans son ouvrage *Zionism without Zion : The Jewish Territorial Organization and Its Conflict with the Zionist Organization*, Detroit, Wayne State University Press, 2016, chapitre 1 (p. 15-72).
168 « La situation actuelle des Juifs serait bien différente s'il existait aujourd'hui un État indépendant en Ouganda, fondé vers 1905, comptant peut-être une population de cinq à dix millions de personnes, capable d'héberger de dix à vingt millions de personnes de plus, indépendant économiquement, peut-être aussi doté d'un armement moderne et même peut-être non dépourvu d'influence politique et diplomatique. » (*A Four Point Program for Jewry*, dans *Stile herrschen, Gedanken siegen*, p. 306 [A. Ringer, *The Composer as Jew*, p. 235 *sq.*]). La « Nouvelle Palestine » (*Neupalästina*), ce royaume imaginaire du nom d'*Ammongäa* où se déroulent les 2ᵉ et 3ᵉ actes de *Der biblische Weg* – et dans lequel le héros du drame, Max Aruns (« double » de Schönberg lui-même), s'emploie à fonder un État juif

Est-ce que tous ces hommes qui ont voté contre le projet Ouganda se rendent compte de ce qu'ils ont fait ? Savent-ils que c'est leur damné individualisme, leur fol entêtement, leur grossier dogmatisme, leur manque de vision politique à long terme, leur incompétence pleine d'arrogance dans les affaires mondiales et nationales, leur vanité, leur fierté, leur légèreté et leur frivolité qui nous ont mis dans cette situation, qui nous ont rendus impuissants face au désastre ? Savent-ils que leurs noms devraient être inscrits dans l'histoire de notre peuple comme les noms de ces hommes qui seront tenus pour responsables de cet énorme accident de parcours[169] ?

Et le dernier des quatre points du *Programme* débouchait sur ces considérations :

Il n'y a qu'un seul moyen de sauver les Juifs : obtenir une terre où le peuple juif puisse émigrer. Peu importe que cette terre nous soit donnée en tant que colonie ou en tant qu'État indépendant, sous

moderne –, ressemble beaucoup à une transposition du modèle ougandais. Moshe Lazar a cependant mis en doute que le lieu même où s'étend ce royaume d'Ammongäa ait été de façon littérale, dans l'esprit de Schönberg, l'Ouganda – comme le juge vraisemblable, notamment, Mäckelmann (*Arnold Schönberg und das Judentum*, p. 79) ; il s'agit bien plutôt, selon lui, de la région située entre Jericho et Rabbat Ammon (dans l'Ouest de l'actuelle Jordanie) que couronne le Mont Nébo, d'où Moïse découvrit la Terre promise avant de mourir (M. Lazar, « Schoenberg and His Doubles », p. 85). Reste que le nom même de « New Palestine » est celui que le représentant de Herzl en Grande-Bretagne, Leopold Greenberg, proposait de donner à la future colonie juive d'Ouganda dans le document de travail initial – appelé *Jewish Colonization Scheme* – remis au gouvernement britannique en avril 1903 (G. Alroey, *Zionism without Zion*, p. 18). Schönberg a du reste hésité lui-même, au départ, sur cette localisation : dans un premier brouillon du 2ᵉ acte, il est question d'un « pays étranger dont les habitants de couleur (asiatiques ?), un très grand peuple, sont prêts à mettre à la disposition des Juifs, sous certaines conditions, un territoire suffisamment grand » (*Der biblische Weg*, p. 347, et M. Mäckelmann, *op. cit.*, p. 124).

169 *A Four Point Program for Jewry*, dans *Stile herrschen, Gedanken siegen*, p. 307 (A. Ringer, *The Composer as Jew*, p. 236). Dans *Le Chemin biblique* déjà, il est question des puissants adversaires du projet défendu par Max Aruns, qui, prenant fait et cause pour Jérusalem, « ont rallié à leur cause les orthodoxes et les sionistes de toutes les tendances », avec le soutien du « grand capital auquel appartiennent les principaux journaux » (*Der biblische Weg*, acte I, 2ⁿᵈ tableau, scène 2, p. 206-208).

protectorat ou sous tout autre condition. Que nous achetions ce terrain ou que nous l'obtenions gratuitement ne devrait pas non plus être un souci pour nous. Que cette terre offre de bonnes ou de mauvaises conditions climatiques, géographiques ou commerciales est également sans importance ; on sait que la technique actuelle rend la vie possible partout : dans la jungle, dans le désert ou aux pôles. Il suffit que ce soit une terre. Nous devons nous adapter.

Il y a encore suffisamment de terres qui ne sont pas habitées par d'autres peuples. Et il ne manque pas d'États qui ont besoin d'argent. Et tant que les Juifs ont de l'argent, ils seront en mesure d'acheter une terre, et peut-être même une terre qui offre les meilleures conditions pour un État moderne[170].

Une telle position – voisine de celle de l'« Organisation territoriale juive » (ITO) créée en août 1905 par l'écrivain anglais Israel Zangwill après le rejet du « plan Ouganda »[171] – était devenue très marginale au sein des mouvements juifs après le démantèlement de l'Empire ottoman et la « déclaration Balfour » de novembre 1917, aux termes de laquelle le gouvernement britannique disait « envisager favorablement l'établissement en Palestine d'un foyer national pour les Juifs » et assurait qu'il s'emploierait au mieux « à faciliter la réalisation de cet objectif »[172]. Malgré cela, et quitte à s'isoler,

170 A Four Point Program for Jewry, dans Stile herrschen, Gedanken siegen, p. 313 sq. (A. Ringer, The Composer as Jew, p. 243 sq.)

171 Les « territorialistes » quittèrent l'Organisation sioniste pour fonder la Jewish Territorial Organization après le vote de la résolution selon laquelle toute proposition d'installer le peuple juif ailleurs qu'en Palestine, fût-ce provisoirement, devait être rejetée, conformément au « Programme de Bâle » adopté lors du Premier congrès de 1897 (cf. G. Alroey, Zionism without Zion, p. 67 sq., ainsi que l'histoire du mouvement dans les chapitres 2 et 3 de l'ouvrage ; voir également Henry Laurens, La Question de Palestine : 1799-1922, Tome 1 – L'invention de la Terre sainte, Paris, Fayard, 1999, p. 206-213). Dans son intervention lors du Sixième congrès, en 1903, Zangwill avait souligné que nul ne pouvait aimer Sion avec plus de plus passion que lui, mais que ce qu'il avait à l'esprit était « l'Israël de la tradition et de la légende » – la Jérusalem céleste –, et que « si l'Afrique ne permettait pas d'atteindre la Palestine du point de vue géographique, elle offrait le moyen de le faire du point de vue politique » (G. Alroey, Zionism without Zion, p. 24). Jusqu'au déclenchement de la Première Guerre mondiale, il continua d'explorer d'autres pistes : le Canada, le Nord et l'Ouest de l'Australie, la Mésopotamie, l'Angola et Galveston (au Sud de l'État du Texas) – voir le 5e chapitre du livre d'Alroey, intitulé « The Search for a Homeland » (p. 202-253).

172 La déclaration était assortie de cette condition : « étant clairement entendu que rien ne sera fait qui puisse porter atteinte, soit aux droits civiques

Schönberg s'en tint à sa vision des choses, comme en témoigne le texte manuscrit, non daté mais rédigé sans doute en 1946, intitulé *The Jewish Government in Exile*, qui était manifestement destiné à être lu à la radio, et dans lequel il se présentait comme «le président du Gouvernement en Exil de la Nation Juive», siégeant aux côtés des ambassadeurs des grandes puissances et de nombreuses personnalités juives de premier plan (hommes de science, artistes, etc.); suivait une liste de onze points énonçant les mesures à prendre, dont le premier était formulé ainsi:

> L'établissement d'un État juif n'interfèrera pas avec la dévotion et l'ardent désir que nous éprouvons pour notre Palestine (*will not interfere with our awe and longing for our Palestine*), mais il engendrera, en nous Juifs et en nos anciens adversaires, ce sentiment de sécurité et de repos qui est le premier pas vers une paix durable[173].

Cette idée d'un «gouvernement en exil de la nation juive» est exposée en des termes très voisins dans une lettre que Schönberg écrivit en avril 1946 au philosophe sioniste d'origine russe Jakob Klatzkin, avec lequel il était en contact depuis 1930, pour lui demander ce qu'il en pensait; l'une des missions de ce gouvernement serait, disait-il, d'obtenir par la négociation qu'«une partie d'un pays soit vendue, prêtée ou donnée comme protectorat pour un État juif indépendant»[174]. Dans sa réponse, datée du 3 mai, Klatzkin l'informa que diverses personnalités juives à qui il avait soumis le projet l'avaient jugé irréalisable, et qu'à leurs yeux la meilleure solution était d'établir un tel gouvernement en Palestine, «ce qui allait sans doute se faire prochainement» (*was wohl demnächst der Fall*

---

et religieux des collectivités non juives existant en Palestine, soit aux droits et au statut politiques dont jouissent les Juifs dans tout autre pays» (*cf.* H. Laurens, *L'invention de la Terre sainte*, p. 359-365).

173 ASC, *Schriften*, T 56.19. Voir, à propos de ce texte, M. Mäckelmann, *Arnold Schönberg und das Judentum*, p. 353-355 et S. Feisst, *Schoenberg's New World*,, p. 89 *sq.*– M. Lazar souligne que Schönberg, jusqu'en 1946, est resté fidèle au programme qui était celui de Max Aruns dans *Le Chemin biblique*, bien qu'il fût au courant «de l'étendue de la colonisation juive de la Palestine sous le mandat britannique, des activités du mouvement sioniste et de l'Agence juive, de la création de l'Université hébraïque de Jérusalem et de la renaissance de l'hébreu» («Schoenberg and His Doubles», p. 107).

174 ASC, *Briefe*, ID 4338. L'idée de Schönberg était d'installer ce gouvernement dans un navire qui serait, soit acheté, soit obtenu à titre de cadeau ou de prêt.

sein dürfte)[175] ; il suggéra néanmoins à Schönberg de lui envoyer un article exposant son plan, qu'il tâcherait de faire publier s'il le souhaitait – proposition qui resta sans suite, le compositeur (dont la santé était devenue très fragile) s'étant probablement découragé[176].

On imagine aisément, à la lumière de telles déclarations, qu'ayant nourri durant tant d'années une conviction aussi profonde concernant le devenir du peuple juif en général et les conditions d'un retour en Palestine en particulier, Schönberg n'ait pas éprouvé en 1948 le même enthousiasme sans mélange qui probablement animait Runes quand il écrivit ses *Chants du Jourdain*. S'il ne pouvait que se réjouir de la création de l'État d'Israël en elle-même, une forme d'amertume dut teinter sa joie à l'idée des conflits qui, selon la vision pessimiste du contexte géopolitique qui était la sienne depuis le départ, n'allaient pas manquer d'en découler[177]. Et en croyant pouvoir reprendre possession *directement* de la Terre promise, les sionistes enfreignaient également, à ses yeux, une loi divine : ils se dispensaient de cette nouvelle « marche dans le désert » (*Wüstenwanderung*) à laquelle les textes sacrés, tacitement, leur faisaient une obligation de se soumettre, et dont la signification est rappelée avec force par Moïse à la fin du 3e acte de *Moses und Aron*, juste avant le tomber du rideau : « Mais dans le

---

175 ASC, *Briefe*, ID 13118.
176 Une lettre à Thomas Mann, en date du 28 décembre 1938, révèle que Schönberg avait déjà échoué à faire publier *A Four-Point Programm for Jewry* aux États-Unis. L'écrivain allemand, vers lequel il se tournait pour lui demander son aide, lui conseilla en réponse d'adoucir le ton par trop polémique et diffamatoire du texte : « Il n'est que trop compréhensible humainement, lui dit-il, que des revues juives ne prennent pas sur elles de publier une contribution dans laquelle la direction juive tout entière est attaquée avec ce radicalisme et cette violence de l'expression. » (*Stile herrschen, Gedanken siegen*, p. 314 *sq*.).
177 Schönberg ne semble pas s'être exprimé sur les événements qui eurent lieu en Palestine au moment de la création de l'État d'Israël – comme le firent par exemple les 28 personnalités juives (parmi lesquelles figuraient Einstein, Hannah Arendt et Stefan Wolpe) signataires de la fameuse lettre publiée par le New York Times le 4 décembre 1948, où était dénoncée, à l'occasion de la venue aux USA de Menahem Begin, la montée en puissance dans le nouvel État d'Israël du *Herout* (dont Begin était le fondateur et le chef) : « un parti politique tout à fait semblable, par son organisation, ses méthodes, sa philosophie politique et son attrait social, aux partis nazis et fascistes », et qui « prêchait un mélange d'ultranationalisme, de mysticisme religieux et de supériorité raciale », propre à inspirer des actions terroristes telles que le massacre perpétré en avril 1948 dans le village palestinien de Deir Yassin.

désert vous êtes invincibles (*unüberwindlich*) et atteindrez le but : Unis avec Dieu »[178]. On est ainsi fondé à entendre, dans l'épaisseur de *Dreimal tausend Jahre*, un écho des déconvenues qu'avait values à Schönberg son engagement militant en faveur du peuple juif. Il ne pouvait être question pour lui, dans ces conditions, de renoncer de quelque façon que ce soit à son credo de compositeur.

7.2 Solitude du compositeur au sein du monde juif

Un second aspect de la relation de Schönberg à la communauté juive doit être mentionné ici, qui a trait, non plus à la vision politique, mais à son propre vécu personnel d'artiste. Ses écrits, et surtout sa correspondance abondent en propos manifestant un vif désappointement face au peu de reconnaissance, et d'intérêt pour sa musique, qu'il rencontrait de la part des Juifs en général, et des musiciens juifs en particulier. Dans sa lettre à Einstein déjà, il met en avant la « haine » que lui vouent dans le monde musical allemand, unis pour la circonstance, « les Juifs et les porteurs de croix gammées patentés (*die zuständigen Hakenkreuzler*) »[179]. Durant toute son existence, il regrettera de n'être apprécié en tant que compositeur, d'une façon générale, que par un public

---

178 *Cf.* Arnold Schönberg, *Moses und Aron. Entstehungsgeschichte, Texte und Textentwürfe zum Oratorium und zu Oper* (Christian Martin Schmidt, éd.), Série B, vol. 8/2, Mainz-Wien, Schott-Universal Edition, 1998, p. 239. Cette référence à la longue marche des Israélites dans le désert sous la conduite de Moïse est très présente dans *Le Chemin biblique* (*cf.* p. 218, 220, 222, etc.) ; le titre même du drame y renvoie – voir la notice manuscrite, datée du 2 septembre 1933, où Schönberg distingue le « but » (*Ziel*) que constitue la Palestine et le « chemin » (*Weg*) par lequel ce but peut être atteint (*Notizen zur jüdischen Politik*, ASC, *Schriften*, T 15.07, p. 10 *sq.*), ainsi que la lettre au rabbin Wise déjà citée, dans laquelle il glose comme suit l'expression de « chemin biblique » : « *Der biblische Weg*, c'est-à-dire le chemin de la liberté (*der Weg zur Freiheit*) » (*Stile herrschen, Gedanken siegen*, p. 318). Sabine Feisst, notons-le, commet une erreur en complétant le titre du 4e point du *Programme* de 1938, « *Ways must be prepared to obtain a place to erect an independent Jewish State*», par le mot « Palestine » entre crochets (*Schoenberg's New World*, p. 87) – car dans l'esprit de Schönberg un État établi en Palestine dépendrait du soutien de telle ou telle grande puissance, et ne serait justement pas indépendant.

179 E. R. Schoenberg, « Arnold Schoenberg and Albert Einstein », p. 155.

très restreint, composé en bonne partie de ses amis et de ses disciples[180]. Ce sentiment s'exprime jusque dans la lettre de remerciement qu'il adressa en septembre 1949 à tous ceux qui lui avaient envoyé leurs vœux pour son 75ᵉ anniversaire, et qui commence par ces mots : « N'être reconnu qu'après sa mort ».

> Je me suis résigné depuis de nombreuses années au fait de ne pas pouvoir compter de mon vivant sur une pleine et aimante compréhension de mon œuvre (*auf volles aund liebevolles Verständnis für mein Werk*), et donc de ce que j'ai à dire musicalement. Je sais bien que plus d'un de mes amis s'est déjà accoutumé à mon mode d'expression (*Ausdrucksweise*) et familiarisé avec mes idées[181].

Toutefois, de nombreux passages de la correspondance montrent que Schönberg comptait trouver à tout le moins chez les musiciens juifs un soutien – l'expression d'une solidarité –, et qu'il a souffert tout spécialement de la désaffection, voire de l'hostilité qu'ils n'ont cessé de manifester à l'égard de son œuvre. La relation détaillée qu'il fit en novembre 1934, à l'intention de ses amis et de ses proches, des multiples déceptions que lui avaient réservées ses premières semaines d'exil est, de ce point de vue, particulièrement significative[182] : parmi les *Kapellmeister* en poste aux Etats-Unis qui, déplore-t-il, « ont tout au plus joué de [lui] la *Nuit transfigurée* ou une transcription de Bach, mais, pour la plupart, aucune note », il mentionne tout spécialement Serge Koussevitzky (qu'il considère comme un charlatan, « si inculte qu'il ne sait même pas lire une partition »), Bruno Walter (« formidable chef d'orchestre », mais odieux en tant que personne) et Otto Klemperer – qui « joue bien entendu Stravinski et Hindemith, mais de [lui] aucune note, en dehors des *Bach-Bearbeitungen* » –, autrement dit (même s'il ne le précise pas) trois artistes juifs, alors que seuls Frederick Stock à

---

180 Voir notamment le texte de 1937 intitulé « How One Becomes Lonely », dans *Style and Idea* 1975, p. 30-53 (notamment p. 41, p. 48 *sq.* et p. 52).

181 « Erst nach dem Tode anerkannt werden - - - - ! » (texte daté du 16 septembre 1949), dans *Briefe*, p. 4 (fac-similé de la page manuscrite) et p. 301 (trad. fr. : *Correspondance 1910-1951*, p. 299 [je propose ici une traduction plus littérale]), ainsi que *Stile herrschen, Gedanken siegen*, p. 484.

182 Ce texte était conçu, là aussi, comme une réponse collective aux lettres de vœux reçues par le compositeur à l'occasion de son 60ᵉ anniversaire – *cf. Stile herrschen, Gedanken siegen*, p. 437-440 (traduction anglaise dans *Style and Idea* 1975, p. 25-29).

Chicago, et le pianiste australien Ernest Hutcheson, alors directeur de l'École de musique de Chautauqua (dans l'État de New York), se sont montrés bienveillants à son égard[183].

Un profond découragement – confinant, dit-il lui-même, à la dépression – s'exprime, face à cette indifférence dont il est l'objet de la part des musiciens juifs, dans la lettre à Jakob Klatzkin du 19 juillet 1938, où est expressément visé, par ailleurs, un mouvement dont l'objectif était de créer une musique juive spécifique en Palestine :

> Je n'ai pas composé depuis deux ans. J'avais trop de travail par ailleurs. En outre : pour qui écrire ? Les non-Juifs sont « conservateurs » et les Juifs n'ont jamais montré d'intérêt pour ma musique. Et maintenant on veut produire en Palestine, artificiellement, une musique juive originale qui rejette ce que j'ai accompli[184].

C'est son ami Peter Gradenwitz (un ancien élève de Josef Rufer à Berlin) qui en décembre 1936, un mois après son arrivée en Palestine, lui avait fait part de sa consternation face aux efforts qu'y déployaient la plupart des compositeurs pour créer une « musique "juive" », dans laquelle il disait ne voir qu'une larmoyante « camelote de folkloristes » (*Machwerke von Folkloristen*) – seul Stefan Wolpe, qui enseignait alors au Conservatoire de Jérusalem, faisant exception au milieu de ce désastre[185]. Une nouvelle lettre de

---

183 Schönberg reviendra longuement sur son différend avec Klemperer dans une lettre à Stiedry d'avril 1940, où il continue de reprocher au chef d'orchestre de n'avoir joué de lui, depuis qu'il dirige le Los Angeles Philharmonic, que des « arrangements » – tout en reconnaissant qu'à titre personnel il se comporte envers lui de façon tout à fait cordiale (lettre à Fritz Stiedry du 2 avril 1940, ASC, *Briefe*, ID 3432). Voir à ce propos S. Feisst, *Schoenberg's New World*, p. 160-163, où il est également question des relations amicales que Schönberg entretenait avec Stiedry (qui avait dirigé la création de *La Main heureuse* à Vienne en 1924) et avec Stock.

184 *Cf. Briefe*, p. 221 (trad. fr. : *Correspondance 1910-1951*, p. 208), et ASC, *Briefe*, ID 2995. Ringer, commentant ces propos, fait référence au rôle joué par le compositeur allemand Paul Ben-Haim dans l'impulsion donnée, en Palestine, au développement d'une musique hébraïque (*The Composer as Jew*, p. 193 *sq.*).

185 Lettre de Peter Gradenwitz à Schönberg du 3 décembre 1936, ASC, *Briefe*, ID 10825. Wolpe émigrera dès 1938 aux États-Unis, ses convictions politiques et artistiques lui ayant paru incompatibles avec celles qui prévalaient au sein de la diaspora juive en Palestine (*cf.* Brigid Cohen, *Stefan Wolpe and the Avant-Garde Diaspora*, Cambridge, Cambridge University Press, 2012, en particulier le 3e chapitre, p. 183-265).

Gradenwitz adressée à Schönberg deux ans plus tard vint encore noircir le tableau, qualifiant d'«indescriptible» la situation musicale en Palestine, en raison notamment de l'emprise «dictatoriale» exercée par le violoniste Bronislaw Huberman, le fondateur de ce qui allait devenir en 1948 l'Orchestre philharmonique d'Israël, sous la coupe duquel n'était essentiellement programmée, disait-il, que la musique de Paganini, Bruch, Tchaïkovski et Liszt, en même temps qu'il suffisait à tout compositeur de déclarer son œuvre comme «juive» pour être joué[186].

Cette image très négative fut en partie corrigée en 1939, du fait que Leo Kestenberg, avec lequel Schönberg avait été en contact étroit à Berlin entre 1925 et 1932, et qui était devenu depuis peu le directeur administratif du Palestine Symphony Orchestra, lui fit part en juillet de sa volonté d'inclure des œuvres de lui dans le programme des futurs concerts de l'orchestre – un premier pas significatif ayant été accompli dans ce sens avec l'exécution «extrêmement claire et soignée» de *Pelléas et Mélisande* que venait de diriger, lors de la dernière saison, Hermann Scherchen; après quoi, en octobre, le fondateur du Conservatoire de Palestine à Jérusalem, le violoniste Emil Hauser, offrit à Schönberg de devenir membre de l'Association des Amis dudit Conservatoire, qu'il venait de créer – proposition que le compositeur accepta avec un plaisir évident[187].

Une dizaine d'années plus tard, pourtant, la tonalité des lettres de Schönberg reste très sombre quand il est question de son rapport, en tant que compositeur, aux musiciens juifs, qu'il s'agisse des États-Unis ou, désormais, du nouvel État d'Israël. Ainsi écrit-il à Thomas Mann le 25 juillet 1948: «Ma situation est inhabituelle comparée aux autres novateurs. Pour les Allemands je suis un Juif,

---

186 Lettre de Peter Gradenwitz à Schönberg du 5 septembre 1938, ASC, *Briefe*, ID 10827. C'est Toscanini – autre chef ouvertement hostile à la musique de Schönberg – qui avait dirigé, le 26 décembre 1936, le concert inaugural de ce qui s'appelait alors l'Orchestre symphonique de Palestine. Le programme, très classique, comprenait la *Deuxième Symphonie* de Brahms et l'*Inachevée* de Schubert; le seul compositeur juif représenté était Mendelssohn, avec deux extraits du *Songe d'une nuit d'été*.

187 Voir les lettres de Peter Gradenwitz, Leo Kestenberg et Emil Hauser datées respectivement du 22 mai, du 25 mai et du 17 octobre 1939 (ASC, *Briefe*, ID 13073, 10828 et 14820), ainsi que la réponse de Schönberg à Hauser en date du 19 octobre (ID 3221). Le compositeur avait déjà, fin 1938, été élu Président honoraire de la *Palestine Music Association of America* (voir sa lettre du 2 décembre 1938 à la secrétaire de cette association basée à New York, ID 3105).

pour les Latins je suis un Allemand, pour les communistes je suis un bourgeois et les Juifs sont pour Hindemith et Stravinsky.[188] » Et le dernier des *Four Statements* datés du 28 janvier 1950 témoigne d'une désillusion plus cruelle encore :

> Il est curieux que les Juifs soient toujours les derniers à accepter mes réalisations, que ce soit en Israël ou dans le reste du monde. Ils jouent tout : Ravel, Hindemith, Stravinsky, Chostakovitch, Bartók, etc. – mais pas moi ! En dépit de mes contributions, ils sont mes plus grands ennemis[189] !

Entre ces deux déclarations prit place un épisode dont la correspondance montre qu'il a hanté quelque temps l'esprit de Schönberg, et dans lequel jouaient un rôle central deux compositeurs juifs américains alors très influents aux USA : Aaron Copland et William Schuman (devenu en 1945 le président de la Juilliard School). Dans une lettre à Rudolf Kolisch d'avril 1949 déjà, il dénonçait l'«activisme» des élèves de Nadia Boulanger, des «imitateurs de Stravinsky, de Hindemith et maintenant aussi de Bartók» – à savoir, tout spécialement, Schuman, Copland et Howard Hanson –, qui considéraient la vie musicale américaine comme «un marché à conquérir» et l'avaient entièrement «prise en main», «au moins dans les instituts d'enseignement»[190]. Mais quelques semaines plus

---

188 ASC, *Briefe*, ID 4656. Voir également E. Randol Schoenberg (éd.), *Apropos Doktor Faustus. Briefwechsel Arnold Schönberg – Thomas Mann, Tagebücher und Aufsätze 1930-1951*, Wien, Czernin Verlag, 2009, p. 111, et le facsimilé de la lettre manuscrite dans Nuria Nono-Schoenberg (éd.), *Arnold Schönberg 1874-1951*, p. 415. On lit déjà dans «How One Becomes Lonely» la phrase : « *I was a bourgeois and a Bolshevik.* » (*Style and Idea* 1975, p. 52).

189 Josef Auner (éd.), *A Schoenberg Reader : Documents of a Life*, New Haven, Yale University Press, 2003, p. 340. A contrario, peu d'interprètes prirent fait et cause pour la musique de Schönberg, aux États-Unis, comme le fit Dimitri Mitropoulos (*cf.* S. Feisst, *Schoenberg's New World*,, p. 165 *sq.*).

190 Lettre de Schönberg à Rudolf Kolisch du 12 avril 1949 (ASC, *Briefe*, ID 4977) ; une version expurgée de cette lettre (y sont gommés les noms des trois compositeurs) figure dans le volume édité par Erwin Stein (*Briefe*, p. 283 ; trad. fr. : *Correspondance 1910-1951*, p. 278). La mention du rôle joué par Nadia Boulanger – qui avait enseigné aux États-Unis pendant la guerre – apparaît déjà dans la lettre à G. F. Stegman du 26 janvier 1949 (*ibid.*, p. 279 *sq.* [trad. fr., p. 274], et ASC, *Briefe*, ID 4881) ; Schönberg reviendra sur l'influence néfaste qu'elle a exercée sur «toute une génération de jeunes compositeurs» dans sa lettre à Winfried Zillig du 15 juillet, où il la présente comme celle à qui l'on doit «cette forme de composition

tard une lettre de Kurt List, musicien d'origine autrichienne qui présidait alors le comité éditorial de la maison d'éditions Bomart Music Publications, et qui faisait partie de son cercle d'amis, attira son attention sur l'existence de plusieurs « cliques » qui intriguaient pour empêcher que l'on jouât et publiât ses œuvres : deux d'entre elles – celle de Koussevitzky menée par Copland et celle de la Juilliard School autour de Schuman – étaient, écrivait-il, « les plus dangereuses, non seulement parce qu'elles [avaient] du pouvoir mais aussi parce qu'elle se [présentaient] comme très "modernes" et [rejetaient] [sa] musique comme "réactionnaire" »[191]. Alerté par ces propos, Schönberg crut voir se multiplier les effets de ces machinations ourdies contre lui, en particulier lorsqu'il resta sans nouvelles de concerts de ses œuvres qui devaient être donnés à Francfort et à Darmstadt à la fin du mois de juin à l'occasion de son 75ᵉ anniversaire – jusqu'à ce que Winfried Zillig, qui dirigeait ces concerts, lui apprît qu'ils avaient bien eu lieu et avaient eu un grand succès[192]. Mais c'est alors le silence de la critique (muette y compris sur la prestation, acclamée par le public, du violoniste Tibor Varga) qui lui parut suspect, et qu'il continua d'attribuer aux intrigues de Copland, relayées en Allemagne, selon lui, par Everett Helm, – intrigues nullement imaginaires, insistait-il dans sa réponse à Zillig (« Ne tenez pas ce que je vous dis au sujet des intrigues de ces deux individus pour des inventions de ma part. »), arguant de la « propagande » menée contre sa musique par Copland aux États-Unis[193].

L'affaire devint publique après que Schönberg, dans une intervention radiophonique où il reprochait au critique musical

modale (*modales Komponieren*) qui en fin de compte n'est ni modale ni de la composition » (*ibid.*, ID 4951) – voir également la lettre à Rufer du 10 août (ID 5138).

191 Lettre de Kurt List à Schönberg du 20 mai 1949, ASC, *Briefe*, ID 13657.

192 Voir par exemple la lettre à Felix Greissle du 1ᵉʳ juillet, où Schönberg, imaginant que les concerts avaient été annulés, parle d'intenter un procès à ces « prétendus compositeurs » qui – agissant en bande, dit-il, à la manière des gangsters de Chicago – ont résolu de l'éliminer de la scène musicale européenne comme l'ont fait les Bolchéviques en Russie, où est interdite la musique atonale et dodécaphonique (ASC, *Briefe*, ID 4932).

193 Lettre à Zillig du 15 juillet 1949, ASC, *Briefe*, ID 4951. Voir également les lettres à Wolfgang Steinecke et au pianiste Heinz Schröter écrites le même jour (ID 4952 et 4949), la lettre à Fritz Stiedry du 21 juillet – où sont de nouveau nommés, en dehors de Copland, Schuman et Hanson, auxquels s'ajoute Douglas Moore (autre élève de Nadia Boulanger) – (ID 5117), et les lettres à Rufer du 25 juillet – où réapparaissent les mêmes quatre noms –, du 10 août et du 16 septembre (ID 5123, 5138 et 7643).

du New York Times Olin Downes et à la plupart des chefs d'orchestre en poste aux USA (étaient nommés, une nouvelle fois, Toscanini, Koussevitzky et Walter) de faire de sa musique «un art en voie de disparition» (*dying art*), eut fait, pour conclure, un parallèle entre Copland et Staline – propos qui furent rapportés par Virgil Thomson dans un article du *New York Herald Tribune* paru le 11 septembre 1949[194]. S'ensuivit un échange de lettres, au demeurant courtois, dans lequel Schönberg, tout en prenant acte des déclarations conciliantes de Copland, maintint ses griefs envers lui et tous ceux qui s'employaient à contrer son influence, tout en soulignant qu'il était «un combattant mais non un agresseur», et qu'il ne «ripostait» que quand il avait été attaqué:

> D'un autre côté, il y a au moins un homme ici à Los Angeles qui ne cesse d'interdire aux gens de «faire de la propagande» pour Schoenberg, quand ils ne parlent que de faits susceptibles d'intéresser un musicologue. Et CBS a évidemment cherché à me porter un coup en ordonnant de ne diffuser aucune «musique controversée» – alors que la même chaîne diffusait une bonne quantité de musique controversée d'autres compositeurs. Et vous êtes peut-être au courant aussi de l'attitude d'éditeurs, qui, si possible, essaient d'empêcher que ma musique soit jouée[195].

194 On peut écouter ce document audio, enregistré le 23 août 1949, sur le site de l'ASC, où en est également donnée une transcription: *Schönberg spricht*, VR 28 («For my broadcast»). Voir également J. Auner (éd.), *A Schoenberg Reader*, p. 340 *sq.*

195 Lettre à Copland du 21 février 1950, *ibid.*, p. 342 *sq.* et Sabine Feisst (éd.), *Schoenbergs' Correspondance with American Composers*, Oxford, Oxford University Press, 2018, p. 835 *sq.* (ASC, *Briefe*, ID 5370); dans une première version, Schönberg avait écrit «l'attitude de "MON" éditeur G. Schirmer». Voir aussi la lettre à Thomson – à laquelle était jointe une copie de cette réponse à Copland – où Schönberg fustige le «boycott» de sa musique qui empêche «aussi bien les profanes que les musiciens de se faire leur propre jugement sur [son] cas» (*ibid.*, p. 827 *sq.*); les griefs concernant Schirmer réapparaissent dans une lettre ultérieure (de mai 1951) à Thomson (*ibid.*, p. 829 *sq.*). Quant à l'«homme» qui, à Los Angeles, s'élève contre toute propagande en faveur de Schönberg, il s'agirait, selon S. Feisst, du directeur du Los Angeles Philharmonic, Alfred Wallenstein. – Un point précis sur les échanges entre Schönberg, Thomson et Copland, et plus largement sur la position de ce dernier à l'égard de la *Twelve-tone composition*, a été fait par Jennifer DeLapp-Birket dans son article «Aaron Copland and the Politics of Twelve-Tone Composition in the Early Cold War United States», *Journal of Musicological Research*, 27/1, 2008, p. 31-62 (voir en particulier p. 48 *sq.* et p. 54-59). Sur les tensions

S'agissant d'Israël, la perception qu'avait Schönberg de la situation ne changea guère dans les tout derniers temps. Ainsi écrivait-il le 3 octobre 1950 à son ami Georg Wolfsohn, qui lui avait proposé de faire le voyage de Jérusalem «en touriste» :

> Je donnerais suite très volontiers à votre invitation de venir en touriste si ma santé le permettait. Mais si grand que soit mon désir de voir Israël, il me faut néanmoins surmonter une certaine résistance à cause de mes confrères, qui s'intéressent à tous les musiciens sauf à moi. Et le plus souvent à des non-Juifs. Je n'ai jamais été invité à diriger ou à faire des conférences, mais Toscanini, Solomon, Bernstein et peut-être aussi Hindemith trouvent de nombreux admirateurs en Israël. Qui connaît ma musique ? Qui se soucie de moi[196] ?

Une nouvelle lettre de Schönberg à Wolfsohn datée du 20 avril 1951 – à laquelle il avait joint un choix des *Psaumes, prières et autres conversations avec Dieu* dont la rédaction était alors en cours – témoigne, certes, d'un changement d'état d'esprit : «Vous ne savez pas, lui dit-il, combien je vous envie – d'avoir eu le courage d'émigrer à Jérusalem, où j'aimerais tant vivre.[197] » Cette évolution s'explique, selon toute vraisemblance, par un événement qu'évoque dans sa lettre le compositeur. L'altiste Ödön Pártos, qui venait d'être

---

nées dans les années 1940 avec Schirmer, le premier éditeur américain de Schönberg, voir S. Feisst, *Schoenberg's New World,*, p. 185 *sqq.*, et l'abondante correspondance conservée à l'ASC.

196 ASC, *Briefe*, ID 5594 (cité dans *Stile herrschen, Gedanken siegen*, p. 353). L'amitié de Schönberg avec le chirurgien Georg Wolfsohn (qui s'était établi à Jérusalem en 1935) remontait à la fin des années 1920. Leonard Bernstein, dont le nom apparaît ici aux côtés de celui du pianiste Solomon, avait donné dès avril-mai 1947 une série de concerts avec le Palestine Symphony Orchestra – au programme desquels figuraient notamment le *Concerto en sol* de Ravel (dont il tenait aussi la partie de piano) et sa propre symphonie *Jeremiah*. Il fit un nouveau séjour de deux mois à l'automne 1948 dans ce qui était devenu l'État d'Israël, où il dirigea, entre autres, la *Rhapsody in Blue* de Gershwin, la *3ᵉ Symphonie* de Copland, ainsi que son propre ballet *Fancy Free* ; après cette tournée triomphale (que conclut l'exécution de la *Deuxième Symphonie* de Mahler), l'Orchestre Philharmonique d'Israël lui proposa de devenir son directeur artistique, offre qu'il déclina (*cf.* Humphrey Burton, *Leonard Bernstein*, London, Faber & Faber, 2/2017, p. 163 *sq.* et p. 184 *sq.*). À propos de Toscanini, voir *supra* la note 186.

197 *Stile herrschen, Gedanken siegen*, p. 350 (ASC, *Briefe*, ID 7850).

nommé directeur de l'Israel Academy of Music[198], lui avait en effet rendu visite à Los Angeles peu de temps auparavant, pour lui offrir d'être le Président d'honneur de cette institution. La proposition officielle lui fut adressée par le directeur de la section de Musique du Ministère de l'Éducation et de la Culture, le compositeur Frank Pelleg, dans une lettre datée du 31 mars[199]. Dans sa réponse, dont il pesa chaque mot – ce devait être, confia-t-il à Wolfsohn, « un document » – Schönberg, disant accepter « avec fierté et satisfaction » cette nomination, commença par assurer que « depuis plus de quarante ans son désir le plus cher [était] de voir ériger un État israélite indépendant – et même, plus que cela, de devenir un citoyen résident de cet État », avant d'exposer longuement les objectifs qu'il se serait employé à réaliser dans cette institution si ses forces lui avaient permis de se rendre en Israël :

> J'aurais essayé de faire acquérir à cette académie une signification universelle, en sorte qu'elle fût à même de résister à une humanité qui, sur tant de plans, s'adonne à un matérialisme dans lequel le sens des affaires tient lieu de sens moral. Un matérialisme derrière lequel disparaissent peu à peu toutes les conditions éthiques de notre art. Un modèle universel [...] ne peut former des instrumentistes dont la plus grande habileté se résume à une simple habileté, prompte à s'adapter au besoin général de divertissement.
>
> D'un tel institut doivent sortir de vrais prêtres, qui abordent l'art aussi religieusement (*mit der selben Weihe*) que le prêtre aborde l'autel de Dieu. Car tout comme Dieu a élu Israël en tant que peuple ayant pour mission de perpétuer, en dépit des persécutions et des souffrances, le pur et vrai monothéisme de Moïse, de la même façon le devoir des musiciens israélites est de donner au monde un modèle, seul capable de faire fonctionner à nouveau nos âmes comme l'exige le perfectionnement (*Höherentwicklung*) de l'humanité[200].

198 Pártos, qui était depuis 1938 l'alto solo de de l'Orchestre symphonique de Palestine, avait participé en 1945 à la création de la Samuel Rabin Israel Academy of Music. Cette école fut, en 1951, transférée de Jérusalem à Tel-Aviv, où elle est devenue en 2005 l'actuelle Buchmann-Mehta School of Music, rattachée à l'Université de Tel-Aviv.

199 *Stile herrschen, Gedanken siegen*, p. 348 *sq.*

200 Il existe deux versions légèrement différentes de cette lettre : l'une en anglais adressée à Pelleg (*Stile herrschen, Gedanken siegen*, p. 347 *sq.*), l'autre en allemand destinée à Pártos (*Briefe*, p. 297 *sq.* ; trad. fr. : *Correspondance 1910-1951*, p. 296 [traduction modifiée]) – *cf.* ASC, *Briefe*, ID 5727.

Sous cette profession de foi pleine de solennité, toutefois, couvaient des doutes qui ne tardèrent pas à s'exprimer avec une certaine rudesse. Pártos l'ayant contacté, en toute innocence, pour lui demander conseil au sujet de l'organisation des cours de composition, Schönberg, après avoir répondu brièvement, sans entrer dans le détail des questions techniques qui lui étaient soumises, se lança dans cette mise en garde qui ne dut pas manquer de surprendre, voire d'embarrasser son correspondant :

> Je me sens ici obligé de vous dire sans détours pourquoi j'ai hésité à accepter la présidence d'honneur, et ce qui me retient également dans des affaires similaires.
>
> Pendant des décennies, j'ai dû constater avec regret que, parmi les adeptes de mon art, il y en avait, sur dix, sept ou huit qui étaient chrétiens, et tout au plus deux ou trois qui étaient juifs. Mais d'autre part, la plupart des musiciens juifs étaient des adeptes de musiciens chrétiens : Stravinsky, Bartok, Hindemith. Ceux-ci ont aussi tous agi comme des adversaires de ma musique et de mes théories, et pourtant ils ont trouvé plus d'approbation parmi les Juifs que moi.
>
> Je me suis abstenu par noblesse de m'élever contre cela. Mais il faut maintenant que ce soit dit : je regretterais beaucoup que cet institut forme des partisans (*Verehrer*) de mes ennemis au lieu d'en faire émerger qui soient prêts à combattre.
>
> Je ne puis vous dispenser du devoir d'accepter cette déclaration comme contraignante. Je me verrais obligé de me retirer si je faisais une expérience contraire.
>
> Cela ne revient pas à dire que les élèves ne doivent pas être familiarisés avec la technique de ces autres compositeurs actuels. Tout savoir doit être enseigné, mais il ne faudrait pas que l'on puisse prendre parti contre moi[201].

La susceptibilité que trahissent ces propos, conformes à tous ceux que nous avons relevés dans la correspondance antérieure de Schönberg, mais que ne laissait pas attendre le ton du courrier précédent (rien n'indiquait qu'il eût « hésité à accepter » la proposition qui lui était faite), montre que jusqu'au bout – ces lignes ont

---

201 Lettre à Ödön Pártos du 15 juin 1951, *Stile herrschen, Gedanken siegen*, p. 351 *sq.* ; voir aussi la lettre de Pártos du 3 juin, ASC, *Briefe*, ID 12733.

été écrites moins d'un mois avant sa mort – resta vivace en lui le dépit d'être privé du soutien qu'à ses yeux auraient dû lui apporter les musiciens, interprètes et compositeurs, appartenant comme lui à la communauté juive. La solidarité entre humains que le texte de *Verbundenheit* présentait comme une réalité en laquelle on devait croire, ainsi, s'avérait illusoire là où semblait justement devoir la garantir l'appartenance au peuple d'Israël, que soudait la longue histoire de ses persécutions. Aussi le fait de célébrer par un chœur de sonorités harmonieuses, qu'on eût prises ici à la lettre, l'accomplissement essentiellement symbolique du rêve partagé par tous les Juifs – cet « ardent désir » d'un retour en Terre promise qu'évoquait le *Programme* de 1938 – eût été factice. Si dans *Verbundenheit* les accords parfaits avaient fleuri sur le terreau de la dissonance, cette dernière était à l'inverse, dans *Dreimal tausend Jahre*, la seule manière dont pouvait s'exprimer adéquatement l'attachement à une Jérusalem rêvée, dont la boiteuse traduction dans la réalité ne faisait que rendre plus sensible le caractère inaccessible.

INDEX DES NOMS PROPRES

INDEX DES ŒUVRES DE SCHÖNBERG

Œuvres sans numéro d'opus

Écrits

ÉDITIONS CONTRECHAMPS
EXTRAIT DU CATALOGUE

Philippe Albèra
Le parti pris des sons. Sur la musique de Stefano Gervasoni

Béla Bartók
Écrits

Luciano Berio
Entretiens avec Rossana Dalmonte. Écrits choisis

Jean-François Boukobza
György Ligeti : Études pour piano

Daniel Ender
Métamorphoses du son. La musique de Beat Furrer

Brian Ferneyhough
Univers parallèles. Essais et entretiens sur la musique

Carl Dahlhaus
Schönberg (nouvelle édition revue et corrigée)

Klaus Huber
Au nom des opprimés. Écrits et entretiens (nouvelle édition)

Helmut Lachenmann
Écrits et entretiens

Jean-Louis Leleu
La construction de l'idée musicale. Essais sur Webern, Debussy et Boulez

György Ligeti
Neuf essais sur la musique (Écrits sur la musique, vol. I)
L'Atelier du compositeur (Écrits sur la musique, vol. II)
Écrits sur la musique et les musiciens (Écrits sur la musique, vol. III)

Luigi Nono
Écrits

Wolfgang Rihm
Fixer la liberté. Écrits sur la musique

Dieter Schnebel
Musique visible. Essais sur la musique

Karlheinz Stockhausen
Comment passe le temps

Anton Webern
Le Chemin vers la nouvelle musique et autres écrits

Editions Contrechamps
8, rue de la Coulouvrenière, CH-1204 Genève
Téléphone : +41 22 329 24 00
www.contrechamps.ch/editions
editions@contrechamps.ch

MOLÉSON
IMPRESSIONS
.ch

Achevé d'imprimer en Suisse · Octobre 2019